D1625957

DAS GROSSE Pasta KOCHBUCH

DAS GROSSE

Pasta

KOCHBUCH

KÖNEMANN

First printed in 1997 © Text, design, photography and illustrations Murdoch Books® 1997
All rights reserved. No part of this publication may be reproduced, stored in a retrieval system or transmitted in any form or by any means, electronic, mechanical, photocopying, recording or otherwise, without the permission of the publisher.
Murdoch Books® is a trademark of Murdoch Magazines Pty Ltd.

Published by Murdoch Books®, a division of Murdoch Magazines Pty Ltd,
213 Miller Street, North Sydney NSW 2060

Originaltitel: The Essential Pasta Cookbook

© 1998 für die deutsche Ausgabe
Könemann Verlagsgesellschaft mbH, Bonner Str. 126, D-50968 Köln
Übersetzung aus dem Englischen: Gabriele Gugetzer, Hamburg
Redaktion & Satz der deutschen Ausgabe: Thomas Heider, Bergisch Gladbach
Druck und Bindung: Leefung Asco Printers Ltd.
Printed in China

ISBN 3–8290–0433–8

UNSER STERNE-SYSTEM ist kein Beurteilungssystem nach Qualitätskriterien, sondern es klassifiziert die Gerichte danach, wie einfach oder aufwendig sie zuzubereiten sind.

★ Bei einem Stern ist eine schnelle und unkomplizierte Zubereitung möglich – ideal für Anfänger.
★★ Bei Gerichten mit zwei Sternen sollte man ein wenig mehr Sorgfalt und Zeit aufwenden.
★★★ Gerichte mit drei Sternen sind recht aufwendig und erfordern verhältnismäßig viel Zeit, Aufmerksamkeit und Geduld. Doch lohnt der Aufwand allemal. Anfänger: keine Angst! Wenn Sie sich genau an die Rezeptbeschreibungen halten, gelingen die Gerichte.

NÄHRWERTANGABEN: Die Nährwertangaben am Ende der Rezepte enthalten nicht jede Beilage wie Reis oder Pasten, auch wenn diese in der Zutatenliste aufgezählt werden. Die Nährwerte sind Annäherungswerte und aufgrund der Natur der Zutaten gewissen Schwankungen unterworfen. Zudem ist bei einigen industriell hergestellten Produkten die Zusammensetzung nicht bekannt.

PASTA… MAHL FÜR DIE GÖTTER

Endlich haben auch wir ein kulinarisches Geheimnis entdeckt, daß die Italiener schon seit Jahrhunderten kennen… Mit Pasta kann man eigentlich nichts falsch machen. Was gäbe es einfacheres und köstlicheres als Butter und Parmesan, die über einer Schüssel dampfender frischer Tagliatelle schmelzen? Pasta ist Nahrung für die Seele. Sie wärmt den Körper und ist wunderbar sättigend.

Früher glaubte man, daß Marco Polo die Pasta im Jahre 1295 von China nach Italien brachte, doch mit diesem Gerücht würde man den alten Italienern einen schlechten Dienst erweisen: Schon seit den Zeiten der römischen Kaiser läßt man sich in Italien Pasta munden. Cicero selbst liebte Laganum über alle Maßen, eine flache Pasta in Körbchenform, die wir heute als Tagliatelle kennen. Und aus dem 16. Jahrhundert stammt Torquato Tassos Geschichte vom Wirt, der die Tortellini als Abbild des Nabels der Venus erfand. Buon appetito!

INHALT

SPEZIELLE KAPITEL

PASTAGEHEIMNISSE

Es gibt gute Gründe für die Popularität der Pasta: Sie ist preiswert, schnell und einfach zuzubereiten (unsere Rezepte werden nach Schwierigkeitsgraden eingestuft), wohlschmeckend, gesund und, wie dieses Buch zeigt, verblüffend vielfältig und abwechslungsreich. Sie können Pasta bei einem eleganten Dinner mit Räucherlachs in Sahnesauce servieren oder einfach nur mit Parmesan, Speck oder Eiern. Sie können Pasta kalt als Salat, warm in Suppen oder noch heiß aus dem Backofen und gefüllt mit Ricotta und Spinat servieren. Pasta kann sogar als Nachtisch gereicht werden und hat sich als Katermedizin entpuppt... Zumindest die Italiener behaupten, daß eine Portion Spaghetti mit Knoblauch und Chiliöl direkt vor dem Zubettgehen den Katzenjammer von zuviel *vino* erst gar nicht entstehen läßt. Man kann eigentlich jeden Tag Pasta genießen (was viele Italiener auch tun) und trotzdem nie »pastamüde« werden. Sie paßt fast zu allem, auch zu Brot, Gemüse und Salat. Entsprechende Rezeptideen finden Sie deshalb auch in diesem Buch.

Natürlich sollte man die klassische Begleitung vieler Pastagerichte nicht vergessen, den Parmesan. Obwohl etwas geriebener oder gehobelter Parmesan sich optisch gut macht, sollten Sie der Versuchung widerstehen, Parmesan an jedes Gericht zu geben. Besonders zu Meeresfrüchten paßt Parmesan nicht, denn die unterschiedlichen Aromen verbinden sich nicht immer gut. Wenn Sie aber Ihre Pasta garnieren wollen, bieten wir Ihnen auf Seite 113 die Mailander Gremolata als Alternative an.

GETROCKNET ODER FRISCH?

Viele glauben, frische Pasta sei immer besser als getrocknete. Das stimmt aber nicht immer – einige Saucen eignen sich besser für getrocknete, andere besser für frische Pasta. Frische Pasta paßt gut zu üppigen Saucen aus Sahne, Butter und Käse, denn ihre weiche Beschaffenheit saugt die Saucen gut auf. Alfredo gehört zu den idealsten Saucen für frische selbstgemachte Pasta, ähnlich wie zerlassene Butter mit Parmesan. Getrocknete Pasta hingegen sollten Sie wählen, wenn Sie herzhaftere Saucen auf Tomatenbasis servieren wollen. Wenn die Sauce mit Oliven, Anchovis, Chillies, Fleisch oder Meeresfrüchten zubereitet wird, eignet sich getrocknete Pasta in jedem Fall besser. Pasta besteht aus Mehl, Wasser und z. T. aus Eiern und Öl. Pasta aus Vollkornmehl ist dunkler. Getrocknete Pasta aus Durumweizenmehl hält man für qualitiv besser.

Pasta wird auch aus anderen Mehl- und Getreidesorten wie Buchweizen, Mais, Reis und Sojabohnen hergestellt. Manche Pastasorten werden mit pürierten Kräutern, Tomaten, Spinat oder anderem Gemüse als Geschmackszusatz hergestellt. Getrocknete Pasta hält bis zu 6 Monaten, wenn sie in einem luftdichten Behälter an einem kühlen, dunklen Ort gelagert wird. Getrocknete Pasta aus Vollkornmehl hält sich jedoch nur einen Monat, bevor sie ranzig wird. Frische Pasta kann, in Klarsichtfolie eingewickelt, bis zu 5 Tagen eingefroren werden. In Containerdosen hält sie sich bis zu 4 Monaten. Vor dem Kochen aber bitte nicht auftauen.

WELCHE PASTAFORM?

Es hat gute Gründe, daß bestimmte Pastaformen und -saucen besonders gut zusammenpassen. Es gibt regional unterschiedliche Vorlieben für Pastaformen, aber vorrangig ist, wie gut eine Pastasorte eine Sauce aufnehmen kann. Röhrenpasta wie Penne nehmen dickere Saucen gut auf, während flache oder lange Pastasorten traditionell mit dünnen, glatten Saucen serviert werden. Doch es gibt keine bindenden Gesetze, denn im Gegenteil liegt der Reiz ja auch darin, die verschiedenen Farben, Formen und Geschmacksrichtungen auszuprobieren. Auf den folgenden Seiten sind einige der vielen frischen und getrockneten Pastasorten abgebildet, die man mittlerweile auch in Deutschland kaufen kann.

Der Name der Pasta läßt schon Rückschlüsse auf ihre Beschaffenheit zu. Ein Name, der auf *-ricce* endet, bedeutet, daß die Pasta einen welligen Rand hat; *-nidi* bedeutet, daß sich die Enden zu Nestern formen; *-rigate* bedeutet geriffelt und *-lisce* deutet auf eine glatte Oberfläche hin. Und falls Sie mehr als nur ein paar Brocken Italienisch sprechen, können Sie sich unter dem Namen der Pasta auch gleich ihre Form vorstellen... auch wenn das manchmal wenig einladend klingt. *Orecchiette* sind kleine Ohren, *eliche* sind Propeller, *ditali* Fingerhüte, *conchiglie* Muscheln, *linguine* kleine Zungen und *vermicelli* kleine Würmer! Wenn der Pastaname mit *-oni* endet, sind die Nudeln größer. So sind *conchiglioni* beispielsweise große *conchiglie*. Endungen auf *-ini* und *-ette* hingegen bezeichnen kleinere Varianten, wie die *farfallini*. Doch bevor wir uns zu sehr in Namen verzetteln, sollten wir hier erwähnen, daß Pastanamen von Hersteller zu Hersteller und von Buch zu Buch variieren... was dem einen seine Tortelloni sind, sind dem anderen seine Agnolotti. Aber mit etwas gesundem Menschenverstand sollten sich hier keine größeren Probleme auftun!

WIEVIEL PASTA?

Auch wieviel Pasta jedem zusteht, ist eine heikle Frage für eingefleischte Pastafans. Noch kontroverser die Frage: Wieviel Sauce gehört an die Pasta? Als Daumenregel gelten 60 g frische Pasta pro Person als Vorspeise und 125 g als Hauptgericht. Bei getrockneter Pasta, die mehr Feuchtigkeit enthält und daher schwerer ist, sollten Sie diese Mengen auf 90 g als Vorspeise und 150 g pro Person als Hauptgericht erhöhen.

Die Frage der Saucenmenge ist natürlich eine des persönlichen Geschmacks, doch der größte Fehler, den nicht-italienische Köche begehen könnten, wäre, zuviel Sauce an die Pasta zu geben. Pasta soll nicht in der Sauce ertrinken, sondern nur von ihr benetzt werden. Wenn beide vermengt werden, sollten am Boden keine Saucenrückstände sein.

PASTA KOCHEN

Ungesalzenes Wasser kocht schneller als gesalzenes, und deshalb sollten Sie erst salzen, wenn das Wasser bereits kocht. Verwenden Sie einen großen Kochtopf, in dem die Pasta Freiraum hat, und geben Sie die Pasta erst zu, wenn das Wasser sprudelnd kocht. Manche Köche geben 1 Eßlöffel Öl ins Wasser, damit es nicht überkocht und die Pasta nicht zusammenklebt. Kurz den Deckel auf den Topf geben, um das Wasser so schnell wie möglich wieder zu erhitzen, und den Deckel wieder entfernen, sobald das Wasser aufkocht.

Perfekt gekochte Pasta ist *al dente*, d. h. bißfest, weich, aber dennoch fest. Wichtig ist, sie nun abzugießen und sofort in eine angewärmte Schüssel, in den Topf mit der Sauce oder zurück in den Kochtopf zu geben. Pasta muß nicht völlig abgetropft sein, denn Feuchtigkeitsrückstände nehmen die Sauce besser auf. Wenn man sie im Sieb läßt, wird Pasta allerdings zu einer klebrigen Masse. Etwas Öl oder Butter unter die Pasta gerührt, verhindert ein Zusammenkleben. Alternativ kann man sie auch mit etwas Kochwasser bespritzen und vorsichtig mengen (man sollte immer etwas Kochflüssigkeit zurückbehalten, auch falls die Pasta zu stark abtropft). Ein richtiges Timing kann den Unterschied zwischen einer guten Pasta und einer herausragenden Pasta ausmachen. So empfiehlt es sich, das Rezept zuvor genau durchzulesen und die Kochzeit entsprechend zu koordinieren. Die Pastasauce sollte man gleich zur Hand haben, um sie mit der gekochten Pasta zu vermischen, besonders wenn es frische Pasta ist, die sonst weiterkocht. Pasta für kalte Pastasalate sollte unter kaltem Wasser abgespült werden, um auf diese Weise überschüssige Stärke zu entfernen. Anschließend wird sie mit etwas Öl vermengt. Die Pasta dann abgedeckt im Kühlschrank aufbewahren, bis sie weiterverarbeitet wird.

GANZ LINKS: Pasta mit Jakobsmuscheln in Limettensauce (S. 165)
OBEN: Fettuccine mit Auberginen und grünen Oliven (S. 120)

TROCKENPASTA

Lange, dünne Pasta wie Spaghetti werden mit dünnen, ölhaltigen Saucen serviert; kürzere, breitere oder dicke Pastasorten nehmen Einlagen in der Sauce besser auf.

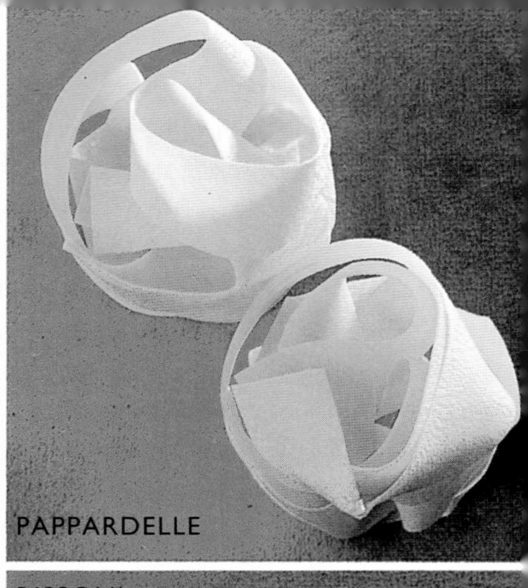
PAPPARDELLE

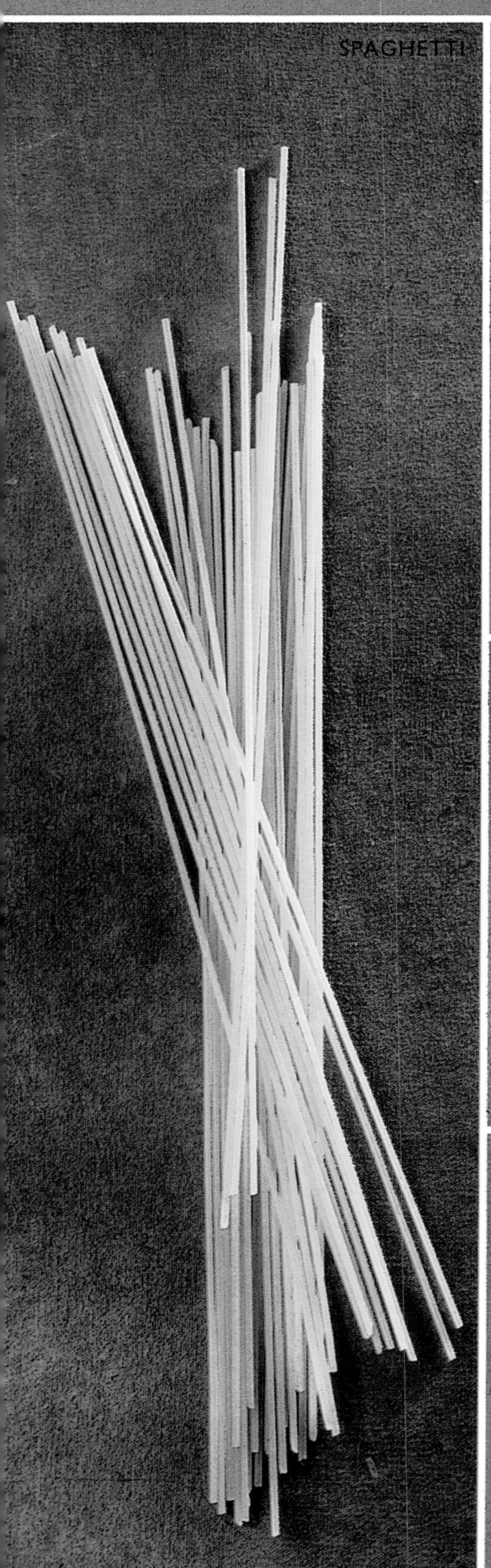
SPAGHETTI

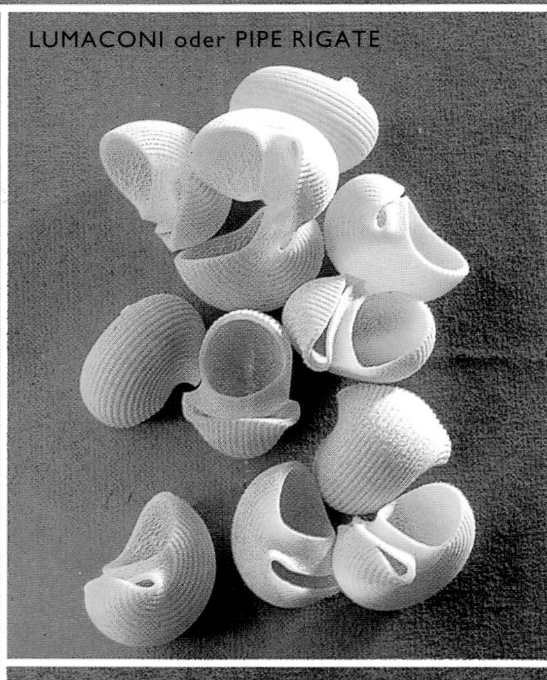
LUMACONI oder PIPE RIGATE

RISSONI

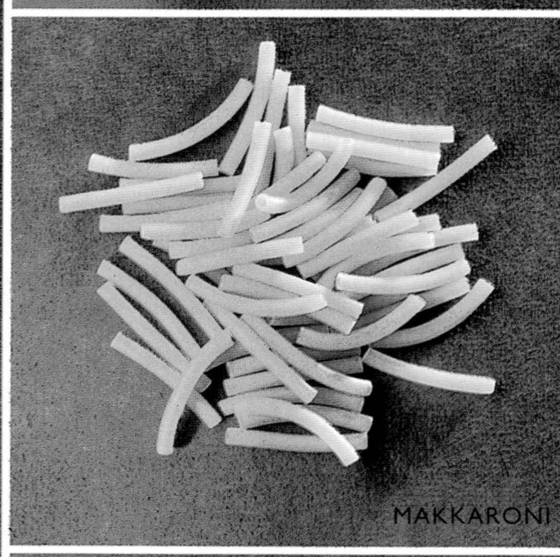
MAKKARONI

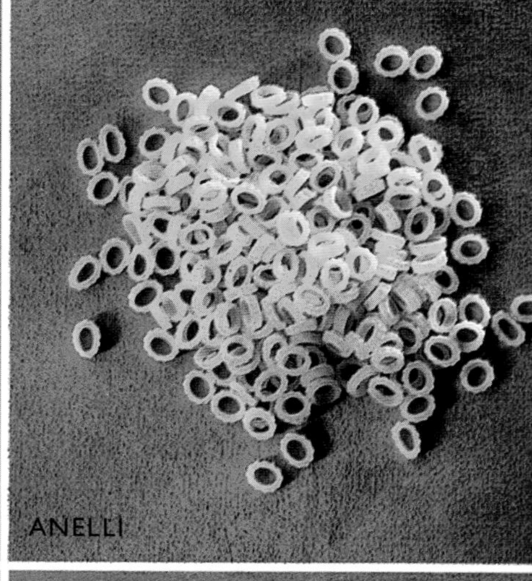
ANELLI

PENNE oder PENNE RIGATE

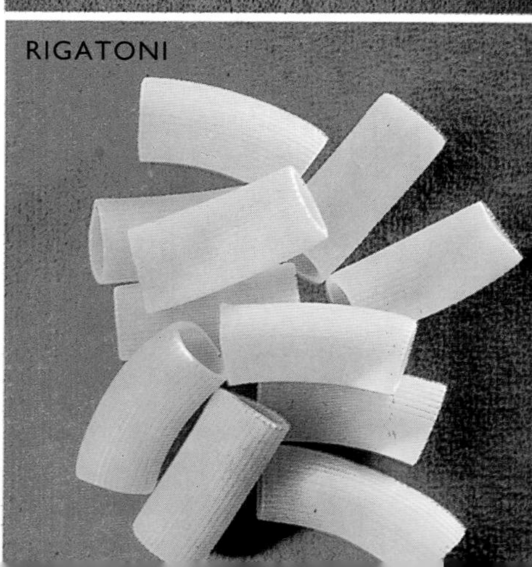
RIGATONI

FUSILLI oder ELICHE

ORECCHIETTE

CANNELLONI

FUSILLI oder BUCATI LUNGHI

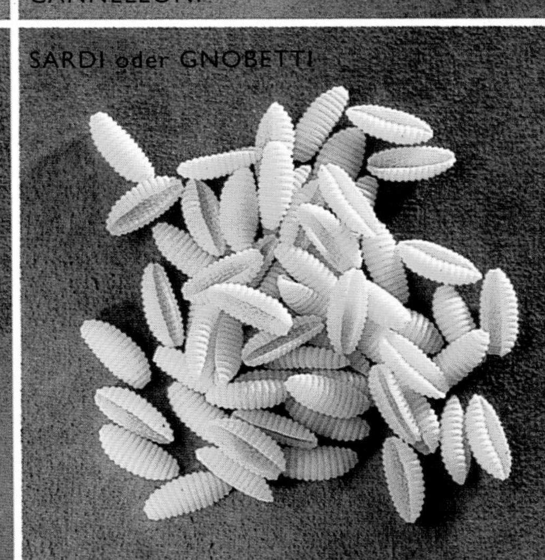

SARDI oder GNOBETTI

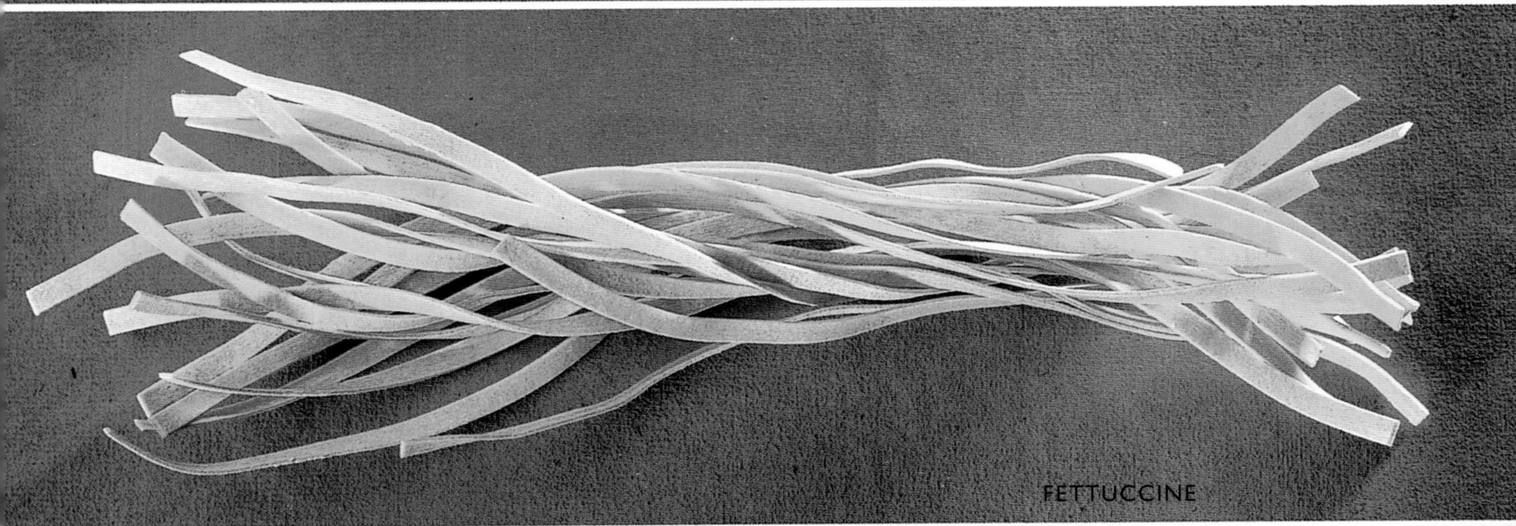

FETTUCCINE

LASAGNE

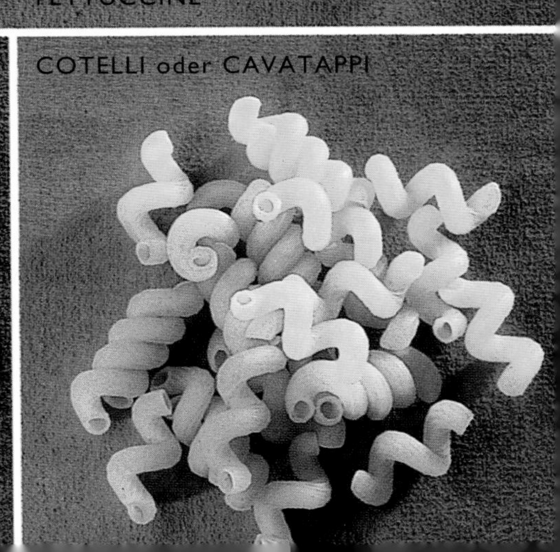

COTELLI oder CAVATAPPI

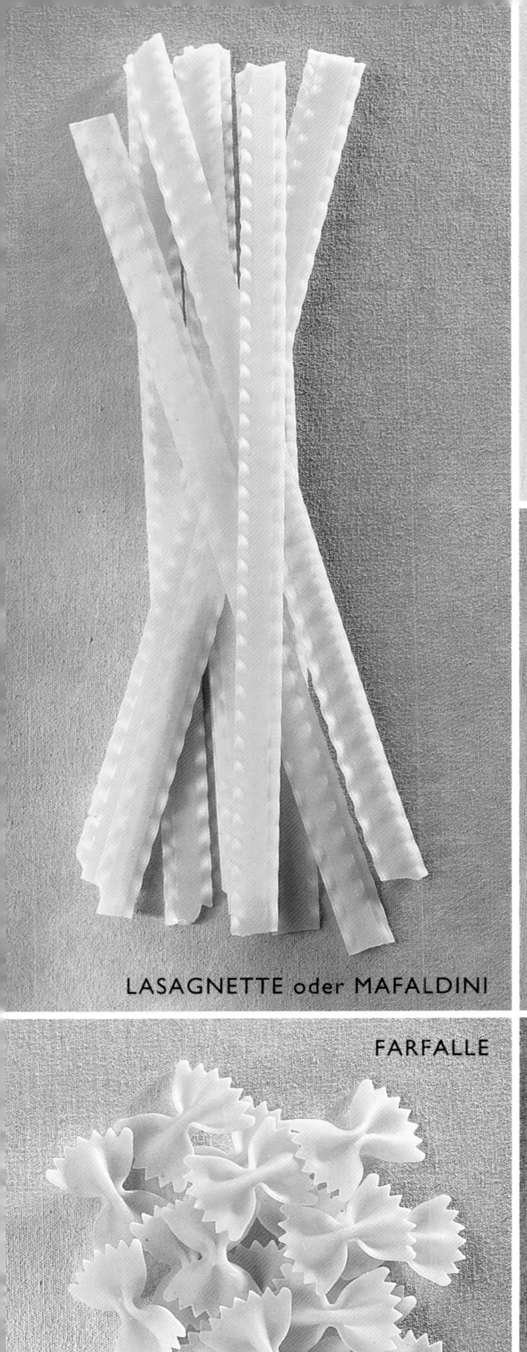
LASAGNETTE oder MAFALDINI

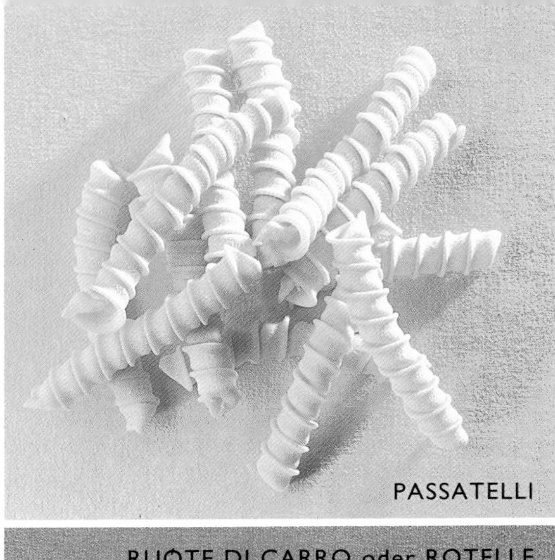
PASSATELLI

CAPPELLINI oder ENGELSHAAR

RUOTE DI CARRO oder ROTELLE

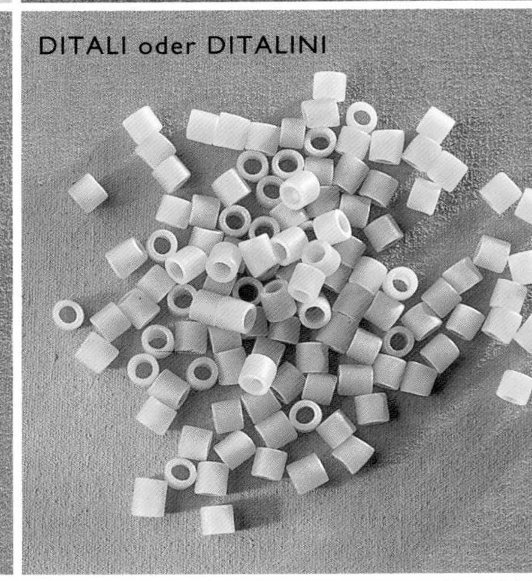
DITALI oder DITALINI

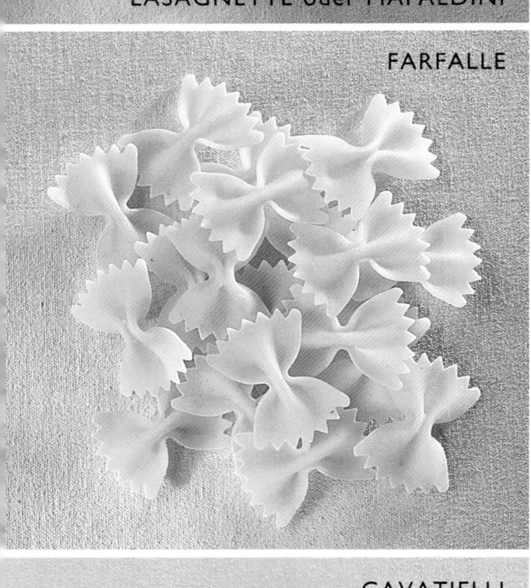
FARFALLE

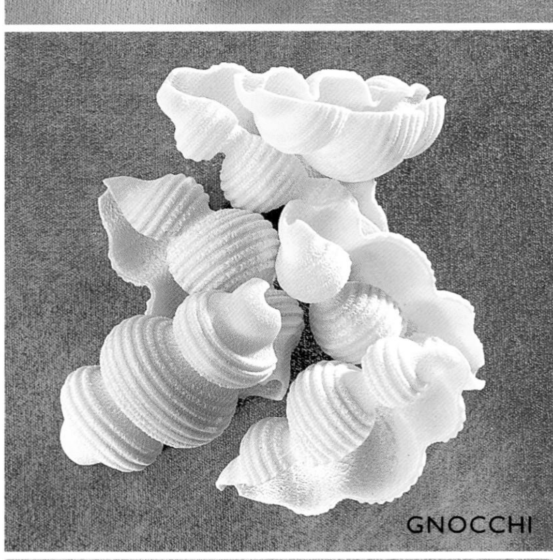
GNOCCHI

CRESTI DI GALLO

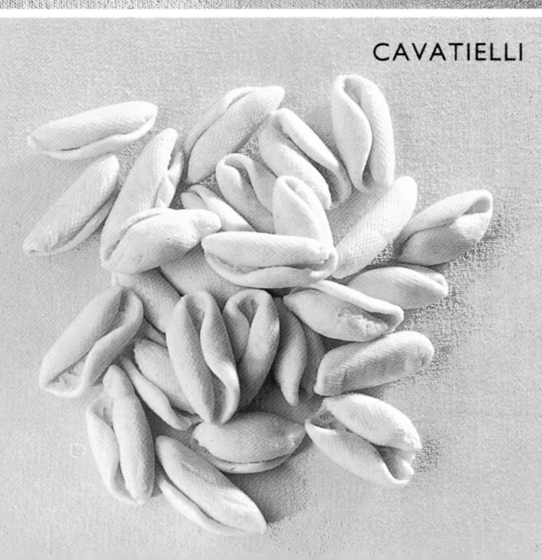
CAVATIELLI

TAGLIATELLE

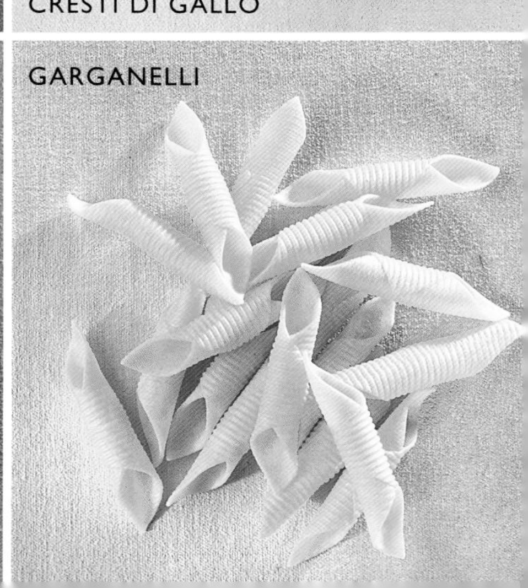
GARGANELLI

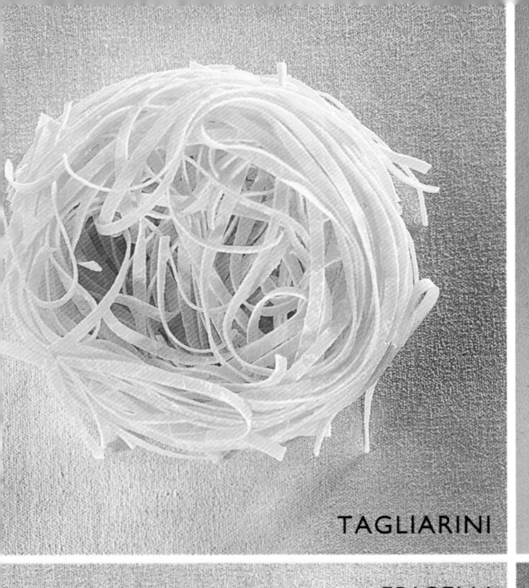
TAGLIARINI

ZITI

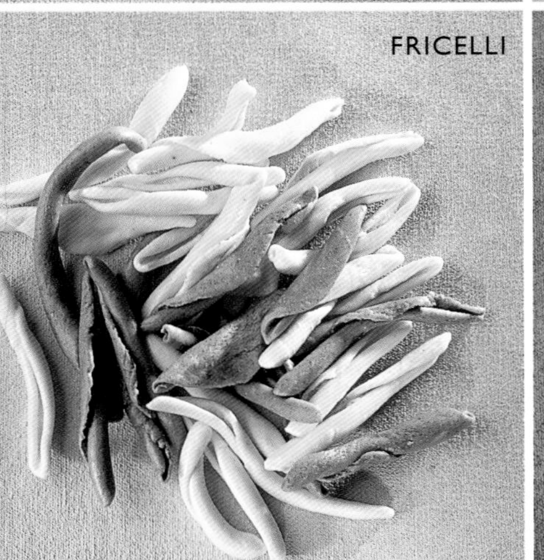
FRICELLI

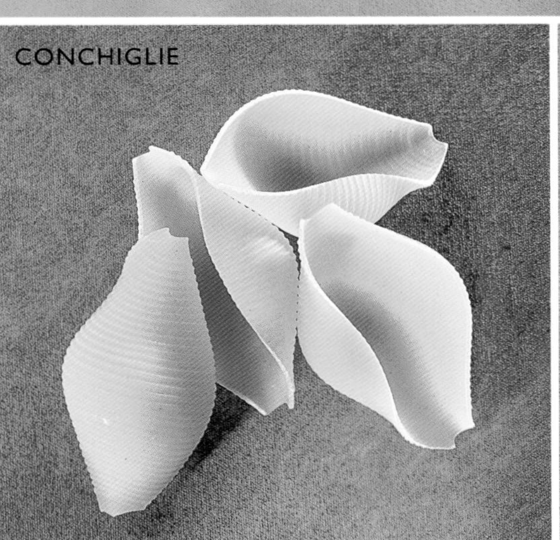
CONCHIGLIE

STELLINI

VERMICELLI

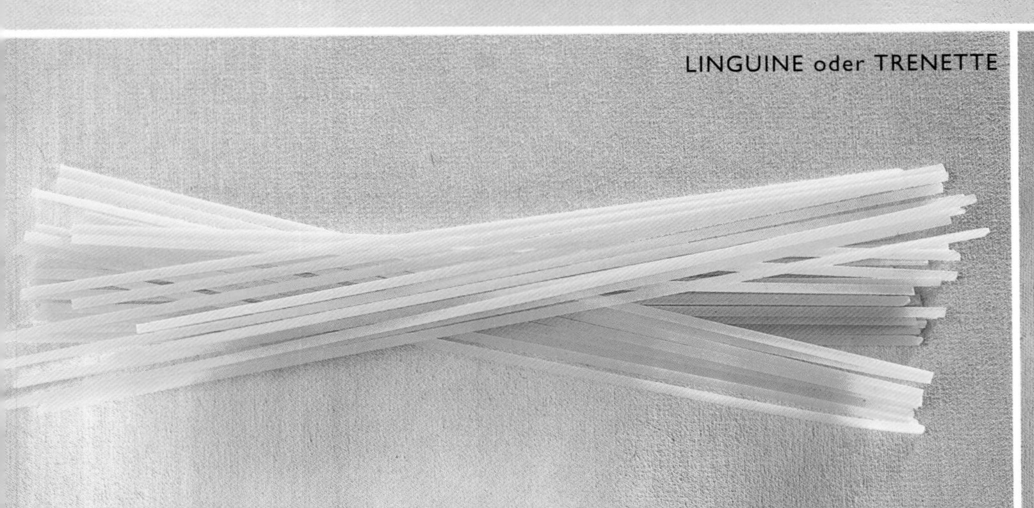
LINGUINE oder TRENETTE

TORTELLINI

FRISCHE PASTA harmoniert wundervoll zu cremigen Sahne- oder Buttersaucen. Man kann sie selbst machen oder auch in italienischen Feinkostläden oder in gutsortierten Supermärkten kaufen.

MALTAGLIATI

GNOCCHI

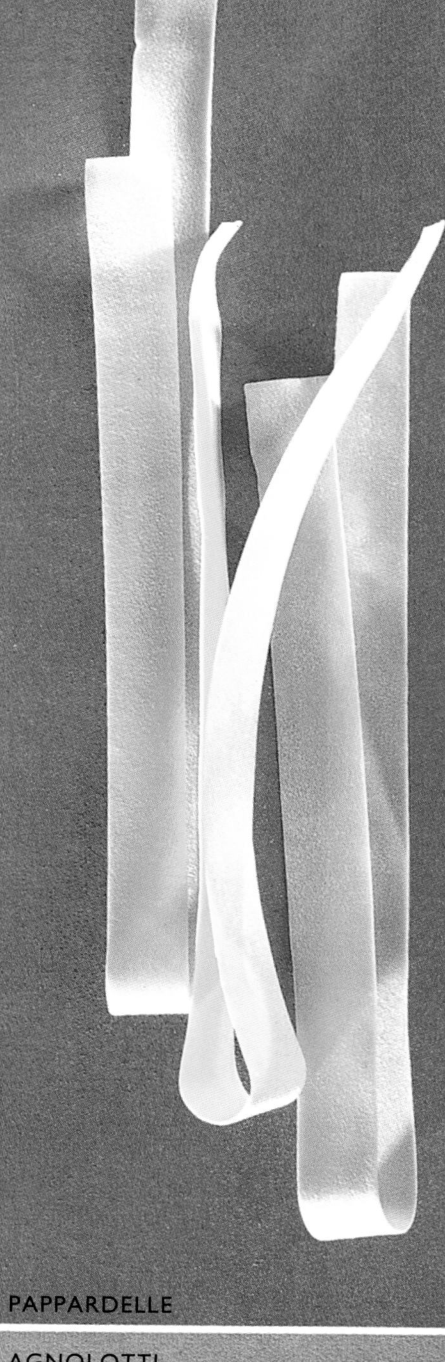
PAPPARDELLE

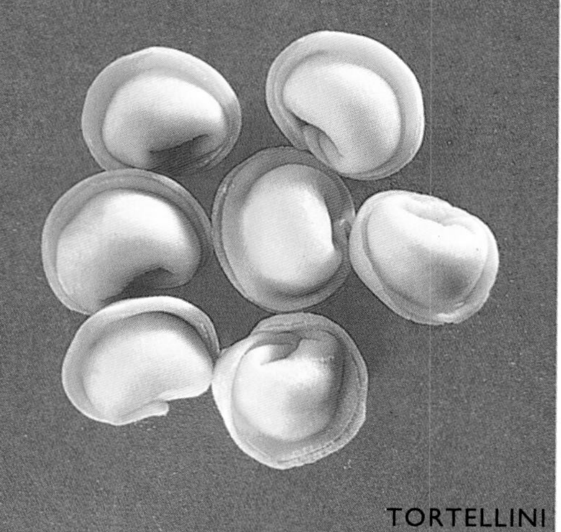
TORTELLINI

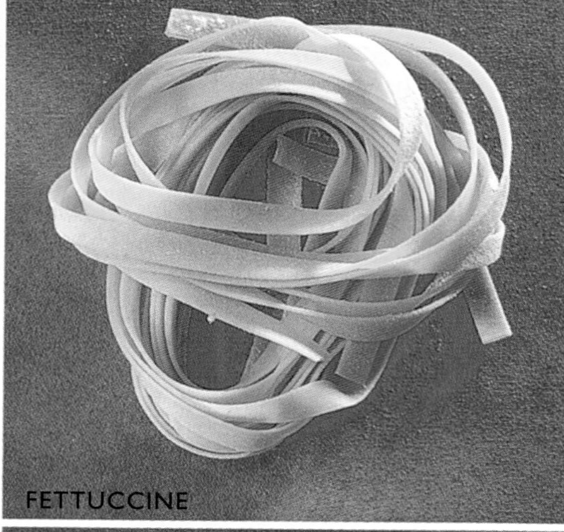
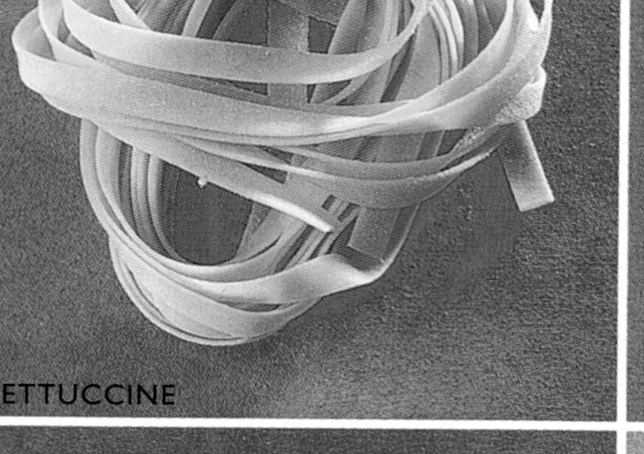
FETTUCCINE

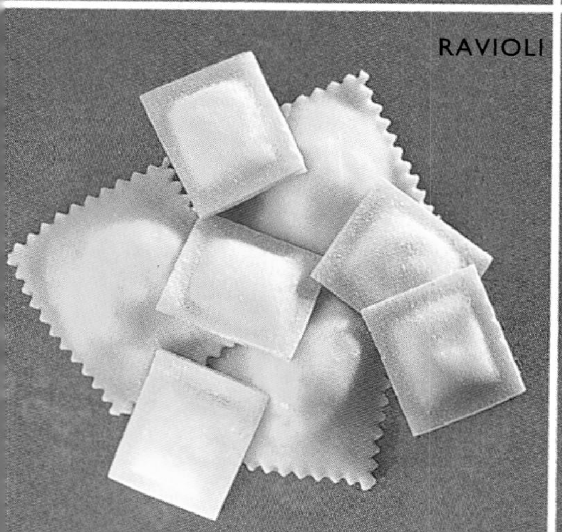
RAVIOLI

MEZZALUNA

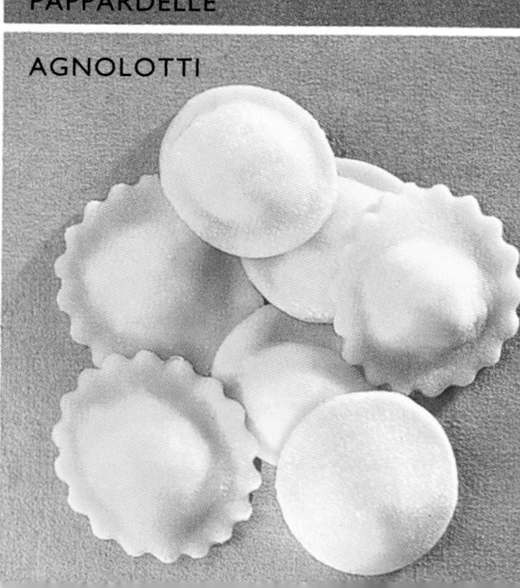
AGNOLOTTI

CAPPELLETTI

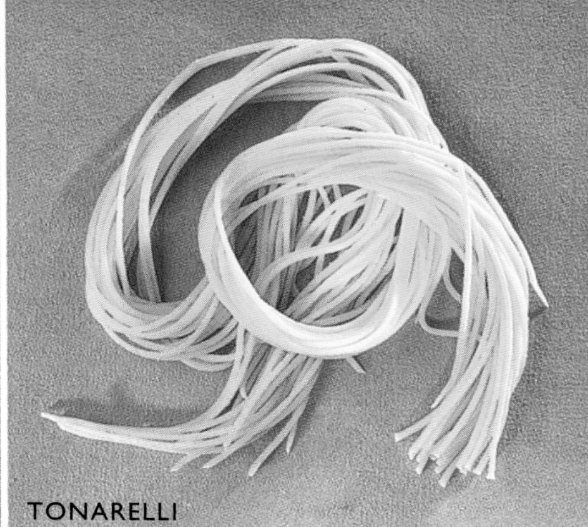
TONARELLI

LASAGNE

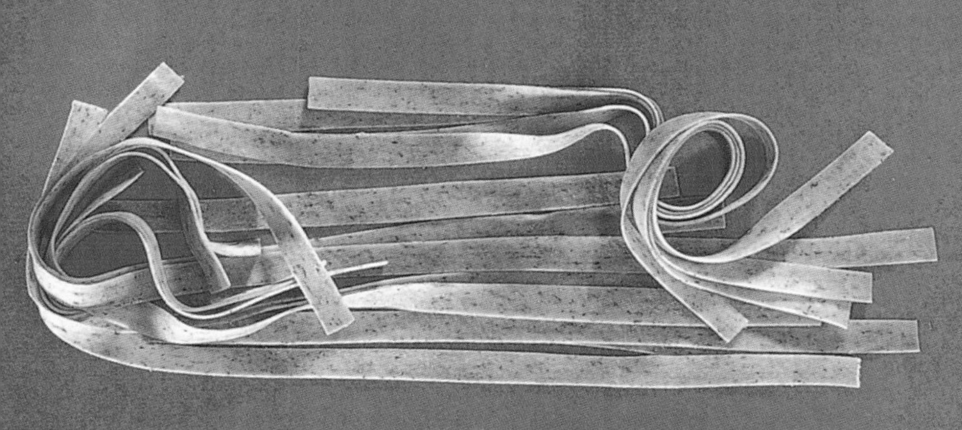

TAGLIATELLE

QUADRUCCI

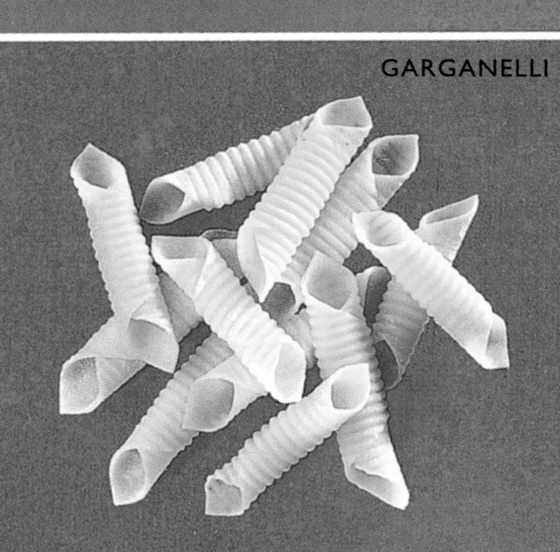
GARGANELLI

LINGUINE

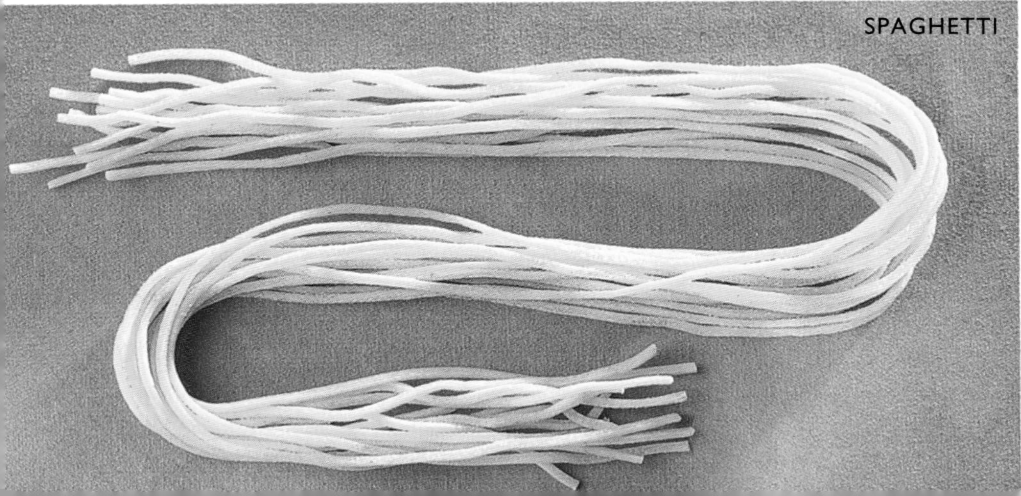
SPAGHETTI

PANSOTTI

PASTA SELBST MACHEN

Was könnte entspannender sein? – Mit etwas Übung und guten Zutaten können Sie Pasta bald in den verschiedensten Formen und Konsistenzen herstellen.

Pasta selbst herzustellen ist nicht schwer – es kann im Gegenteil sogar äußerst entspannend sein. Allerdings sollte man einige Tricks kennen. Überaus wichtig ist etwas, was meist übersehen wird: eine gut durchlüftete Küche ohne Zugluft. Auch kann Feuchtigkeit einen Teig widerspenstig machen, daher sollten Sie Pasta nicht an Regentagen herstellen.

Den Teig zu kneten ist ebenfalls wichtig, denn so wird das Gluten im Mehl aktiviert und macht den Teig fest, aber dennoch geschmeidig. Geknetet werden muß so lange, bis der Teig formbar ist. Sollte er zu weich werden, können Sie Mehl in kleinen Mengen zugegeben.

Zu Hause hergestellte Pasta kann man bis zu 48 Stunden in einem luftdichten Behälter im Kühlschrank aufbewahren. Dabei sollten Sie die nicht zu fest gepackte Pasta einmal auf mögliche Feuchtigkeit überprüfen und wenden. Auch ein Einfrieren ist möglich, doch manchmal wird die Pasta beim Auftauen brüchig. Tiefgefrorene Pasta wird nicht erst aufgetaut und dann verarbeitet, sondern tiefgefroren in kochendes Wasser gegeben. Lasagne hält sich am besten, wenn die einzelnen Lagen vorher blanchiert und vor dem Einfrieren oder Kühlen in Wachspapierlagen gewikkelt und gestapelt werden.

DIE AUSRÜSTUNG

Zur Pastaherstellung sind spezielle Geräte zwar nicht erforderlich, aber einige sind durchaus zeitsparend. Die Arbeitsfläche oder das Nudelbrett sollte groß sein und eine glatte, plane Oberfläche haben. Holz oder Marmor sind dafür ideal. Wenn man

den Teig von Hand knetet, ist ein langes Nudelholz zum gleichmäßigen Ausrollen praktisch, das auch die Ausrollzeit verkürzt. In einer großen Keramikschüssel lassen sich die Zutaten sauberer mengen. Eine Küchenmaschine mengt den Teig schnell und verkürzt die Knetzeit. Zum Schneiden der Nudeln brauchen Sie ein langes, scharfes Messer, unter Umständen einen Teigroller und einen Ausschaber. Pastamaschinen, durch die der Teig mit der Hand gerollt wird, sind sehr zu empfehlen. Sie sind einfach in der Handhabung, kneten den Teig beim Durchrollen und liefern gleichmäßige Teigplatten mit einer glatten, ebenmäßigen Struktur. Die besseren Pastamaschinen sind robust gebaut, haben einen soliden Haltegriff zum Festschrauben und Rollen, die sich leicht einstellen und ebenso leicht bewegen lassen.

ZUTATEN

Die Zutaten müssen auf Raumtemperatur gebracht werden. Das Größenverhältnis von Mehl und Eiern hängt vom Wetter ab, der Qualität des Mehls und der Frische und Größe der Eier. Öl ist für den Teig zwar nicht notwendig, doch es erleichtert das Kneten.

Normales Haushaltsweizenmehl ergibt einen glatten, leichten Teig mit guter Struktur. Einige Pastahersteller geben auch Durumweizen zu, der die Farbe, den Geschmack und die Beschaffenheit der Nudeln verbessert. Doch der Hartweizen läßt sich manchmal schwierig verarbeiten, vor allem mit handbetriebenen Pastamaschinen. Deshalb sollte der Anteil von Semolina maximal auf die Hälfte begrenzt werden.

GRUNDTEIG

Für 6 Personen als Vorspeise oder 4 Personen als Hauptgericht braucht man Pasta aus 300 g Weizenmehl, 3 großen Eiern, 30 ml Olivenöl (falls gewünscht) und einer Prise Salz.

1 Wenn Sie den Teig mit der Hand kneten, sieben Sie das Mehl in eine große Keramikschüssel und bilden in der Mitte eine Mulde.

2 In diese Vertiefung schlagen Sie die Eier, geben eine großzügige Prise Salz zu und gießen das Öl an, falls Sie es verwenden. Mit einer Gabel wird die Masse nun verschlagen und dabei vom Innenrand beginnend allmählich das Mehl eingearbeitet.

3 Halten Sie die Schüssel mit der freien Hand fest, und achten Sie darauf, daß die Eimasse nicht durch den Mehlring läuft.

4 Nun den Teig auf einer leicht bemehlten Oberfläche mit leichten Bewegungen kneten. Er sollte weich und elastisch sein, sich aber trocken anfühlen. Falls er klebt, etwas Mehl dazugeben.

5 Das Kneten sollte mindestens 6 Minuten dauern, damit der Teig eine glatte, elastische, leicht glänzende Oberfläche bekommt. Wenn man mit einer Mehlmischung aus Durumweizen arbeitet, verlängert sich die Knetzeit auf ca. 8 Minuten. Nun wird der Teig lose in eine Plastiktüte gepackt oder mit einem Küchenhandtuch oder einer Schüssel abgedeckt. Ruhezeit: 30 Minuten. Der Teig kann auch in einer Küchenmaschine geknetet werden.

PASTA SELBST MACHEN

TEIG VON HAND AUSROLLEN UND SCHNEIDEN

1 Den Teig in 3 oder 4 Stücke teilen, die so groß sind, daß sie sich leicht handhaben lassen, und abdecken.

2 Eine große Arbeitsplatte sparsam bemehlen. Ein Teigstück mit einem langen, bemehlten Nudelholz von der Mitte nach außen ausrollen.

3 Rollen Sie das Nudelholz immer von sich weg nach außen, und drehen Sie den Teig dabei häufig. Die Arbeitsfläche muß immer so bemehlt sein, daß der Teig nicht klebt. Wenn Sie einen ebenmäßigen Kreis ausgerollt haben, falten Sie den Teig und rollen ihn dann wieder aus. Wenn Sie den Teig auf diese Weise sieben- bis achtmal ausgerollt haben, sollte er ein glatt, rund und etwa 5 mm dick sein.

4 Den Teig in schnellen Bewegungen auf eine Dicke von 2,5 mm ausrollen und Löcher mit etwas Teig vom Rand, der mit etwas Wasser angedrückt wird, abdecken.

5 Jede Teigplatte auf ein Küchenhandtuch legen. Wenn Sie gefüllte Pasta machen wollen, müssen die Teigplatten mit einem Küchenhandtuch abgedeckt werden. Sollen es aber lange Nudeln oder handgeschnittene Pastaformen werden, lassen Sie die Teigplatten ohne Abdeckung liegen, während Sie den restlichen Teig ausrollen, damit die Oberflächenfeuchtigkeit etwas abnimmt.

6 Für Lasagne müssen Sie die Teigplatten einfach nur auf die gewünschte Größe zurechtschneiden. Für Fettuccine rollt man den Teig am besten zu einer Rolle, die dann mit einem langen, scharfen Messer in gleich große Streifen geschnitten wird. Für Tagliatelle schneidet man den Teig in 8 mm breite Streifen, für Fettuccine in 5 mm und für Pappardelle in etwa 3 cm breite Streifen. Die Teigreste nicht weiter verwenden. Die Pastastreifen in einer Einzellage nebeneinander auf ein Küchenhandtuch legen und maximal 10 Minuten antrocknen lassen. Alternativ kann man sie auch auf einen Besenstiel oder Holzlöffel zwischen zwei Stuhllehnen zum Trocknen hängen.

Lange Pasta läßt sich mit einem langen, scharfen Messer oder einem Teigroller auch aus den Teigplatten schneiden. Ein an die Schnittkante angelegtes Lineal hilft dabei, die Pasta gerade zu schneiden. Ein Teigroller mit gewelltem Rand gibt der Pasta eine interessante Kante, wie bei der Lasagnette oder den Farfalle.

Pasta sollte nicht an einem kalten Ort oder in Zugluft getrocknet werden, denn das könnte sie brüchig machen.

TEIG MIT DER HANDBETRIEBENEN PASTAMASCHINE AUSROLLEN UND SCHNEIDEN

1 Die Maschine sicher am Rand der Arbeitsplatte oder -fläche festschrauben. Den Teig in 3 oder 4 Teile teilen und jedes Stück zu einer Rolle formen. Die Platten abdecken, die noch nicht verarbeitet werden. Ein Teigstück mit dem Nudelholz etwas flach drücken und vorsichtig bemehlen.

2 Die Öffnung der Maschinenwalze auf die breiteste Stufe stellen und den Teig zwei bis dreimal durchrollen. Zweimal falten, um 90° drehen und wieder durchdrehen. Falls sich der Teig feucht oder klebrig anfühlt, bemehlt man ihn vorsichtig vor dem Durchrollen, bis er ohne Rückstände durchgleitet. Treiben Sie den Pastastreifen 8 bis 10 Mal durch die Öffnung und wenden ihn dabei, bis er glatt und elastisch ist und sich leicht samtig anfühlt. Nun nicht mehr falten.

3 Stellen Sie die Öffnung eine Stufe enger, und ziehen Sie den Teig durch. Rollen Sie die Streifen nach und nach bei immer engerer Öffnung bis zur gewünschten Breite durch. Bei einigen Pastamaschinen zerreißt die engste Öffnung manchmal den Teig; andere rollen den Teig an der engsten Öffnung nicht dünn genug. In diesem Fall treibt man den Teig mehrmals durch die zweitengste Öffnung.

4 Fertigen Pastastreifen auf ein trockenes Küchenhandtuch legen und 10 Minuten antrocknen lassen. Sollen sie zu gefüllten Pasta verarbeitet werden, nun abdecken.

5 Für Lasagne die Pasta auf die gewünschte Größe schneiden. Schmalere Pasta auf der entsprechenden Einstellung durchdrehen. Die fertige Pasta bis zum Kochen auf einem Küchenhandtuch ausbreiten und nur abdecken, wenn sie zu stark austrocknen. Lange Pasta wie Tagliatelle kann man an einem Besenstiel oder Holzlöffeln über zwei Stuhllehnen zum Trocknen aufhängen.

NUDELFORMEN

Für **Farfalle** benötigen Sie frisch gerollte Pastaplatten von 2,5 mm Dicke. Mit einem gezackten Teigroller fahren Sie an einem Lineal entlang und schneiden Rechtecke in der Größe von ca. 2 x 5 cm. Drücken Sie die Formen in der Mitte zu einer Fliege zusammen, und breiten Sie sie auf einem trockenen Küchenhandtuch für 10–12 Minuten zum Trocknen aus. Nach 5 Minuten alle Farfalle nochmals drücken, die nicht ganz gelungen sind.

Für **Orecchiette** benötigt man ungerollten Teig, der schon geruht hat. In Portionen teilen, die sich leicht handhaben lassen, und mit den Händen eine lange, dünne Wurst von ca. 1 cm Dicke ausrollen. Jede dieser Teigwürste in etwa 2,5 mm dünne Scheiben schneiden. Die Scheiben zwischen Daumen und einem leicht bemehlten Holzbrett drehen. Diese Bewegung formt eine Nudel, die einem Ohr ähnelt, dicker ist als die meisten Pastaformen und aussieht wie von Hand gemacht. Auf einem Küchenhandtuch trocknen lassen.

KLASSISCHE PASTA-SAUCEN

Ißt man nun Pasta mit Sauce oder Sauce mit Pasta? Da fällt die Unterscheidung manchmal schwer. Aber mag der Unterschied auch gering sein: Ein Italiener wird eine Pasta bevorzugen, die gleichmäßig mit Sauce bedeckt ist, aber nicht darin schwimmt. Die folgenden Saucenklassiker sollten Sie mit frischen Zutaten zubereiten und in einer großen Pastaschüssel vermengen. Dabei können Sie sich ruhig die italienische Pasta-Philosophie nochmals ins Gedächtnis rufen. Pasta auf irgendeine andere Art zu essen würde bedeuten, ihr großes Unrecht anzutun.

SCHRITT FÜR SCHRITT

Die Bohnen nach dem Kochen aus der Schale drücken. Löst sich die Schale schwer, die Schalenenden vorsichtig einritzen.

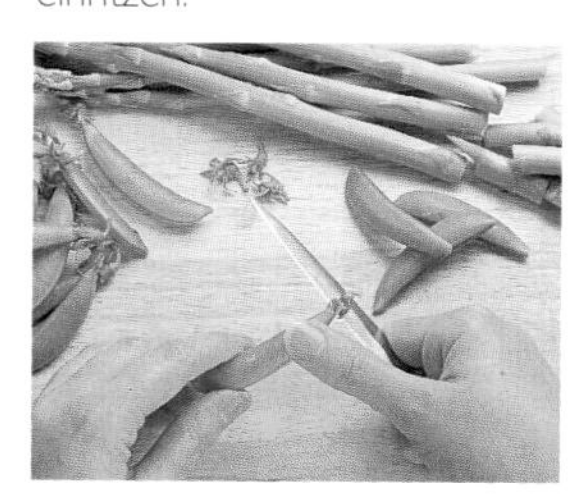

Die Zuckerschoten mit einem Küchenmesser von den Enden befreien. Holzige Spargelenden abbrechen.

PRIMAVERA

Vorbereitungszeit: 25 Minuten
Kochzeit: 10–15 Minuten
Für 4 Personen

500 g Pasta
500 g tiefgefrorene dicke Bohnen
200 g Zuckerschoten
150 g grüner Spargel
30 g Butter
250 ml Sahne
60 g frisch geriebener Parmesan

1 Die Pasta in einem großen Topf mit sprudelndem Salzwasser *al dente* kochen. Abtropfen und im Topf warm halten.
2 Die Bohnen 2 Minuten in kochendem Wasser blanchieren. In Eiswasser abkühlen, abtropfen lassen. Die Schale entfernen (die Bohnenkerne lassen sich meistens leicht herausdrücken; sonst die Schale vorsichtig einkerben).
3 Die holzigen Spargelenden abbrechen. Die Spargelspitzen kleinschneiden.
4 Die Butter in einer gußeisernen Pfanne zerlassen. Das Gemüse, die Sahne und den Parmesan beigeben. Bei Mittelhitze 3–4 Minuten bißfest garen, bis das Gemüse eine sattgrüne Farbe angenommen hat. Mit Salz und Pfeffer abschmecken. Die Sauce über die warmen Nudeln geben, gut mengen und sofort servieren.
Hinweis: Üblicherweise gehören Spaghetti zu dieser Sauce. Hier wurde das Gericht allerdings abgewandelt und mit dünnen Spaghetti, Spaghettini genannt, serviert.

PRO PERSON: *Protein 30 g; Fett 35 g; Kohlenhydrate 95 g; Ballaststoffe 12 g; Cholesterol 105 mg; 3420 kJ (815 Kcal)*

POMODORO

Vorbereitungszeit: 15 Minuten
Kochzeit: 10–15 Minuten
Für 4 Personen

500 g Pasta
1 1/2 EL Olivenöl
1 Zwiebel, feingehackt
800 g Dosentomaten, zerkleinert
7 g frisches Basilikum

1 Die Nudeln in einem großen Topf mit sprudelndem Salzwasser *al dente* kochen. Abtropfen und im Topf warm halten.
2 Das Öl in einer gußeisernen Pfanne erhitzen. Die Zwiebel bei Mittelhitze weich dünsten. Tomaten beigeben und 5–6 Minuten köcheln lassen, bis die Sauce etwas reduziert und eingedickt ist. Mit Salz und schwarzem Pfeffer aus der Mühle abschmekken. Das Basilikum unterrühren und 1 Minute ziehen lassen. Die Sauce über die warmen Nudeln geben und vorsichtig mengen. Sofort servieren. Dazu paßt frisch geriebener Parmesan.
Hinweis: Pomodorosauce wird meistens mit Tagliatelle serviert. Eine andere Nudelvariante sind die hier gezeigten Fettuccine.

PRO PERSON: *Protein 20 g; Fett 10 g; Kohlenhydrate 95 g; Ballaststoffe 10 g; Cholesterol 5 mg; 2295 kJ (545 Kcal)*

SCHRITT FÜR SCHRITT

Die Zwiebel mit einem scharfen Messer halbieren. Dünn von oben einschneiden, jedoch nicht ganz durchtrennen.

Hälften erst von der einen, dann von der anderen Seite in dünne Würfel schneiden.

SCHRITT FÜR SCHRITT

Speckschwarte entfernen und den Speck in feine Würfel schneiden.

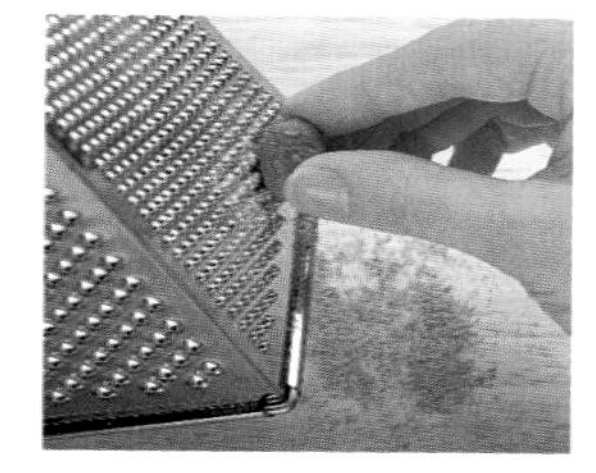

Muskatnuß auf einer Muskatreibe oder der feinsten Seite der Küchenreibe reiben.

KLASSISCHE BOLOGNESE

Vorbereitungszeit: 25 Minuten
Kochzeit: mindestens 3 Stunden
Für 4 Personen

50 g Butter
180 g Frühstücksspeck oder durchwachsener Speck ohne Schwarte, feingehackt
1 große Zwiebel, feingehackt
1 Möhre, feingeschnitten
1 Selleriestange, feingeschnitten
400 g mageres Rinderhack
150 g Hühnerleber, feingehackt
500 ml Rinderbrühe
250 g pürierte Tomaten (Passata)
120 ml Rotwein
eine Messerspitze Muskat
500 g Pasta
frisch geriebener Parmesan zum Servieren

1 Die Hälfte der Butter in einer gußeisernen Pfanne erhitzen und darin den Speck goldbraun braten. Die Zwiebel, die Möhre und die Selleriestange zugeben und bei Niedrighitze 8 Minuten unter mehrmaligem Umrühren köcheln lassen.
2 Hitze erhöhen und die restliche Butter beigeben. Sobald die Pfanne heiß ist, Rinderhack zugeben, mit der Gabel zerkleinern und bräunen. Die Leber zugeben und rühren, bis sie die Farbe verändert. Nun Rinderbrühe, Tomaten und Wein angießen und mit Muskat, Salz und Pfeffer abschmecken.
3 Aufkochen lassen. Dann bei sehr niedriger Hitze abgedeckt 2-5 Stunden köcheln lassen. Verdampft zuviel Flüssigkeit, noch Brühe zugeben. Je länger die Sauce kocht, desto intensiver wird ihr Aroma.
4 Pasta in einem großen Topf mit sprudelndem Salzwasser *al dente* kochen. Abtropfen und in angewärmte Pastaschüsseln geben. Bolognesesauce zugeben, mit frisch geriebenem Parmesan bestreuen.
Hinweis: Ursprünglich war Bolognese für Tagliatellenudeln gedacht. Heute serviert man die Sauce mit Spaghetti.

PRO PERSON: *Protein 45 g; Fett 35 g; Kohlenhydrate 95 g; Ballaststoffe 9 g; Cholesterol 145 mg; 3860 kJ (920 Kcal)*

ALFREDO

Vorbereitungszeit: 10 Minuten
Kochzeit: 15 Minuten
Für 4–6 Personen

500 g Pasta
90 g Butter
150 g frisch geriebener Parmesan
320 ml Sahne
3 EL frische glatte Petersilie, feingehackt

1 Die Pasta in einem großen Topf mit sprudelndem Salzwasser *al dente* kochen. Abtropfen und im Topf warm halten.
2 Gleichzeitig die Butter bei kleiner Hitze in einer Pfanne zerlassen. Parmesan und Sahne unter ständigem Rühren zugeben und die Sauce etwas eindicken lassen. Die Petersilie zufügen, mit Salz und Pfeffer abschmecken und gut verrühren.
3 Die Sauce an die Pasta geben und gut vermengen, bis sie an den Nudeln haftet. Dieses Gericht kann mit gehackten frischen oder getrockneten Kräutern, beispielsweise Thymian, garniert werden.
Hinweis: Diese Sauce wird meistens mit Eiertagliatelle serviert, doch es eignet sich auch jede andere Nudelsorte. Sie ist sehr leicht zuzubereiten und sollte erst direkt vor dem Servieren gekocht werden.

PRO PERSON (BEI 6 PERSONEN): *Protein 20 g; Fett 40 g; Kohlenhydrate 60 g; Ballaststoffe 4 g; Cholesterol 125 mg; 2875 kJ (685 Kcal)*

SCHRITT FÜR SCHRITT

Parmesan sollte man am Stück frisch reiben. So vermeidet man ein Austrocknen und damit einen Aromaverlust.

Petersilie mit einem großen, scharfen Messer feinhacken. Dabei mit einer Drehbewegung arbeiten und die Messerspitze nicht bewegen.

SCHRITT FÜR SCHRITT

Feingehackt entfaltet das Gemüse im heißen Öl ein besonderes Aroma.

Auch die Tomaten sollte man kleinschneiden, bevor man sie zusammen mit Petersilie, Zucker und Wasser beigibt.

NAPOLITANA

Vorbereitungszeit: 20 Minuten
Kochzeit: 1 Stunde
Für 4–6 Personen

2 EL Olivenöl
1 Zwiebel, feingehackt
1 Möhre, feingehackt
1 Selleriestange, feingehackt
500 g reife Tomaten, gehackt
2 EL frische glatte Petersilie, gehackt
2 EL Zucker
500 g Pasta

1 Das Öl in einer gußeisernen Pfanne erhitzen. Die Zwiebel, die Möhre und die Selleriestange bei Niedrighitze 10 Minuten unter mehrmaligem Umrühren weich dünsten.

2 Die Tomaten, die Petersilie, den Zucker und 120 ml Wasser zugeben, aufkochen lassen. Bei Niedrighitze abgedeckt 45 Minuten köcheln lassen; mehrmals umrühren. Mit Salz und schwarzem Pfeffer aus der Mühle abschmecken. Bei Bedarf mit bis zu 180 ml Wasser auf die gewünschte Konsistenz verdünnen. In Pastaschüsseln oder auf Tellern servieren und nach Wunsch mit frischen Kräutern garnieren.

Hinweis: Diese Sauce wurde ursprünglich mit Spaghetti serviert, doch es eignet sich auch jede andere Nudelsorte wie die abgebildeten Penne rigate. Bei längerer Kochzeit erhält man durch Reduzieren eine konzentriertere Sauce, die sich einfrieren läßt und nach dem Auftauen bei Bedarf mit Wasser oder Brühe verdünnt werden kann.

PRO PERSON (BEI 6 PERSONEN): *Protein 10 g; Fett 7 g; Kohlenhydrate 65 g; Ballaststoffe 6 g; Cholesterol 0 mg; 1540 kJ (365 Kcal)*

CARBONARA

Vorbereitungszeit: 15 Minuten
Kochzeit: 25 Minuten
Für 4–6 Personen

8 Streifen Frühstücksspeck
500 g Pasta
4 Eier
50 g frisch geriebener Parmesan
320 ml Sahne

1 Den Speck vom Rand befreien und in dünne Streifen schneiden. In einer gußeisernen Pfanne bei Mittelhitze knusprig braten. Auf Küchenkrepp abtropfen lassen.
2 Die Pasta in einem großen Topf mit sprudelndem Salzwasser *al dente* kochen. Abtropfen und im Topf warm halten.
3 Währenddessen die Eier, den Parmesan und die Sahne in einer Schüssel gut verschlagen. Den Speck unterrühren. Die Sauce über die heiße Pasta geben und vorsichtig vermengen, bis die Sauce an den Nudeln haftet.
4 Bei Niedrighitze 1/2–1 Minute erwärmen, bis die Sauce etwas eindickt. Nach Geschmack mit schwarzem Pfeffer aus der Mühle würzen.
Hinweis: Diese Sauce wurde ursprünglich mit Fettuccine serviert, doch es eignet sich auch jede andere Nudelsorte wie etwa die hier gezeigten Tagliatelle.

PRO PERSON (BEI 6 PERSONEN): *Protein 30 g; Fett 35 g; Kohlenhydrate 60 g; Ballaststoffe 4 g; Cholesterol 225 mg; 2895 kJ (690 Kcal)*

SCHRITT FÜR SCHRITT

Speck in einer gußeisernen Pfanne unter ständigem Rühren kross braten. Darauf achten, daß er nicht verbrennt.

Den Speck auf Küchenkrepp abtropfen lassen. Eier, Parmesan und Sahne verschlagen, anschließend den Speck unterrühren.

SCHRITT FÜR SCHRITT

Pinienkerne, Basilikum, Knoblauch, Salz und Käse in der Küchenmaschine ca. 20 Sekunden pürieren.

Bei laufendem Motor das Öl in einem dünnen Strahl zugießen, bis die Sauce eine cremige Konsistenz angenommen hat.

PESTO

Vorbereitungszeit: 10–15 Minuten
Kochzeit: keine
Für 4–6 Personen

500 g Pasta
3 EL Pinienkerne
100 g frisches Basilikum
2 Knoblauchzehen, geschält
1/2 TL Salz
5 EL frisch geriebener Parmesan oder 3 EL Parmesan und 2 EL frisch geriebener Pecorino
120 ml Olivenöl

1 Pasta in einem großen Topf mit sprudelndem Salzwasser *al dente* kochen. Abgießen und im Topf warm halten.
2 5 Minuten vor dem Kochen der Nudeln die Pinienkerne bei Niedrighitze in einer gußeisernen Pfanne goldbraun rösten. Abkühlen lassen. Mit Basilikum, Knoblauch, Salz und Käse in der Küchenmaschine fein pürieren. Dabei die Masse von den Seiten nach unten streichen.
3 Bei laufender Maschine in einem dünnen Strahl das Öl zugeben, bis sich eine cremige Paste gebildet hat. Mit schwarzem Pfeffer aus der Mühle abschmecken. Die Sauce sorgfältig unter die warme Pasta heben, bis sie an der Pasta haftet.
Hinweis: Die klassische Nudelsorte für Pesto ist Linguine, doch man kann auch jede andere Pastasorte verwenden. Pesto hält sich in einem luftdichten Behälter 1 Woche im Kühlschrank. Dafür die Sauce mit dem Löffel gut zusammendrücken und Klarsichtfolie direkt auf die Oberfläche drücken oder diese mit Olivenöl versiegeln, um eine dunkle Verfärbung zu vermeiden.

PRO PERSON (BEI 6 PERSONEN): *Protein 15 g; Fett 30 g; Kohlenhydrate 60 g; Ballaststoffe 5 g; Cholesterol 8 mg; 2280 kJ (540 Kcal)*

AMATRICIANA

Vorbereitungszeit: 45 Minuten
Kochzeit: 20 Minuten
Für 4–6 Personen

- 6 dünne Scheiben Pancetta oder 3 Scheiben Frühstücksspeck
- 1 kg reife Tomaten
- 500 g Pasta
- 1 EL Olivenöl
- 1 kleine Zwiebel, feingehackt
- 2 TL frische Chillies, feingehackt
- gehobelter Parmesan zum Servieren

1 Pancetta oder Speck feinhacken. Die Tomaten oben einkreuzen und 1–2 Minuten in kochendes Wasser tauchen, dann in kaltem Wasser abschrekken. Beginnend am Einschnitt häuten, halbieren, Kerne entfernen und das Fruchtfleisch feinwürfeln.
2 Nun die Pasta in einem großen Topf mit sprudelndem Salzwasser *al dente* kochen. Dann abgießen, abtropfen lassen und im Topf warm halten.
3 5 Minuten vor dem Kochende der Nudeln das Öl in einer gußeisernen Pfanne erhitzen und das Fleisch, die Zwiebel und die Chillies bei Mittelhitze 3 Minuten unter ständigem Rühren bräunen. Die Tomaten zugeben und mit Salz und Pfeffer abschmecken. Bei Niedrighitze noch 3 Minuten köcheln lassen. Die Sauce an die Nudeln geben und gut vermengen. Mit gehobeltem Parmesan servieren. Nach Wunsch noch mit schwarzem Pfeffer aus der Mühle würzen.
Hinweis: Dieses Gericht stammt vermutlich aus der Stadt Amatrice, deren lokale Spezialität der Speck ist. Als Abwandlung kann man diese Sauce auch mit Eiertomaten zubereiten, einer festfleischigen Sorte mit wenig Kernen, die beim Kochen ein intensives Aroma entfaltet. Die traditionelle Pastasorte für diese Sauce ist Bucatini, doch auch jede andere Pasta eignet sich.

PRO PERSON (BEI 6 PERSONEN): *Protein 15 g; Fett 9 g; Kohlenhydrate 60 g; Ballaststoffe 6 g; Cholesterol 15 mg; 1640 kJ (390 Kcal)*

SCHRITT FÜR SCHRITT

Die Tomaten aus dem kalten Wasser heben und die Haut vom Einschnitt weg abziehen.

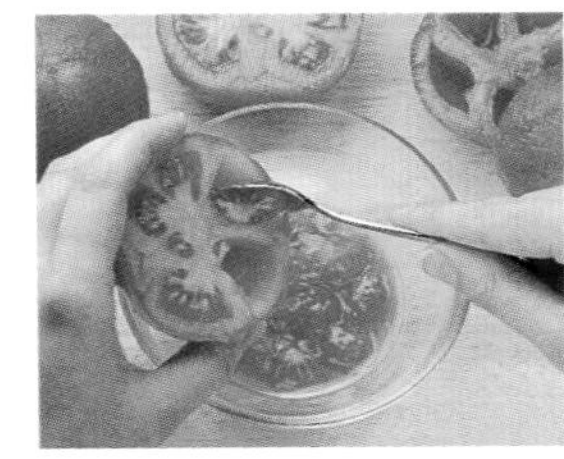

Dann die Tomaten halbieren und vor dem Kleinschneiden mit einem Teelöffel die Kerne entfernen.

SCHRITT FÜR SCHRITT

Mit etwas Sahne lassen sich Schinkenreste mit einem Holzlöffel gut vom Pfannenboden lösen.

Die Sauce muß auf hoher Flamme einkochen, bis sie so dickflüssig ist, daß sie am Löffelrücken haften bleibt.

BOSCAIOLA-SAHNE

Vorbereitungszeit: 15 Minuten
Kochzeit: 20–25 Minuten
Für 4 Personen

500 g Pasta
6 Streifen Frühstücksspeck, ohne Rand, gehackt
200 g Champignons, in Scheiben geschnitten
600 ml Sahne
2 Frühlingszwiebeln, in Röllchen geschnitten
1 EL frische glatte Petersilie, gehackt

1 Die Pasta in einem großen Topf mit sprudelndem Salzwasser *al dente* kochen. Abgießen und im Topf warm halten.
2 Unterdessen 1 EL Öl in einer großen Pfanne zerlassen und Speck und Pilze darin unter Rühren 5 Minuten goldbraun dünsten.
3 Etwas Sahne einrühren, und festgebackene Speckteile mit einem Holzlöffel vom Pfannenboden lösen.
4 Die restliche Sahne angießen und bei hoher Hitze 15 Minuten kochen, bis die Sauce eingedickt ist und am Löffelrücken haften bleibt. Die Frühlingszwiebeln unterrühren. Die Sauce über die Pasta gießen und gut mengen. Mit Petersilie bestreuen und servieren.
Hinweis: Diese Sauce ist zwar für Spaghetti gedacht, doch es eignet sich auch jede andere Nudelsorte, wie die hier gezeigten Casereccie. Wenn die Zubereitung schnell gehen soll, kann man anstelle längerer Kochzeit auch in 1 EL Wasser gelöste 2 TL Mehl oder Maizena in die Sauce einrühren. Aufkochen lassen, bis sie andickt. Ein »boscaiolo« ist im Italienischen eigentlich ein Holzfäller, und diese waren schon immer leidenschaftliche Pilzesammler.

PRO PERSON: *Protein 30 g; Fett 60 g; Kohlenhydrate 95 g; Ballaststoffe 8 g; Cholesterol 200 mg; 4310 kJ (1025 Kcal)*

PUTTANESCA (MIT KAPERN, OLIVEN UND ANCHOVIS)

Vorbereitungszeit: 20 Minuten
Kochzeit: 20 Minuten
Für 4 Personen

500 g Pasta
2 EL Olivenöl
3 Knoblauchzehen, zerdrückt
2 EL frische glatte Petersilie, gehackt
eine Prise zerstoßene Chillies oder Chilipuder
800 g Dosentomaten, zerkleinert
1 EL Kapern
3 Anchovisfilets, feingeschnitten
50 g schwarze Oliven, entsteint
frisch geriebener Parmesan zum Servieren

1 Die Pasta in einem großen Topf mit sprudelndem Salzwasser *al dente* kochen. Abgießen und im Topf warm halten.
2 Unterdessen das Öl in einer großen gußeisernen Pfanne erhitzen. Den Knoblauch, die Petersilie und das Chiligewürz bei Mittelhitze unter ständigem Rühren ungefähr 1 Minute erhitzen.
3 Die Tomaten zugeben und aufkochen lassen. Dann 5 Minuten bei Niedrighitze abgedeckt köcheln lassen.
4 Die Kapern, Anchovis und Oliven beigeben und weitere 5 Minuten köcheln lassen. Mit schwarzem Pfeffer aus der Mühle abschmecken. Die Sauce über die Pasta geben, gleichmäßig verteilen, und sofort mit geriebenem Parmesan servieren.
Hinweis: Es handelt sich hier um eine klassische Spaghettisauce, die sich jedoch auch für andere Pastasorten eignet. Die hier gezeigten Lasagnette sorgen für eine außergewöhnliche Optik.

PRO PERSON: *Protein 20 g; Fett 15 g; Kohlenhydrate 95 g; Ballaststoffe 9 g; Cholesterol 8 mg; 2510 kJ (595 Kcal)*

SCHRITT FÜR SCHRITT

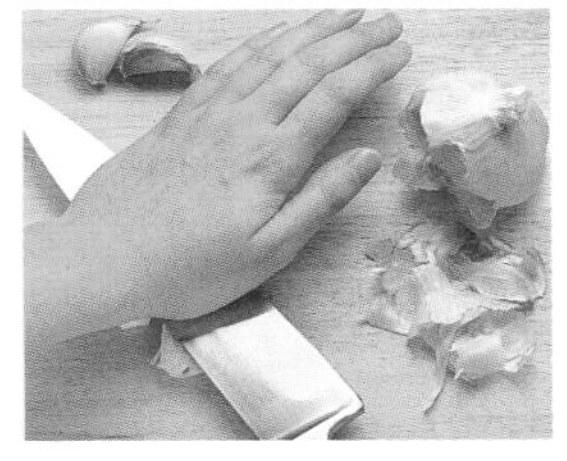

Knoblauchzehen lassen sich leichter schälen, wenn man mit der Handfläche einen Messerrücken auf die Zehe drückt.

Den Knoblauch mit etwas Salz zerkleinern und dann mit dem schräg gehaltenen Messer fein zerdrücken.

SCHRITT FÜR SCHRITT

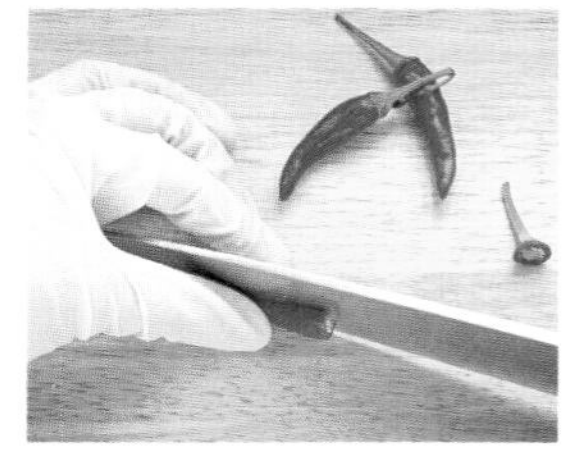

Chilistiele entfernen. Chillies halbieren. Dabei schützen Gummihandschuhe die Haut vor Reizungen.

Die Chillies feinhacken. Wenn man einen milderen Geschmack erzielen möchte, sollte man nur ihr Fleisch verwenden.

ARRABBIATA

Vorbereitungszeit: 30 Minuten
Kochzeit: 50 Minuten
Für 4 Personen

80 g ausgelassener Speck
2–3 rote frische Chilischoten
1 große Zwiebel, feingehackt
1 Knoblauchzehe, feingehackt
500 g reife Tomaten, feingeschnitten
500 g Pasta
2 EL frische glatte Petersilie, gehackt
frisch geriebener Pecorino oder Parmesan zum Servieren

1 Den Speck mit einem großen Messer feinhacken. Die Chilischoten feinhacken (Hautreizungen lassen sich durch das Tragen von Gummihandschuhen vermeiden). Das Öl in einer gußeisernen Pfanne erhitzen und den Speck, die Zwiebel und den Knoblauch bei Mittelhitze unter mehrmaligem Rühren 8 Minuten bräunen.
2 Die Tomaten und 125 ml Wasser zugeben und mit Salz und schwarzem Pfeffer aus der Mühle abschmecken. Abgedeckt 40 Minuten köcheln lassen, bis die Sauce eine dicke, cremige Konsistenz hat.
3 Währenddessen die Pasta in einem großen Topf mit sprudelndem Salzwasser *al dente* kochen. Abtropfen und im Topf warm halten.
4 Die Petersilie unter die Sauce rühren und abschmecken. Die Sauce über die Pasta geben und vorsichtig mengen. Frisch geriebenen Käse darüber streuen und servieren.
Hinweis: Die klassische Nudelsorte für diese Sauce ist die hier gezeigte Penne rigate, doch es eignen sich auch andere Sorten.

PRO PERSON: *Protein 20 g; Fett 25 g; Kohlenhydrate 95 g; Ballaststoffe 9 g; Cholesterol 20 mg; 2880 kJ (685 Kcal)*

MARINARA

Vorbereitungszeit: 50 Minuten
Kochzeit: 30 Minuten
Für 4 Personen

- 1 Zwiebel, gehackt
- 2 Knoblauchzehen, zerdrückt
- 120 ml Rotwein
- 2 EL Tomatenmark
- 425 g Dosentomaten, zerkleinert
- 250 ml Tomatenpastasauce aus dem Glas
- 1 EL frisches Basilikum, kleingezupft
- 1 EL frischer Oregano, zerkleinert
- 12 Miesmuscheln ohne Bart, gesäubert
- 30 g Butter
- 120 g kleine Kalmarmäntel, in Scheiben
- 120 g Weißfischfilet, gewürfelt
- 200 g rohe Scampi ohne Schale, entdarmt
- 500 g Pasta

1 Etwas Olivenöl in einer großen Pfanne erhitzen. Die Zwiebel und den Knoblauch bei Niedrighitze 2–3 Minuten anbräunen. Bei Mittelhitze den Wein, das Tomatenmark, die Tomaten und die Tomatensauce unter mehrfachem Rühren 5 –10 Minuten köcheln lassen, bis die Sauce reduziert und etwas eingedickt ist. Die Kräuter unterrühren und abschmecken. Warm halten.
2 Gleichzeitig 120 ml Wasser erhitzen und die Muscheln darin abgedeckt 3–5 Minuten dünsten, bis sie sich öffnen und die Farbe verändern. Die Muscheln herausheben, ungeöffnete Muscheln aussortieren, die anderen beiseite stellen. Die Restflüssigkeit unter die Tomatensauce rühren.
3 Die Butter erhitzen und die Kalmarmäntel, den Fisch und die Scampi nacheinander 1–2 Minuten weich dünsten. In die warme Tomatensauce geben und vorsichtig unterrühren.
4 Die Pasta in einem großen Topf mit sprudelndem Salzwasser *al dente* kochen und abtropfen. Mit der Sauce mengen und servieren.
Hinweis: Für diese Sauce werden meistens Spaghetti verwendet.

PRO PERSON: *Protein 40 g; Fett 10 g; Kohlenhydrate 100 g; Ballaststoffe 10 g; Cholesterol 205 mg; 2840 kJ (675 Kcal)*

SCHRITT FÜR SCHRITT

Bart zur Muschelspitze hin abziehen. Bereits geöffnete Muscheln aussortieren. Die Schalen säubern, um Pocken oder Schmutz zu entfernen.

Tentakel und Kalkblätter entfernen. Dann die Mäntel in dünne Ringe schneiden.

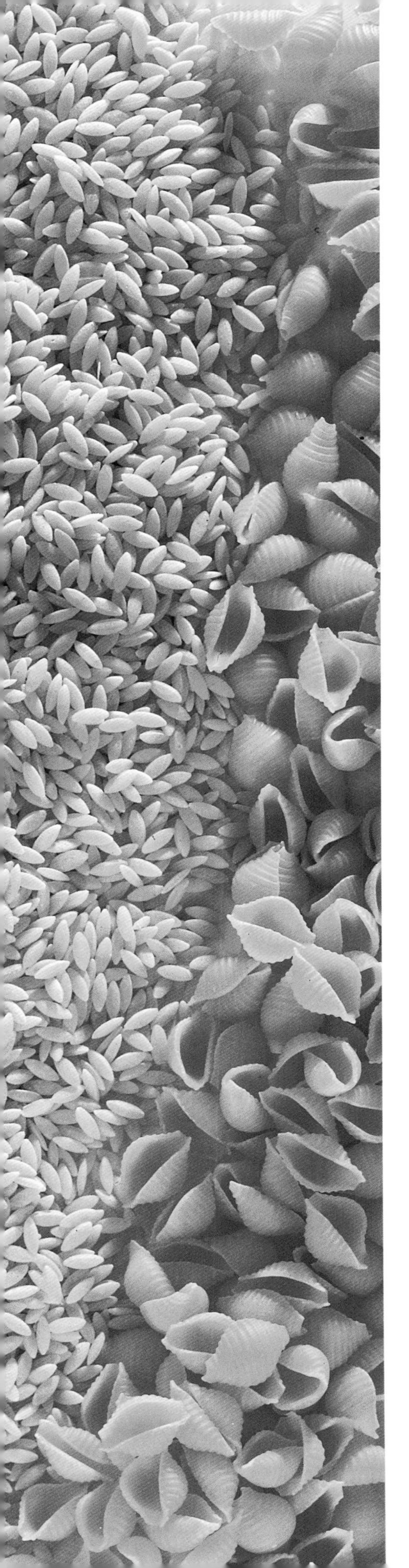

SUPPEN

Eine Suppe erwärmt Herz und Seele, verbreitet Wärme und Gemütlichkeit und weckt Erinnerungen an winterliche Abendessen. Die beste Suppe, das sind Lieblingszutaten, gekocht in einer würzigen Brühe. Dieses Geschmackserlebnis läßt sich mit einer Handvoll Pasta noch verstärken. Conchiglie und Fusilli machen aus einer Suppe einen Eintopf, Tortellini oder Ravioli ein gehaltvolles Essen aus einer klaren, feinen Consommé. Sogar spezielle Suppenpasta ist erhältlich. Suppe und Pasta – das paßt ganz einfach wunderbar zusammen.

OBEN: Feine Brühe mit Zitrone und Tortellini

FEINE BRÜHE MIT ZITRONE UND TORTELLINI

Vorbereitungszeit: 10 Minuten
Kochzeit: 20 Minuten
Für 4–6 Personen

- 1 Zitrone, ungespritzt
- 120 ml guter Weißwein
- 440 g Hühnerbrühe im Glas
- 380 g frische oder getrocknete Tortellini mit Kalbfleisch- oder Huhnfüllung
- 4 EL frische glatte Petersilie, gehackt

1 Mit einem Schälmesser breite Streifen von der Zitrone schälen. Das Weiße mit einem scharfen Küchenmesser entfernen. Drei Streifen in Julienne schneiden und für die Garnierung beiseite stellen.
2 Die restliche Zitronenschale mit Weißwein, Brühe und 750 ml Wasser in einem tiefen Topf 10 Minuten bei Niedrighitze köcheln lassen. Die Schale entfernen und die Suppe aufkochen lassen.
3 Die Tortellini und die Petersilie zugeben, mit schwarzem Pfeffer aus der Mühle abschmecken und die Pasta 6–7 Minuten *al dente* kochen. Mit Zitronenstreifen garnieren und servieren.
Hinweis: Die Petersilie kann auch durch frisches, feingezupftes Basilikum ersetzt werden. Nach Wunsch mit frischem Parmesan bestreuen.

PRO PERSON (BEI 6 PERSONEN): *Protein 10 g; Fett 2 g; Kohlenhydrate 45 g; Ballaststoffe 4 g; Cholesterol 10 mg; 1060 kJ (250 Kcal)*

HÜHNERSUPPE MIT LAUCH UND KICHERERBSEN

Vorbereitungszeit: 15 Minuten
Kochzeit: 20 Minuten
Für 4 Personen

- 1 l Hühnerbrühe
- 120 g Suppenpasta
- 20 g Butter
- 1 Lauchstange, in Röllchen geschnitten
- 1 Knoblauchzehe, zerdrückt
- 110 g geröstete Kichererbsen
- 1 EL Mehl
- 2 EL glatte Petersilie, feingehackt
- eine Messerspitze Cayennepfeffer
- 200 g gekochtes Hühnchenfleisch, zerkleinert

1 Die Hühnerbrühe in einem großem Topf erhitzen. Die Pasta zugeben und bißfest kochen. Mit einem Schaumlöffel aus der Brühe heben, die weiterhin gut köcheln soll.
2 Währenddessen die Butter in einem großen Topf zerlassen und den Lauch und den Knoblauch unter Rühren andünsten. Die Kichererbsen zugeben, 1 Minute unter Rütteln anbräunen, dann mit Mehl bestäuben. Noch 10 Sekunden braten, dann vorsichtig in die kochende Brühe geben.
3 Petersilie, Cayennepfeffer und nach Geschmack Salz und Pfeffer zugeben. Die Suppe mit Pasta und Hühnerfleisch auffüllen und vor dem Servieren nochmals kurz aufkochen.

PRO PERSON (BEI 6 PERSONEN): *Protein 15 g; Fett 8 g; Kohlenhydrate 30 g; Ballaststoffe 4 g; Cholesterol 50 mg; 1075 kJ (255 Kcal)*

MINESTRONE

Vorbereitungszeit: 30 Minuten + Einweichzeit über Nacht
Kochzeit: 3 Stunden
Für 6–8 Personen

250 g getrocknete Borlottibohnen, über Nacht in Wasser eingeweicht
2 Zwiebeln, gehackt
2 Knoblauchzehen, zerdrückt
3 Scheiben Frühstücksspeck, gehackt
4 Eiertomaten, geschält und zerkleinert
3 EL frische glatte Petersilie, gehackt
2,2 l Rinder- oder Gemüsebrühe
60 ml Rotwein
je 1 Möhre und Steckrübe, gewürfelt
2 Kartoffeln, gewürfelt
3 EL Tomatenmark, 2fach konzentriert
2 Zucchini, in Scheiben geschnitten
80 g tiefgefrorene Erbsen
80 g kleine Makkaroni
frischer Parmesan und Pestosauce zum Servieren

1 Die Bohnen abgießen und in einem Topf mit kaltem Wasser bedecken. Aufkochen lassen, umrühren, dann die Hitze verringern, und 15 Minuten köcheln lassen. Abgießen.
2 2 EL Öl in einer gußeisernen Pfanne erhitzen. Zwiebeln, Knoblauch und Speck unter Rühren dünsten, bis die Zwiebel weich und der Speck goldbraun ist.
3 Tomaten, Petersilie, Bohnen, Brühe und Wein zugießen und bei Niedrighitze abgedeckt 2 Stunden köcheln lassen. Möhre, Steckrübe, Kartoffeln und das Tomatenmark beigeben. Abgedeckt weitere 20 Minuten köcheln lassen.
4 Zucchini, Erbsen und Makkaroni zugeben. Gemüse und Pasta weitere 10–15 Minuten weich köcheln lassen. Abschmecken und mit frisch geriebenem Parmesan und etwas Pestosauce servieren.

PRO PERSON (BEI 8 PERSONEN): *Protein 15 g; Fett 7 g; Kohlenhydrate 35 g; Ballaststoffe 8 g; Cholesterol 8 mg; 1135 kJ (270 Kcal)*

BORLOTTIBOHNEN
Die oben links abgebildeten, schön gemaserten Borlottibohnen, eine Kidneybohnenart, sind in Nord- und Mittelitalien äußerst beliebt. Ihr nussiger Geschmack und ihre cremige Konsistenz passen besonders gut zu Suppen und Eintöpfen, doch eignen sie sich auch für Salate und Pürees. Im Frühling und Sommer kann man sie frisch auf dem Markt bekommen. Sonst werden sie als getrocknete Bohnen oder gekocht aus der Dose angeboten.

OBEN: Minestrone

UNTEN: Suppe aus Zuckerschoten, Scampi und Pasta

SUPPE AUS ZUCKERSCHOTEN, SCAMPI UND PASTA

Vorbereitungszeit: 30 Minuten
Kochzeit: 15 Minuten
Für 4 Personen

12 rohe Riesengarnelen
100 g Zuckerschoten
1 EL Öl
2 Zwiebeln, gehackt
1,5 l Hühnerbrühe
eine Messerspitze frisch geriebener Ingwer
200 g Fadennudeln oder Spaghettini
frisches Basilikum zur Garnierung

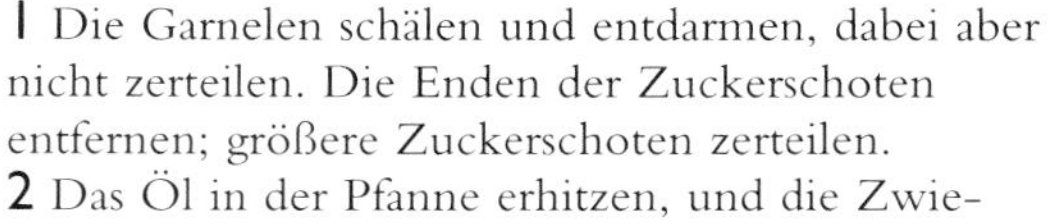

1 Die Garnelen schälen und entdarmen, dabei aber nicht zerteilen. Die Enden der Zuckerschoten entfernen; größere Zuckerschoten zerteilen.
2 Das Öl in der Pfanne erhitzen, und die Zwiebeln bei Niedrighitze weich dünsten. Mit Hühnerbrühe aufgießen und aufkochen.
3 Ingwer, Zuckerschoten, Garnelen und Pasta zugeben und bei Mittelhitze 4 Minuten mitkochen. Mit Salz und Pfeffer abschmecken, mit Basilikum garnieren und sofort servieren.

PRO PERSON: *Protein 20 g; Fett 6 g; Kohlenhydrate 40 g; Ballaststoffe 4 g; Cholesterol 85 mg; 1255 kJ (300 Kcal)*

CHAMPIGNONSUPPE MIT RISSONI-EINLAGE

Vorbereitungszeit: 15 Minuten
Kochzeit: 20–25 Minuten
Für 4 Personen

90 g Butter
2 Knoblauchzehen, in dünne Scheiben geschnitten
2 große Zwiebeln, in feine Ringe geschnitten
380 g Champignons, in dünne Scheiben geschnitten
120 g Rissoni
320 ml Sahne

1 Die Butter in einer großen Pfanne bei Niedrighitze zerlassen. Den Knoblauch und die Zwiebeln 1 Minute darin bräunen. Die Champignons 5 Minuten dünsten, ohne sie zu bräunen. Einige Champignonscheiben als Garnierung beiseite stellen. Hühnerbrühe zugießen und 10 Minuten kochen lassen.
2 Gleichzeitig die Rissoni in einem großen Topf mit sprudelndem Salzwasser *al dente* kochen. Abtropfen lassen.
3 Die Pilzsuppe etwas abkühlen lassen und in der Küchenmaschine glattpürieren.
4 Das Püree wieder in die Pfanne geben und die Pasta und die Sahne unterrühren. Kurz erhitzen und mit Salz und Pfeffer abschmecken. Auf Suppenteller verteilen oder in einer großen Terrine servieren. Mit den restlichen Champignons garnieren.

PRO PERSON: *Protein 10 g; Fett 55 g; Kohlenhydrate 30 g; Ballaststoffe 5 g; Cholesterol 165 mg; 2660 kJ (635 Kcal)*

LAUCH
Der Lauch gehört wie die Zwiebel zur *Allium*-Familie. Man schätzt ihn wegen seines zarten, leicht süßen Geschmacks und verwendet ihn roh und gekocht. Seine abgerundeten Knollen verlaufen zylindrisch, die Blätter sind flach, festfleischig und liegen eng aneinander. In den Zwischenräumen können sich Erd- und Schmutzreste festsetzen. Das Gemüse muß daher sorgfältig gewaschen werden, nachdem es von den grünen Enden befreit ist. Nur der zarte, weiße Teil wird zum Kochen verwendet.

BOHNENSUPPE MIT WURSTEINLAGE

Vorbereitungszeit: 25 Minuten
Kochzeit: 40 Minuten
Für 4–6 Personen

4 Kochwürste oder Chorizos
2 EL Olivenöl
2 Lauchstangen, in Röllchen geschnitten
1 Knoblauchzehe, zerdrückt
1 große Möhre, gewürfelt
2 Selleriestangen, in Röllchen geschnitten
2 EL Mehl
2 Brühwürfel, zerdrückt
2 l heißes Wasser
120 ml Weißwein
120 g Conchiglie
440 g Borlottibohnen aus der Dose

1 Die Würste in kleine Stücke schneiden. Das Öl in einer großen gußeisernen Pfanne erhitzen, und die Wurststückchen 5 Minuten bei Mittelhitze unter Rühren goldbraun anbraten. Aus der Pfanne heben und auf Küchenkrepp abtropfen lassen.
2 Den Lauch, den Knoblauch, die Möhren und den Sellerie 2–3 Minuten unter gelegentlichem Rühren im Öl weich dünsten.
3 Das Mehl 1 Minute einrühren. Portionsweise die in Wasser aufgelösten Brühwürfel und den Wein zugießen. Aufkochen, dann bei Niedrighitze 10 Minuten köcheln lassen.
4 Die Pasta und die Bohnen zugeben. Bei Mittelhitze 8–10 Minuten kochen, bis die Pasta bißfest ist. Nun die Würstchen beigeben und mit Salz und Pfeffer abschmecken. Nach Wunsch mit frischer gehackter Petersilie garnieren.
Hinweis: Die Bohnen aus der Dose können auch durch getrocknete Bohnen ersetzt werden, die dann mit Wasser bedeckt über Nacht einweichen müssen. Abtropfen lassen, mit frischem Wasser bedecken und aufkochen. Bei kleiner Hitze 1 Stunde köcheln lassen. Anschließend gut abgetropft in die Suppe geben.

PRO PERSON (BEI 6 PERSONEN): *Protein 15 g; Fett 10 g; Kohlenhydrate 30 g; Ballaststoffe 9 g; Cholesterol 20 mg; 1145 kJ (270 Kcal)*

OBEN: Bohnensuppe mit Wursteinlage

FRISCHER KORIANDER
Frischer Koriander, auch unter dem Namen »Cilantro« bekannt, findet in vielen Länderküchen der Welt Einsatz, und je nach Küche werden auch andere Teile dieses Krauts verwendet. So schätzt man in Asien und im Nahen Osten die getrockneten Samen wegen ihres Aromas und nutzt die gemahlenen Korianderkörner als Grundlage für Currygewürze. In der mexikanischen Küche arbeitet man mit frischen Blättern, und in Thailand werden neben den Blättern auch die Wurzeln und Stiele verwendet.

OBEN: Würzige Hühnerbrühe mit Koriandernudeln

WÜRZIGE HÜHNERBRÜHE MIT KORIANDERNUDELN

Vorbereitungszeit: 1 Stunde
Kochzeit: 50 Minuten
Für 4 Personen

☆☆☆

350 g Hühnerkeule- oder schenkel, ohne Haut
2 Möhren, feingehackt
2 Selleriestangen, in feine Röllchen geschnitten
2 kleine Lauchstangen, in feine Röllchen geschnitten
3 Eiweiß
1,5 l Hühnerbrühe
Tabasco

Korianderpasta

60 g Mehl
1 Ei
ein Schuß Sesamöl
90 g frische Korianderblätter

1 Möhren, Sellerie und Lauch auf die eine Seite einer großen gußeisernen Pfanne legen, die Hühnchenteile auf die andere. Mit einem Schneebesen die Eiweiße unter das Gemüse rühren, bis es schaumig ist.
2 Die Brühe in einem anderen Topf erwärmen. Langsam in die Pfanne gießen, auf hohe Hitze stellen und dabei die Eiweiße weiter schaumig schlagen. Mit einem Holzlöffel ein Loch in den auf der Suppe schwimmenden Schaum drücken und 30 Minuten ohne Rühren köcheln lassen.
3 Ein großes Sieb mit einem Küchenhandtuch auslegen und die Brühe in ein neues Gefäß abseihen (Fleisch und Gemüse nicht weiter verwenden). Mit Salz, Pfeffer und Tabasco abschmecken und beiseite stellen.
4 Für die Koriandernudeln das Mehl in eine Schüssel sieben und in der Mitte eine Vertiefung formen. Das Ei mit dem Öl verschlagen und in die Vertiefung gießen. Zu einem weichen Nudelteig verarbeiten und auf einer leicht bemehlten Oberfläche 2 Minuten glattkneten.
5 Den Pastateig in 4 gleiche Teile teilen und hauchdünn ausrollen. Jedes Teigstück in gleichmäßigen Abständen mit Korianderblättern belegen, und je zwei Stücke übereinander legen.
6 Die vorbereiteten Teigstücke nun entlang der Füllung in Vierecke schneiden. Die Pasta kann entweder sofort gekocht oder zum Trocknen ausgelegt werden. Die Brühe kurz vor dem Servieren erhitzen, und die Pasta in der köchelnden Brühe 1 Minute garen. Sofort servieren.
Hinweis: Durch die Eiweiße, die dem Fleisch und dem Gemüse beigegeben wurden, wird die Brühe klar, während normale Hühnerbrühe eher etwas trüb ist. Diesen Vorgang bezeichnet man als »Klären« einer Brühe. Beim Abseihen durch ein Tuch sollte die Suppeneinlage nicht ausgedrückt werden, auch wenn man ihr damit mehr Geschmack entziehen kann, denn gleichzeitig würde die Brühe wieder eintrüben. Man sollte oben ein Loch in den Schaum drücken, damit die Brühe nicht überkocht.

PRO PERSON: *Protein 25 g; Fett 5 g; Kohlenhydrate 20 g; Ballaststoffe 5 g; Cholesterol 95 mg; 920 kJ (220 Kcal)*

TOMATENSUPPE MIT PASTA UND BASILIKUM

Vorbereitungszeit: 25 Minuten
Kochzeit: 35–40 Minuten
Für 4 Personen

750 g reife Tomaten
2 EL Olivenöl
1 Zwiebel, feingehackt
1 Knoblauchzehe, zerdrückt
1 kleine rote Paprika, feingehackt
1 l Hühner- oder Gemüsebrühe
60 g Tomatenmark, 2fach konzentriert
1 EL Zucker
15 g frisches Basilikum
150 g Conchiglie oder Makkaroni

1 Die Tomaten am Stielansatz kreuzweise einschneiden, 1–2 Minuten in kochendes Wasser legen und in kaltem Wasser abschrecken. Die Haut vom Stielansatz her abziehen und nicht weiter verwenden. Die Kerne herauslöffeln, das Fruchtfleisch grob hacken. Das Öl in einer großen gußeisernen Pfanne erhitzen, und darin die Zwiebel, den Knoblauch und die Paprika unter Rühren 10 Minuten weich dünsten. Das Tomatenfruchtfleisch zugeben und noch 10 Minuten bei Mittelhitze köcheln lassen.
2 Brühe, Tomatenmark, Zucker, Salz und Pfeffer nach Geschmack beigeben; abgedeckt 15 Minuten köcheln lassen. Vom Herd nehmen und das Basilikum unterziehen. Die Suppe etwas abkühlen lassen und portionsweise in der Küchenmaschine glattpürieren. Erneut vorsichtig erwärmen.
3 Unterdessen die Pasta in einem großen Topf mit sprudelndem Salzwasser *al dente* kochen. Abtropfen lassen und zur Suppe geben. Bei Bedarf nochmal erwärmen und mit Basilikumblättern garnieren.
Hinweis: Basilikum wird erst zum Schluß beigegeben, damit sich sein Aroma nicht verflüchtigt.

PRO PERSON: *Protein 10 g; Fett 10 g; Kohlenhydrate 40 g; Ballaststoffe 5 g; Cholesterol 0 mg; 1200 kJ (285 Kcal)*

BASILIKUM
Das aromatische und würzige Basilikum gibt es in den verschiedensten Arten; die milde grüne Variante wird dabei am häufigsten verwendet. In der italienischen wie auch in der asiatischen Küche, vor allem in Indonesien, spielt das Basilikum eine wichtige Rolle. Es wird meistens frisch verwendet und den Gerichten erst zum Schluß beigegeben. Getrocknet eignet es sich am ehesten für Gerichte, die mit mehreren Kräutern abgeschmeckt werden und lange kochen müssen. Basilikumblätter enthalten sehr viel Feuchtigkeit und sind sehr druckempfindlich. Es ist besser, sie in kleine Teilchen zu zupfen als zu hacken. Wenn man sie schneidet, verfärben sie sich dunkel.

LINKS: Tomatensuppe mit Pasta und Basilikum

BROKKOLI
Brokkoli ist eine Kohlart und so eng mit dem Blumenkohl verwandt, daß sie beide den gleichen wissenschaftlichen Artennamen *botrytis* führen. Das griechische Wort bedeutet »traubenförmig«. Brokkoli verleiht einem Gericht nicht nur Farbe und Aroma, er enthält auch viele Nährstoffe und hat einen hohen Vitamin- und Mineralstoffgehalt. Brokkoli läßt sich gut dünsten oder kochen. Wenn man den Kopf in kleine Röschen zerteilt und die Stiele zerkleinert, ist die Garzeit kurz. Brokkoli eignet sich auch zum Pürieren und gibt Salaten und pfannengerührten Gerichten Volumen.

OBEN: Garnelensuppe mit Basilikum (oben); Brokkolisuppe

GARNELENSUPPE MIT BASILIKUM

Vorbereitungszeit: 45 Minuten
Kochzeit: 15–20 Minuten
Für 4 Personen

2 EL Olivenöl
20 g Butter
2 Knoblauchzehen
1 kleine rote Zwiebel, in dünne Ringe geschnitten
2 Selleriestangen, in Juliennestreifen geschnitten
3 kleine Möhren, in Juliennestreifen geschnitten
1 EL frische glatte Petersilie, feingehackt
1 1/2 EL frisches Basilikum, feingezupft
eine Messerspitze Cayennepfeffer
500 g rohe Garnelen, ohne Schale, entdarmt
120 ml Sherry, medium-dry
1 l Hühnerbrühe
70 g Conchiglie
3 EL Sahne

1 Das Öl und die Butter in einer großen Pfanne erhitzen. Die geschälten Knoblauchzehen und die Zwiebel bei Niedrighitze 2–3 Minuten dünsten.
2 Den Sellerie und die Möhren anbraten, bis sie Farbe angenommen haben, aber noch nicht dunkel sind. Petersilie, Basilikum und Cayennepfeffer zugeben und kurz umrühren. Die Garnelen unter das Gemüse rühren, die Knoblauchzehen entfernen.
3 Den Sherry angießen und bei stärkerer Hitze 2–3 Minuten kochen. Die Hühnerbrühe dazugießen, aufkochen und 5 Minuten köcheln lassen.
4 Nun die Pasta mitköcheln lassen, bis sie bißfest ist. Die Sahne einrühren und mit Salz und schwarzem Pfeffer aus der Mühle abschmecken.

PRO PERSON: *Protein 25 g; Fett 20 g; Kohlenhydrate 20 g; Ballaststoffe 5 g; Cholesterol 270 mg; 1710 kJ (410 Kcal)*

BROKKOLISUPPE

Vorbereitungszeit: 15 Minuten
Kochzeit: 20 Minuten
Für 4 Personen

2 EL Olivenöl
1 große Zwiebel, in dünne Ringe geschnitten
50 g gekochter Schinken, gewürfelt
1 Knoblauchzehe, zerdrückt
1,2 l Hühnerbrühe
50 g Stellini oder eine andere kleine Suppenpasta
250 g Brokkoli, in Röschen zerteilt, die zarten Stiele in Juliennestreifen geschnitten
frisch geriebener Parmesan zum Servieren

1 Das Öl in einer großen Pfanne bei Niedrighitze erwärmen. Die Zwiebel, den Schinken und den Knoblauch 4–5 Minuten dünsten.
2 Die Hühnerbrühe angießen, und die Suppe aufkochen lassen. Die Hitze etwas reduzieren, und 10 Minuten mit schräg aufgelegtem Deckel köcheln lassen.
3 Pasta und Brokkoli zugeben und beides bißfest garen. Mit Salz und schwarzem Pfeffer aus der Mühle abschmecken. In angewärmten Suppenschalen mit dem geriebenen Parmesan servieren.

PRO PERSON: *Protein 10 g; Fett 15 g; Kohlenhydrate 10 g; Ballaststoffe 5 g; Cholesterol 10 mg; 850 kJ (250 Kcal)*

STAUDENSELLERIE
Staudensellerie verleiht vielen Gerichten ein besonderes Aroma, schmeckt aber auch ohne Beilagen – in gedünsteter oder gebratener Form oder im Salat. Die Stauden haben Fäden, die auf jeden Fall abgezogen werden müssen, und die äußeren, dunklen Stauden eignen sich eher für Suppen, während die zarten, hellen und sehr mild schmeckenden inneren Stauden auch als Rohkost verzehrt werden können. Das Herz muß nicht geschält werden und eignet sich vorzüglich für Schmorgerichte. Die getrockneten Samen sind aromatisch und haben einen leicht bitteren Geschmack. Sie werden als Gewürz verwendet.

ERBSENSUPPE MIT SPECK

Vorbereitungszeit: 20 Minuten
Kochzeit: 15 Minuten
Für 4–6 Personen

4 Scheiben Frühstücksspeck
50 g Butter
1 große Zwiebel, feingehackt
1 Selleriestange, in feine Röllchen geschnitten
2 l Hühnerbrühe
150 g tiefgefrorene Erbsen
250 g Rissoni
2 EL frische glatte Petersilie, gehackt

1 Den Speckrand und überschüssiges Fett vom Frühstücksspeck entfernen und in kleine Stücke schneiden.
2 Die Butter in einer großen gußeisernen Pfanne erhitzen und den Speck, die Zwiebel und die Selleriestange bei kleiner Hitze unter gelegentlichem Rühren 5 Minuten dünsten. Erbsen und Brühe zugeben, und 5 Minuten abgedeckt köcheln lassen. Bei Mittelhitze die Pasta in der Brühe offen 5 Minuten bißfest garen. Dabei gelegentlich umrühren.
3 Die frisch gehackte Petersilie zugeben und mit Salz und Pfeffer abschmecken.

PRO PERSON (BEI 6 PERSONEN): *Protein 10 g; Fett 10 g; Kohlenhydrate 35 g; Ballaststoffe 5 g; Cholesterol 35 mg; 1130 kJ (270 Kcal)*

ALS BEILAGE

KRÄUTERBROT 125 g weiche Butter mit 30 g frischen gehackten Kräutern und einer feingehackten Knoblauchzehe mengen. Ein dünnes Baguettebrot längs halbieren, und beide Seiten mit der Kräuterpaste bestreichen. Die Seiten wieder aufeinander drücken, das Brot in Alufolie wickeln und bei Mittelhitze (180 °C) 30 Minuten backen, bis es gleichmäßig erwärmt und schön knusprig ist. Wer den Knoblauchgeschmack nicht mag, kann die Zehe natürlich weglassen.

OBEN: Erbsensuppe mit Speck

AUBERGINEN
Die Aubergine gehört zu den optisch interessantesten Gemüsesorten und ist in überraschender Farben- und Formenvielfalt auf den Märkten erhältlich. Die Früchte können groß und knollenähnlich geformt sein, dünn und fingerähnlich oder klein und rund, den Kirschtomaten ähnlich. Die Farbpalette reicht von einem tiefen Lila bis zu Grün oder Weiß; manche Auberginen sind sogar gestreift. Bei der Auswahl sollte man auf festes, aber nicht hartes Fleisch und auf eine glänzende, glatte Oberfläche Wert legen.

OBEN: Ratatouillesuppe mit Pasta

RATATOUILLESUPPE MIT PASTA

Vorbereitungszeit: 25 Minuten + Ruhezeit
Kochzeit: 40 Minuten
Für 6 Personen

- 1 mittelgroße Aubergine
- 2 EL Olivenöl
- 1 große Zwiebel, gehackt
- 1 große rote Paprika, gehackt
- 2 Knoblauchzehen, zerdrückt
- 3 Zucchini, in Ringe geschnitten
- 800 g Dosentomaten, zerkleinert
- 1 TL getrockneter Oregano
- eine Messerspitze getrockneter Thymian
- 1 l Gemüsebrühe
- 50 g Fusilli
- gehobelter Parmesan zum Servieren

1 Die Aubergine grobhacken. Um ihr die Bitterstoffe zu entziehen, großzügig mit Salz bestreuen und 20 Minuten in einem Sieb abtropfen lassen. Dann gut abbrausen, und mit Küchenkrepp trockentupfen.

2 Das Olivenöl in einer großen gußeisernen Pfanne erhitzen und die Zwiebel bei Mittelhitze 10 Minuten glasig dünsten. Paprika, Knoblauch, Zucchini und Aubergine beigeben und 5 Minuten anbraten.

3 Die Gemüsebrühe zugießen und die Tomaten und Kräuter unterrühren. Aufkochen lassen, dann das Gemüse bei kleiner Hitze 10 Minuten weichköcheln lassen. Nun die Fusilli in der Suppe 15 Minuten bißfest kochen. Mit gehobeltem Parmesan servieren.

Hinweis: Diese Suppe schmeckt köstlich, wenn Sie italienisches Brot dazu reichen.

PRO PERSON: *Protein 5 g; Fett 5 g; Kohlenhydrate 20 g; Ballaststoffe 5 g; Cholesterol 0 mg; 640 kJ (150 Kcal)*

GEMÜSESUPPE MIT PISTOU

Vorbereitungszeit: 1 Stunde
Kochzeit: 35–40 Minuten
Für 8 Personen

3 Stiele frische glatte Petersilie
1 großer Zweig frischer Rosmarin
1 großer Zweig frischer Thymian
1 großer Zweig frischer Majoran
1 Lorbeerblatt
60 ml Olivenöl
2 Zwiebeln, in feine Ringe geschnitten
1 Lauchstange, in feine Ringe geschnitten
380 g Kürbis, in kleine Stücke geschnitten
250 g Kartoffeln, feingewürfelt
1 Möhre, längs halbiert und in dünne Scheiben geschnitten
2 kleine Zucchini, in dünne Scheiben geschnitten
1 TL Salz
2 l Wasser oder Gemüsebrühe
80 g frische oder tiefgefrorene dicke Bohnen
80 g frische oder tiefgefrorene Erbsen
2 reife Tomaten, enthäutet und feingehackt
80 g kurze Makkaroni oder Conchiglie

Pistou

25 g frisches Basilikum
2 große Knoblauchzehen, zerdrückt
eine Prise schwarzer Pfeffer
40 g frisch geriebener Parmesan
80 ml Olivenöl

1 Die Kräuterzweige und das Lorbeerblatt mit einem Faden zusammenbinden. Das Öl in einer gußeisernen Pfanne erhitzen und die Zwiebeln und den Lauch bei Niedrighitze 10 Minuten weich dünsten.
2 Das Kräuterbouquet zusammen mit dem Kürbis, den Kartoffeln, der Möhre, den Zucchini, dem Salz und der Flüssigkeit zugeben. Abgedeckt 10 Minuten köcheln lassen, bis das Gemüse bißfest ist.
3 Nun die Bohnen, Erbsen, Tomaten und Pasta beigeben und abgedeckt weitere 15 Minuten köcheln lassen, bis das Gemüse weich und die Nudeln bißfest sind (bei Bedarf noch Wasser nachgießen). Das Kräuterbouquet entfernen. Während die Suppe kocht, das Pistou zubereiten.
4 Für das Pistou das Basilikum mit Knoblauch, Pfeffer und Parmesan in der Küchenmaschine 20 Sekunden zu einer feinen Masse pürieren. Bei laufender Maschine langsam das Öl zugießen, bis es von der Masse aufgenommen ist. Löffelweise über die Suppenteller mit der Gemüsebrühe geben.
Hinweis: Diese herzhafte Suppe eignet sich als Hauptgericht. Man kann sie mit anderen Gemüsesorten abwandeln, die gerade Saison haben. Dazu frisches Brot, Brötchen oder italienisches Kräuterbrot reichen.

PRO PERSON: *Protein 5 g; Fett 20 g; Kohlenhydrate 20 g; Ballaststoffe 5 g; Cholesterol 5 mg; 1150 kJ (275 Kcal)*

DICKE BOHNEN

Dicke Bohnen (auch »Saubohnen« oder »Favabohnen«) sind ein wichtiger Bestandteil der europäischen Küche. Sehr junge Bohnen können roh gegessen werden. Sind sie reifer, sollte die mittlerweile harte Haut entfernt werden; nur für Eintöpfe oder Suppen kann man die Bohnen dann noch im Ganzen zubereiten und die Schalen weich kochen. Im gedünsteten oder gekochten Zustand lassen sich die Häute leicht entfernen. Getrocknete dicke Bohnen haben eine mehlige Konsistenz sowie eine dumpfe Farbe.

OBEN: Gemüsesuppe mit Pistou

PASTA UND BOHNEN
Die Kombination aus Pasta mit Bohnen mag befremdlich erscheinen, doch in mehreren Länderküchen hält man sie für durchaus gelungen. Die italienische Küche kennt einige Varianten der *pasta e fagioli*: Die regional bevorzugten Ausgangsprodukte Pasta und Bohnen werden mit Gemüse, Wurst oder nur mit Parmesan kombiniert. Die Kombination Pasta/Bohnen ist ein komplettes Protein und damit auch für Vegetarier sehr gut geeignet.

UNTEN: Bohnen- und Pastasuppe

BOHNEN- UND PASTASUPPE

Vorbereitungszeit: 20 Minuten + Einweichzeit über Nacht
Kochzeit: 1 Stunde 25 Minuten
Für 4–6 Personen

250 g Borlottibohnen, über Nacht in Wasser eingeweicht
1 Beinscheibe
1 Zwiebel, gehackt
eine Prise Zimt
eine Prise Cayennepfeffer
2 EL Olivenöl
500 ml Hühnerbrühe
120 g Spinat- oder Eiertagliatelle, in mundgerechte Stücke gebrochen

1 Die Borlottibohnen abtropfen lassen und abbrausen. In einem Topf mit kaltem Wasser bedecken und zum Kochen bringen. Umrühren und bei Niedrighitze 15 Minuten köcheln lassen.
2 Abtropfen und mit der Beinscheibe, der Zwiebel, Zimt, Cayennepfeffer, Olivenöl und Brühe in eine große Pfanne mit gut schließendem Deckel geben; kaltes Wasser zugießen, bis alles bedeckt ist. Bei Niedrighitze und mit aufgelegtem Deckel 1 Stunde köcheln lassen, bis die Bohnen weichgekocht sind und die Brühe eingedickt haben. Die Beinscheibe entfernen, das Fleisch in mundgerechte Stücke teilen und wieder in die Suppe geben. Den Knochen nicht weiter verwenden.
3 Abschmecken und nach Geschmack salzen. Die Suppe aufkochen lassen und darin die Tagliatelle *al dente* kochen. Vor dem Servieren 1–2 Minuten abkühlen lassen. Mit frischen Kräutern garnieren.

PRO PERSON (BEI 6 PERSONEN): *Protein 15 g; Fett 3 g; Kohlenhydrate 40 g; Ballaststoffe 6 g; Cholesterol 4 mg; 1025 kJ (245 Kcal)*

HÜHNERSUPPE MIT PASTA

Vorbereitungszeit: 20 Minuten
Kochzeit: 20 Minuten
Für 4 Personen

2 Hühnerbrustfilets
90 g Champignons
2 EL Olivenöl
1 Zwiebel, feingehackt
180 g Spaghetti, in mundgerechte Stücke gebrochen
1,5 l Hühnerbrühe
30 g frisches Basilikum, feingezupft

1 Die Hühnerfilets fein würfeln und die Champignons grob zerkleinern. Das Olivenöl in einer Pfanne erhitzen und die Zwiebel darin glasig dünsten. Fleisch, Pilze, Spaghetti und Hühnerbrühe zugeben und aufkochen lassen.
2 Bei Niedrighitze 10 Minuten köcheln. Nun die Basilikumblätter einrühren. Mit Salz und schwarzem Pfeffer aus der Mühle abschmecken.
Hinweis: Nach dieser Rezeptvorgabe wird die Suppe eher dick ausfallen. Bevorzugt man weniger Einlage, kann man den Brüheanteil erhöhen. Am besten schmeckt die Suppe, wenn sie sofort serviert wird.

PRO PERSON: *Protein 20 g; Fett 10 g; Kohlenhydrate 35 g; Ballaststoffe 4 g; Cholesterol 30 mg; 1380 kJ (330 Kcal)*

FISCHSUPPE MIT PASTA UND KNOBLAUCH

Vorbereitungszeit: 30 Minuten
Kochzeit: 40 Minuten
Für 4–6 Personen

4 EL Olivenöl
1 Lauchstange, in Ringe geschnitten
2–3 Knoblauchzehen, hauchdünn geschnitten
2 Kartoffeln, feingewürfelt
2 l Fischbrühe
80 g kleine Suppenpasta
4 große Zucchini, in dünne Scheiben geschnitten
300 g Lengfischfilet, in größere Stücke zerteilt
1–2 EL Zitronensaft
2 EL frisches Basilikum, kleingezupft

1 Das Öl in einer großen Pfanne erhitzen und den Lauch, den Knoblauch und die Kartoffeln bei Mittelhitze 10 Minuten dünsten. 500 ml der Brühe angießen und weitere 10 Minuten kochen.
2 Etwas abkühlen lassen und portionsweise in der Küchenmaschine pürieren.
3 Die restliche Brühe in der Pfanne aufkochen und die Pasta, die Zucchini und die pürierte Masse 15 Minuten köcheln lassen.
4 Wenn die Pasta bißfest ist, den Fisch in der Suppe 5 Minuten weich kochen. Zitronensaft und Basilikum zugeben und mit Salz und Pfeffer abschmecken.

PRO PERSON (BEI 6 PERSONEN): *Protein 15 g; Fett 15 g; Kohlenhydrate 20 g; Ballaststoffe 4 g; Cholesterol 35 mg; 1165 kJ (275 Kcal)*

OBEN: Hühnersuppe mit Pasta

KÜRBIS
Die Familie der Kürbisgewächse umfaßt weltweit mehr als 800 Sorten. Bei uns sind Sommerkürbisse wie die Zucchini und Winterkürbisse wie die großen Gartenkürbisse am gängigsten. Sie haben einen relativ hohen Feuchtigkeitsgehalt und brauchen daher weniger Garzeit als andere Gemüse, etwa Kartoffeln. Eine Alternative zur gekochten Kürbissuppe ist eine Suppe mit gebackenem Kürbis. Gebacken behält er nicht nur besser seine Konsistenz, sondern schmeckt auch aromatischer und leicht nussig.

OBEN: Kürbissuppe mit Pasta-Einlage

KÜRBISSUPPE MIT PASTA-EINLAGE

Vorbereitungszeit: 25 Minuten
Kochzeit: 20 Minuten
Für 4–6 Personen

700 g Kürbis
2 Kartoffeln
1 EL Olivenöl
30 g Butter
1 große Zwiebel, feingehackt
2 Knoblauchzehen, zerdrückt
3 l Hühnerbrühe
125 g Stellini oder Rissoni
frisch gehackte glatte Petersilie zum Servieren

1 Den geschälten Kürbis und die geschälten Kartoffeln feinwürfeln. Butter und Öl in einer großen Pfanne erhitzen und den Knoblauch und die Zwiebel bei Niedrighitze 5 Minuten andünsten.
2 Mit Hühnerbrühe aufgießen und das Gemüse bei Mittelhitze 10 Minuten abgedeckt gar kochen.
3 Nun die Pasta zugeben und unter gelegentlichem Rühren 5 Minuten bißfest kochen. Die Suppe mit gehackter Petersilie bestreuen und anschließend sofort servieren.
Hinweis: Der rotfleischige Kürbis ist für dieses Gericht der aromatischste. Für die Hühnerbrühe sollte man keine Instantbrühe, sondern fertige Brühe oder Fond aus dem Glas nehmen und mit dem Salz sparsam umgehen.

PRO PERSON (BEI 6 PERSONEN): *Protein 5 g; Fett 10 g; Kohlenhydrate 35 g; Ballaststoffe 5 g; Cholesterol 15 mg; 1000 kJ (240 Kcal)*

TOMATENSUPPE MIT LAMMFLEISCH UND FUSILLI

Vorbereitungszeit: 25 Minuten
Kochzeit: 40 Minuten
Für 6–8 Personen

500 g mageres Lammfleisch, gewürfelt
2 Zwiebeln, feingehackt
2 Möhren, gewürfelt
4 Selleriestangen, in Ringe geschnitten
425 g Dosentomaten, zerkleinert
2 l Rinderbrühe
500 g Fusilli
frische glatte Petersilie, gehackt, zum Servieren

1 Etwas Öl in einer großen Pfanne erhitzen und darin das Lammfleisch portionsweise goldbraun anbraten. Auf Küchenkrepp abtropfen lassen. Nun die Zwiebeln 2 Minuten weich dünsten und das Fleisch erneut in die Pfanne geben.
2 Möhren, Sellerie, Tomaten und Rinderbrühe zugeben, gut vermengen und die Suppe aufkochen lassen. Bei Niedrighitze 15 Minuten abgedeckt köcheln lassen.
3 Die Pasta in die Suppe geben und gut rühren, um ein Festkleben am Boden zu vermeiden. Ohne Deckel weitere 10 Minuten köcheln lassen, bis das Fleisch zart und die Pasta bißfest ist. Mit frischer Petersilie bestreuen und servieren.

PRO PERSON (BEI 8 PERSONEN): *Protein 25 g; Fett 5 g; Kohlenhydrate 50 g; Ballaststoffe 5 g; Cholesterol 40 mg; 1400 kJ (330 Kcal)*

RINDERBRÜHE
Rinderbrühe oder -fond bildet die Grundlage für viele Suppen und verleiht Kasserollen und Eintöpfen Aroma. Eine gute Rinderbrühe kann man auch pur als leichte Suppe servieren. In konzentrierter Form gibt sie Saucen den gewissen Pfiff. Mit Rinder- oder Hühnerbrühe verfeinert man auch Gerichte mit Lamm oder Huhn, denn das Lammaroma kann sehr intensiv sein (und nach Hammel schmecken), während Schwein ein eher fades, süßliches Aroma hat.

OBEN: Tomatensuppe mit Lammfleisch und Fusilli

ANTIPASTI

Was gibt es Besseres, um den Appetit anzuregen, als eine Vorspeisenplatte. Die bunten Antipasti erinnern an die Zeiten römischer Bankette und eignen sich auch wunderbar für moderne Parties.

FRITTATA MIT SALAMI UND KARTOFFELN

2 feingewürfelte Kartoffeln in einer Teflonpfanne (Ø 20 cm) in 2 EL Öl anbraten. 50 g grobgehackte, würzige italienische Salami zugeben und 10 Minuten unter gelegentlichem Rühren braten, bis die Kartoffeln weich sind. Mit 8 leicht verschlagenen Eiern aufgießen, und bei Mittelhitze weitere 10 Minuten backen. Dann die Frittata mit der Pfanne unter einem vorgeheizten Grill 3 Minuten backen, bis sich die Masse gesetzt hat. Auf einem Teller etwas abkühlen lassen und in mundgerechte Viertel teilen. Für 6–8 Personen

PRO PERSON (BEI 8 PERSONEN): *Protein 8 g; Fett 10 g; Kohlenhydrate 4 g; Ballaststoffe 1 g; Cholesterol 185 mg; 660 kJ (155 Kcal)*

GEFÜLLTE MIESMUSCHELN

500 g Miesmuscheln abbürsten und die Bärte entfernen. Bereits geöffnete Muscheln aussortieren! 3 Minuten kochen, bis sich die Muscheln geöffnet haben (andere aussortieren). Abtropfen und abkühlen lassen. Die oberen Hälften entfernen, und die Muscheln in der Schale in eine Backform

legen. Backofen auf Mittelhitze (180 °C) vorheizen. Eine feingehackte Zwiebel in 1 EL Olivenöl goldbraun braten. 2 reife gehackte Tomaten und 2 zerdrückte Knoblauchzehen zugeben, vom Herd nehmen und abschmecken. Die Füllung mit einem Löffel auf die Muscheln geben. 80 g Semmelbrösel und 20 g fein geriebenen Parmesan vermengen und die Muscheln damit bestreuen. Dann 10 Minuten backen, bis sich eine Kruste gebildet hat. Für 6–8 Personen.

PRO PERSON (BEI 8 PERSONEN): *Protein 15 g; Fett 5 g; Kohlenhydrate 8 g; Ballaststoffe 1 g; Cholesterol 65 mg; 545 kJ (130 Kcal)*

POLENTAHÄPPCHEN MIT CHORIZO-SALSA-KRUSTE

750 ml Wasser in einem Topf zum Kochen bringen. Bei Mittelhitze langsam 110 g Polenta (Maismehl) unter ständigem Rühren einrieseln lassen und rühren, bis sich die Masse von den Topfseiten löst. 100 g geriebenen Cheddar, 50 g geriebenen Mozzarella und 1 EL frischen, feingehackten Oregano einrühren. Die Masse in einer eingefetteten flachen Form (ca. 28 x 18 cm) verstreichen und 2 Stunden kühlstellen, bis sie fest ist. Mit Keksausstechern oder einem Glas Formen (ca. 5 x 5 cm) ausstechen, mit etwas Öl bestreichen und unter dem vorgeheizten Grill goldbraun backen. 4 Chorizos dünn aufschneiden und in einer Teflonpfanne von beiden Seiten anbräunen. Auf die Polentahäppchen legen und mit einem Klacks würziger Salsa aus dem Glas krönen. Mit Oreganoblättchen garnieren. Für 6–8 Personen.

PRO PERSON (BEI 8 PERSONEN): *Protein 9 g; Fett 15 g; Kohlenhydrate 10 g; Ballaststoffe 1 g; Cholesterol 30 mg; 945 kJ (225 Kcal)*

GEGRILLTE SARDINEN

3 EL Zitronensaft mit 2 EL Olivenöl und 1–2 geschälten und halbierten Knoblauchzehen vermischen. Auf einem leicht eingeölten, vorgeheizten Elektrogrill oder in einer Grillpfanne 20 längs aufgeschnittene Sardinen bei hoher Hitze bräunen. Während des Grillens mit der Flüssigkeit bestreichen. Auf einer Platte anrichten und servieren. Ergibt 20 Portionen.

JE SARDINE: *Protein 3 g; Fett 4 g; Kohlenhydrate 0 g; Ballaststoffe 0 g; Cholesterol 15 mg; 220 kJ (50 Kcal)*

OBEN, VON LINKS: Frittata mit Salami und Kartoffeln; Gefüllte Miesmuscheln; Polentahäppchen mit Chorizo-Salsa-Kruste; Gegrillte Sardinen

ANTIPASTI

GEGRILLTE AUBERGINEN UND PAPRIKA

1 große Aubergine in 1 cm dicke Scheiben schneiden. 2 große rote Paprika halbieren; Samen und Rippen entfernen. Die Paprika mit der Innenseite nach unten unter einen heißen Grill oder im Backofen 8 Minuten grillen, bis die Haut Blasen wirft und sich schwarz verfärbt. Vom Grill entfernen und mit einem feuchten Küchenhandtuch abdecken. Sobald sie abgekühlt sind, die Haut abziehen und das Fleisch in dicke Streifen schneiden. Die Auberginenscheiben großzügig mit Olivenöl bestreichen und unter dem Grill oder im Backofen bei Mittelhitze goldbraun backen. Vorsichtig wenden, wiederholen. Je länger die Bräunung dauert, desto besser karamelisiert der in der Aubergine enthaltene Zucker. Nun das Gemüse in einer Schüssel mit 2 zerdrückten Knoblauchzehen, 2 EL Olivenöl extra vergine, einer Prise Zucker und 2–3 EL gehackter frischer Petersilie mengen. Abdecken und im Kühlschrank über Nacht marinieren. Bei Zimmertemperatur servieren. Für 4–6 Personen.

PRO PERSON (BEI 6 PERSONEN): *Protein 1 g; Fett 15 g; Kohlenhydrate 3 g; Ballaststoffe 2 g; Cholesterol 0 mg; 670 kJ (160 Kcal)*

MOZZARELLABÄLLCHEN IM PESTOMANTEL

50 g frisches Basilikum, 3 EL Pinienkerne und 3 EL geriebenen Parmesan mit 2 Knoblauchzehen in der Küchenmaschine zu einer feinen Masse pürieren. Bei laufender Maschine langsam 80 ml Olivenöl zugießen, bis sich eine sämige Paste bildet. Das Pesto in einer Schüssel mit 300 g kleinen Mozzarellakugeln mengen, abdecken und im Kühlschrank 2 Stunden marinieren lassen. Für 4–6 Personen.

PRO PERSON (BEI 6 PERSONEN): *Protein 15 g; Fett 30 g; Kohlenhydrate 1 g; Ballaststoffe 1 g; Cholesterol 35 mg; 1400 kJ (335 Kcal)*

GERÖSTETE TOMATEN MIT BALSAMICO-DRESSING

Backofen auf Mittelhitze (160 °C) vorwärmen. 500 g Eiertomaten längs halbieren. Auf ein beschichtetes Backblech legen und leicht mit kaltgepreßtem Olivenöl bestreichen; mit Salz bestreuen und mit 2 EL Balsamicoessig beträufeln. 1 Stunde backen und jede Viertelstunde mit weiteren 2 EL Balsamicoessig beträufeln. Für 6–8 Personen.

PRO PERSON (BEI 8 PERSONEN): *Protein 1 g; Fett 2 g; Kohlenhydrate 1 g; Ballaststoffe 1 g; Cholesterol 0 mg; 135 kJ (30 Kcal)*

BRUSCHETTA

1 Ciabattabrot in dicke Scheiben schneiden. 500 g reife Tomaten feinwürfeln. 1 rote Zwiebel kleinschneiden. Tomaten und Zwiebel in einer Schüssel mit 2 EL Olivenöl mengen und mit Salz und schwarzem Pfeffer aus der Mühle abschmecken. Die Brotscheiben toasten und noch warm mit einer ganzen geschälten Knoblauchzehe abreiben. Die Tomatenmischung auf die Scheiben geben und warm mit kleingezupften Basilikumblättern garnieren und servieren. Für 6–8 Personen.

PRO PERSON (BEI 8 PERSONEN): *Protein 6 g; Fett 6 g; Kohlenhydrate 30 g; Ballaststoffe 3 g; Cholesterol 0 mg; 875 kJ (210 Kcal)*

FRITIERTE BLUMENKOHL-RÖSCHEN

300 g Blumenkohl in große Röschen zerteilen und in einem Topf mit sprudelndem Salzwasser bißfest garen. Die Garzeit prüfen, denn der Blumenkohl zerfällt leicht. Gut abtropfen und abkühlen lassen. Dann 200 g Fontinakäse feinwürfeln und die Röschen mit den Würfeln spicken. 3 Eier in einer Schüssel verschlagen und die Röschen erst in die Eier, dann in 40 g Semmelbrösel dippen. In heißem Öl portionsweise knusprig goldbraun fritieren. Heiß servieren. Für 4–6 Personen.

PRO PERSON (BEI 6 PERSONEN): *Protein 15 g; Fett 30 g; Kohlenhydrate 5 g; Ballaststoffe 1 g; Cholesterol 120 mg; 1440 J (340 Kcal)*

OBEN, VON LINKS: Gegrillte Auberginen und Paprika; Mozzarellabällchen im Pestomantel; Geröstete Tomaten mit Balsamicodressing; Bruschetta; Fritierte Blumenkohlröschen

PASTA MIT FLEISCH

Das beliebteste Pastagericht ist sicherlich Spaghetti Bolognese, das in der einen oder anderen Abwandlung der Hackfleischsauce in jeder Familie gekocht wird. Am verbreitetsten ist die Saucenvariante mit Rinderhack; in Bologna wird sie allerdings oft Halb-und-Halb zubereitet, in manchen anderen regionalen Küchen mit Lammfleisch. Doch welches Fleisch auch immer die Grundlage bildet: Wenn es mit Kräutern aromatisiert wird und sich mit dem Geschmack der Tomaten, des Gemüses und des Weins harmonisch verbindet, entsteht ein köstlich herzhaftes und gesundes Gericht.

SPAGHETTI BOLOGNESE gehört zu den populärsten Pastagerichen, und fast jede Familie hat ihre eigene Lieblingsversion. Dieses Buch enthält drei Varianten dieses beliebten Klassikers: Die Klassische Bolognese (s. Seite 24), die durch Hühnerleber ihr einzigartiges Aroma bekommt und mehrere Stunden Aufmerksamkeit am Herd erfordert; außerdem eine schnelle Variante (s. Seite 60) und das rechts stehende Rezept, das sich besonders für Essen im Familienkreis eignet.

OBEN: Spaghetti Bolognese

SPAGHETTI BOLOGNESE

Vorbereitungszeit: 20 Minuten
Kochzeit: 1 Stunde 40 Minuten
Für 4–6 Personen

2 EL Olivenöl
2 Knoblauchzehen, zerdrückt
1 große Zwiebel, gehackt
1 Möhre, gehackt
1 Selleriestange, in Röllchen geschnitten
500 g Hackfleisch
500 ml Rinderbrühe
380 ml Rotwein
800 g Dosentomaten, zerkleinert
1 EL Zucker
7 g frische glatte Petersilie, gehackt
500 g Spaghetti
frisch geriebener Parmesan zum Servieren

1 Das Olivenöl in einer großen, tiefen Pfanne erhitzen. Knoblauch, Zwiebel, Möhre und Selleriestange 5 Minuten bei Niedrighitze dünsten, bis die Gemüse angebräunt sind.
2 Die Hitze erhöhen und das Hack gut anbräunen, dabei mit der Gabel zerkleinern. Die Brühe und den Wein zugießen, Tomaten, Zucker und Petersilie unterrühren.
3 Den Sugo aufkochen lassen und bei Niedrighitze 90 Minuten köcheln lassen. Gelegentlich umrühren. Zum Schluß abschmecken.
4 Kurz vor dem Servieren die Spaghetti in einem großen Topf mit sprudelndem Salzwasser *al dente* kochen. Abtropfen lassen und auf Pastaschalen verteilen. Die Sauce darüberlöffeln und mit Parmesan bestreuen.

PRO PERSON (BEI 6 PERSONEN): *Protein 30 g; Fett 20 g; Kohlenhydrate 65 g; Ballaststoffe 5 g; Cholesterol 55 mg; 2470 kJ (590 Kcal)*

TAGLIATELLE MIT KALBSFLEISCH UND WEISSWEIN-SAHNE-SAUCE

Vorbereitungszeit: 15 Minuten
Kochzeit: 20 Minuten
Für 4 Personen

500 g Kalbsfleischrouladen, in dünne Streifen geschnitten
Mehl, mit Salz und Pfeffer gewürzt
60 g Butter
1 Zwiebel, in feine Ringe geschnitten
120 ml Weißwein
3–4 EL Rinder- oder Hühnerbrühe
170 ml Sahne
600 g Eier- oder Spinat-Tagliatelle (oder gemischt)
frisch geriebener Parmesan

1 Die Kalbfleischstreifen im Mehl wenden. Die Butter in einer Pfanne zerlaufen lassen und das Fleisch anbraten. Mit einem Schaumlöffel aus der Pfanne heben und beiseite stellen.
2 Nun die Zwiebelringe 8–10 Minuten goldbraun weich dünsten. Den Wein zugießen, aufkochen und reduzieren lassen. Die Sahne und die Brühe einrühren und mit Salz und Pfeffer abschmecken. Nochmals reduzieren lassen. Am Ende der Kochzeit die Fleischstreifen beigeben.
3 Gleichzeitig die Tagliatelle in einem großen Topf mit sprudelndem Salzwasser *al dente* kochen. Abtropfen lassen und auf einer vorgewärmten Servierplatte anrichten.
4 1 EL Parmesan unter die Pasta heben. Die Sauce darüberlöffeln und mit etwas Parmesan bestreuen. Frische Kräuter sind ein dekorativer Blickfang und geben der Sauce noch zusätzlich Geschmack.
Hinweis: Dieses Gericht schmeckt besonders gut mit einem gemischten Salat. Wenn man eine leichtere und kalorienärmere Sauce wünscht, kann man auch auf die Sahne verzichten, sie schmeckt trotzdem köstlich.

PRO PERSON: *Protein 45 g; Fett 35 g; Kohlenhydrate 75 g; Ballaststoffe 5 g; Cholesterol 205 mg; 3355 kJ (800 Kcal)*

ALS BEILAGEN

GEBACKENER KÜRBIS MIT SALBEI
Den Backofen auf hohe Hitze (220 °C) vorheizen. Den Kürbis in kleine Stücke schneiden und in Olivenöl wenden. Anschließend in einer backofenfesten Form mit 2 EL feingehacktem Salbei und Salz und Pfeffer 20 Minuten bräunen. Zum Servieren noch mit etwas Salbei bestreuen.

SALATGURKE MIT GERÖSTETEN SESAMSAMEN 1 Salatgurke in Juliennestreifen schneiden, mit Salz und Pfeffer würzen, und 2 EL Sesamöl und 1 EL geröstete Sesamsamen untermengen. 20 Minuten marinieren lassen und servieren.

WEISSWEIN
Weißwein verleiht vielen Gerichten eine besondere Note. Er sollte aber nur in kleinen Mengen verwendet werden und muß vollständig verkochen. Nehmen Sie nur Tischweinqualität. Trockene, nicht zu fruchtige Weißweine eignen sich gut für pikante Gerichte, besonders wenn Meeresfrüchte dabei ins Spiel kommen. Für Gerichte mit einer süßen Note sollte man nicht auf süße Weißweine zurückgreifen, sondern auf Südweine oder Liköre.

OBEN: Tagliatelle mit Kalbsfleischstreifen in Weißwein-Sahne-Sauce

OBEN: Pasta mit geschmortem Ochsenschwanz und Bleichsellerie

PASTA MIT GESCHMORTEM OCHSENSCHWANZ UND BLEICHSELLERIE

Vorbereitungszeit: 20 Minuten
Kochzeit: 3 Stunden 45 Minuten
Für 4 Personen

☆

1,5 kg Ochsenschwanz in Stücken
30 g Mehl, mit Salz und Pfeffer gewürzt
60 ml Olivenöl
1 Zwiebel, feingehackt
2 Knoblauchzehen, zerdrückt
500 ml Hühnerbrühe
425 g Dosentomaten, zerkleinert
250 ml Weißwein
6 Gewürznelken
2 Lorbeerblätter
3 Selleriestangen, in Röllchen geschnitten
500 g Penne
30 g Butter
3 EL frisch geriebener Parmesan

1 Den Backofen auf Mittelhitze (160 °C) vorheizen.
2 Das Fleisch im gewürzten Mehl wenden. Überschüssiges Mehl abstauben. Die Hälfte des Öls in einer großen Pfanne erhitzen und den Ochsenschwanz portionsweise anbräunen. Dann in eine große Kasserolle legen.
3 Die Pfanne mit Küchenkrepp auswischen. Das restliche Öl in der Pfanne erhitzen und den Knoblauch und die Zwiebel bei Niedrighitze weich dünsten. Brühe, Tomaten, Wein, Gewürznelken und Lorbeerblätter zugeben und mit Salz und Pfeffer abschmecken. Aufkochen lassen. Die Sauce über den Ochsenschwanz gießen.
4 Abgedeckt 2 1/2–3 Stunden backen. Nun den Sellerie beigeben und ohne Deckel weitere 30 Minuten im Ofen backen. Kurz vor Ende der Kochzeit die Nudeln in einem großen Topf mit sprudelndem Salzwasser *al dente* kochen. Abtropfen lassen, und mit Butter und Parmesan mengen. Ochsenschwanz und Sauce zusammen mit den Nudeln servieren.

Hinweis: Mehl kann auf verschiedenste Arten gewürzt werden, mit Salz und Pfeffer, Kräutern und auch gemahlenen Senfkörnern.

PRO PERSON: *Protein 50 g; Fett 70 g; Kohlenhydrate 100 g; Ballaststoffe 10 g; Cholesterol 110 mg; 5200 kJ (1240 Kcal)*

SPAGHETTI MIT SALAMI UND PAPRIKA

Vorbereitungszeit: 15 Minuten
Kochzeit: 55 Minuten
Für 4–6 Personen

- 2 EL Olivenöl
- 1 große Zwiebel, feingehackt
- 2 Knoblauchzehen, zerdrückt
- 150 g würzige Salami, dünn aufgeschnitten und in Streifen geschnitten
- 2 große rote Paprika, gehackt
- 850 g Dosentomaten, zerkleinert
- 120 ml trockener Weißwein
- 500 g Spaghetti

1 Das Öl in einer großen gußeisernen Pfanne erhitzen und die Zwiebeln, den Knoblauch und die Salami bei Mittelhitze unter Rühren 5 Minuten anbräunen. Die Paprika zugeben und abgedeckt 5 Minuten garen lassen.

2 Tomaten und Weißwein zugießen und aufkochen lassen. Bei Niedrighitze abgedeckt 15 Minuten und ohne Deckel weitere 15 Minuten köcheln lassen, bis die Flüssigkeit reduziert ist und die Sauce die gewünschte Konsistenz hat. Mit Salz und Pfeffer abschmecken.

3 15 Minuten vor Ende der Kochzeit die Spaghetti in einem großen Topf mit sprudelndem Salzwasser *al dente* kochen. Abtropfen und wieder in den Topf geben. Dort mit der Hälfte des Sugo vermengen und auf Spaghettischalen verteilen. Die restliche Sauce darüberlöffeln und servieren.

PRO PERSON (BEI 6 PERSONEN): *Protein 20 g; Fett 15 g; Kohlenhydrate 70 g; Ballaststoffe 5 g; Cholesterol 25 mg; 2150 kJ (510 Kcal)*

ALS BEILAGE

KARTOFFELSALAT 1 kg kleine Salatkartoffeln sorgfältig waschen und in der Schale in köchelndem Salzwassser garen. Dann abtropfen und abkühlen lassen. In einer großen Schüssel 2 EL Mayonnaise mit 2 EL Schmand und 4 fein-gehackten Frühlingszwiebeln verschlagen. Die Kartoffeln unterheben. Mit etwas Cayennepfeffer bestreuen und anschließend servieren.

SALAMI
Die Salami, eine geräucherte Wurst, gibt es in allen erdenklichen Formen, mit unterschiedlichster Zusammensetzung und entsprechend verschiedenem Aroma. Sie kann mild oder herzhaft schmecken, frisch oder abgehangen sein, hart oder weich, fein- oder grobkörnig. Rindfleisch, Schweinefleisch und -fett in unterschiedlichen Größenverhältnissen sind die bevorzugten Inhaltsstoffe. Manchmal wird auch Wild verwendet. Die meisten Salamis werden in Salz gepökelt, einige auch luftgetrocknet. Salami sollte nicht zu lange gekocht werden, denn der Kochvorgang entzieht der Wurst das Fett.

UNTEN: Spaghetti mit Salami und Paprika

OLIVENÖL EXTRA VERGINE

Olivenöl des Typs extra vergine entsteht bei der ersten Pressung noch etwas unreifer Oliven, die weder erhitzt werden (Kaltpressung) noch mit Chemikalien in Berührung kommen. Es hat fast keinerlei Säure, ist dickflüssig, von kräftiger Farbe und wird oft nicht gefiltert. Die Bestimmungen der EU sehen vor, daß ein Olivenöl mit weniger als 1% Säuregehalt automatisch zu extra vergine wird. Entsprechend ist es für große Olivenölproduzenten in Spanien, Italien und Frankreich billiger, Öle minderer Qualität mittels chemischer Zusätze auf diese Norm zu bringen. Bauern und kleinen Kooperativen ist diese Form der Raffinade jedoch zu teuer: Sie arbeiten nach wie vor mit traditionellen Methoden. Der Konsument hat fast keine Möglichkeit, zwischen chemisch bereinigtem und belassenem Öl zu unterscheiden, und so sollte man sich bei der Wahl eines Öls auf seinen eigenen Geschmack verlassen und ausprobieren.

OBEN: Schnelle Spaghetti Bolognese

SCHNELLE SPAGHETTI BOLOGNESE

Vorbereitungszeit: 15 Minuten
Kochzeit: 30 Minuten
Für 4 Personen

2 TL Olivenöl, extra vergine
80 g Speck oder Pancetta, feingehackt
400 g mageres Rinderhack
500 g Tomatensauce aus dem Glas
2 TL Rotweinessig
2 TL Zucker
1 TL getrockneter Oregano
500 g Spaghetti
frisch geriebener Parmesan zum Servieren

1 Das Öl in einer großen gußeisernen Pfanne erhitzen und den Speck leicht darin anbräunen. Nun das Rinderhack zugeben und gut bräunen. Dabei mit einer Gabel zerkleinern.

2 Mit Tomatensauce und Weißweinessig aufgießen, Zucker und Oregano beigeben. Aufkochen lassen, dann bei Niedrighitze15 Minuten köcheln lassen und ständig rühren, um ein Anbrennen oder Ansetzen zu vermeiden.

3 10 Minuten vor dem Kochende die Spaghetti in einem großen Topf mit sprudelndem Salzwasser *al dente* kochen. Abtropfen und auf vier Spaghettischüsseln verteilen. Darüber die Bolognesesauce geben. Mit Parmesan bestreuen.

PRO PERSON: *Protein 40 g; Fett 30 g; Kohlenhydrate 100 g; Ballaststoffe 10 g; Cholesterol 150 mg; 3505 kJ (835 Kcal)*

NUDELAUFLAUF MIT HACKFLEISCH

Vorbereitungszeit: 20 Minuten
Kochzeit: 2 Stunden
Für 8 Personen

2 EL Olivenöl
1 große Zwiebel, gehackt
1 kg Rinderhack
60 ml Rotwein
700 ml Tomatenpastasauce
2 Hühnerbrühwürfel, zerbröckelt
2 EL frische glatte Petersilie, feingehackt
500 g Bucatini
2 Eiweiß, leicht verschlagen
2 EL Semmelbrösel

Käsesauce

50 g Butter
2 EL Mehl
600 ml Milch
2 Eigelb, leicht verschlagen
120 g geriebener Cheddar oder mittelalter Gouda

1 Das Öl in einer großen gußeisernen Pfanne erhitzen. Die Zwiebel bei Mittelhitze 2 Minuten weich dünsten. Nun das Rinderhack zugeben und bei hoher Hitze anbräunen, bis die gesamte Flüssigkeit verkocht ist.
2 Jetzt den Wein, die Sauce und die Brühwürfel beigeben und aufkochen. 1 Stunde abgedeckt bei kleiner Hitze köcheln lassen. Dann vom Herd nehmen, die Petersilie unterrühren und abkühlen lassen.
3 Für die Käsesauce die Butter in einer mittelgroßen Pfanne bei Niedrighitze erwärmen und das Mehl 1 Minute einrühren, bis die Masse Farbe angenommen hat und glatt wird. Dann vom Herd nehmen und langsam die Milch einrühren. Bei Mittelhitze 5 Minuten köcheln lassen, bis die Sauce Blasen wirft und eindickt. Noch 1 Minute köcheln lassen, dann vom Herd nehmen, etwas abkühlen lassen und Eigelb und Käse unterrühren.
4 Den Backofen auf Mittelhitze (180 °C) vorheizen. Die Pasta in einem großen Topf mit sprudelndem Salzwasser *al dente* kochen. Abtropfen lassen, mit kaltem Wasser abschrecken, nochmals gut abtropfen lassen und sorgfältig mit dem Eiweiß mengen. Die Hälfte der Nudeln in eine gebutterte, backofenfeste Form geben, darauf die Hackfleischsauce gießen.

5 Die restlichen Nudeln mit der Käsesauce vermischen und über dem Fleisch verteilen. Darauf die Semmelbrösel streuen. 45 Minuten im Backofen goldgelb backen.

PRO PERSON: *Protein 40 g; Fett 30 g; Kohlenhydrate 80 g; Ballaststoffe 5 g; Cholesterol 160 mg; 3210 kJ (765 Kcal)*

ALS BEILAGE

BOHNENSALAT IN VINAIGRETTE

Gekochte Cannellinibohnen oder die schmalen haricot verts in einer Vinaigrette aus gut vermengtem Walnußöl und Balsamicoessig mit 1 zerdrückten Knoblauchzehe als Würze wenden. 2 EL frisch gehackte glatte Petersilie, 4 in feine Röllchen geschnittene Frühlingszwiebeln und eine Handvoll feingezupfter Basilikumblätter darüberstreuen und mit Salz und Pfeffer abschmecken. 10 Minuten stehen lassen, damit die Bohnen das Aroma der Vinaigrette aufnehmen; dann servieren.

OBEN: Nudelauflauf mit Hackfleisch

CHORIZO
Chorizo, eine Hartwurst, stammt aus Spanien. Sie ist sehr würzig und grobkörnig und wird aus Schweinefleisch und -speck mit einer Knoblauch-Paprika-Gewürzmischung hergestellt. Einige Sorten eignen sich als Aufschnitt, weniger fette Sorten eher als Fleischeinlage für Suppen und Eintöpfe. Sind Chorizos nicht erhältlich, kann man sie durch würzige italienische Hartsalami oder andere mit Knoblauch gewürzte Hartwurstsorten ersetzen.

OBEN: Rigatoni mit Chorizo und Tomaten

RIGATONI MIT CHORIZO UND TOMATEN

Vorbereitungszeit: 15 Minuten
Kochzeit: 20–25 Minuten
Für 4 Personen

2 EL Olivenöl
1 Zwiebel, in Ringe geschnitten
250 g Chorizo, in Scheiben geschnitten
450 g Dosentomaten, zerkleinert
120 ml trockener Weißwein
eine Prise gehackte Chillies (nach Wunsch)
380 g Rigatoni
2 EL frische glatte Petersilie, gehackt
2 EL frisch geriebener Parmesan

1 Das Öl in einer Bratpfanne erhitzen. Die Zwiebel bei Niedrighitze weich dünsten.

2 Die Wurst zugeben und unter mehrmaligem Wenden 2–3 Minuten anbraten. Tomaten, Wein, Chillies und Salz und Pfeffer nach Geschmack beigeben und durchrühren. Aufkochen lassen und dann bei Niedrighitze 15–20 Minuten köcheln lassen.

3 Während die Sauce kocht, die Rigatoni in einem großen Topf mit sprudelndem Salzwasser *al dente* kochen. Abtropfen und wieder in den Topf geben. Die Sauce sorgfältig mit der heißen Pasta vermengen, mit Petersilie und Parmesan bestreuen und servieren.

PRO PERSON: *Protein 25 g; Fett 30 g; Kohlenhydrate 70 g; Ballaststoffe 5 g; Cholesterol 50 mg; 2990 kJ (715 Kcal)*

ZITI IN EINER SAUCE AUS WURST UND GEMÜSE

Vorbereitungszeit: 30 Minuten
Kochzeit: 40 Minuten
Für 4 Personen

1 rote Paprika
1 grüne Paprika
1 kleine Aubergine, in Scheiben geschnitten
60 ml Olivenöl
1 Zwiebel, in Ringe geschnitten
1 Knoblauchzehe, zerdrückt
250 g Chipolata oder Chorizo, in Scheiben geschnitten
450 g Dosentomaten, zerkleinert
120 ml Rotwein
40 g schwarze Oliven, entsteint, halbiert
1 EL frisches Basilikum, feingezupft
1 EL frische glatte Petersilie, feingehackt
500 g Ziti
frisch geriebener Parmesan zum Servieren

1 Die Paprika in große Stücke zerteilen und die Samen und Rippen entfernen. Mit der Innenseite nach unten unter einen heißen Grill oder in den Backofen legen und 8 Minuten rösten, bis die Haut schwarz wird und Blasen wirft. Aus dem Backofen nehmen und mit einem feuchten Küchenhandtuch abdecken. Sobald sie abgekühlt sind, die Haut abziehen und das Fruchtfleisch hacken und beiseite stellen.
2 Die Auberginenscheiben mit etwas Öl bestreichen und auf jeder Seite goldbraun grillen. Bei Bedarf mit mehr Öl bestreichen. Beiseite stellen.
3 Das restliche Öl in einer Pfanne erhitzen. Zwiebel und Knoblauch bei Niedrighitze weich dünsten. Die Würste zugeben und gut anbräunen.
4 Nun Tomaten, Wein, Oliven, Basilikum und Petersilie unterrühren und mit Salz und Pfeffer abschmecken. Aufkochen lassen, und dann bei Niedrighitze 15 Minuten köcheln lassen. Die Gemüse zugeben und erhitzen.
5 Während die Sauce kocht, die Ziti in einem großen Topf mit sprudelndem Salzwasser *al dente* kochen. Abtropfen und in den Topf zurückfüllen. Gut mit der Sauce vermengen. Vor dem Servieren Parmesan über das Gericht streuen.
Hinweis: Ziti, das sind breite Röhrennudeln, eignen sich für diesen Sugo besonders gut. Sie können aber auch durch Fettuccine oder Spaghetti ersetzt werden.

PRO PERSON: *Protein 30 g; Fett 35 g; Kohlenhydrate 105 g; Ballaststoffe 10 g; Cholesterol 35 mg; 3760 kJ (900 Kcal)*

ALS BEILAGE

GRÜNER SPARGEL IN ZITRONEN-HASELNUSS-BUTTER Frische grüne Spargelstangen dünsten oder in der Mikrowelle bißfest garen. Butter in einer kleinen Pfanne erhitzen, bis sie aufschäumt. Geröstete und zerkleinerte Haselnüsse einrühren, mit etwas fein geriebener Schale einer ungespritzten Zitrone würzen. Über den Spargel gießen und gleich servieren.

MAISKOLBEN MIT SCHNITTLAUCH UND KNOBLAUCH Maiskolben im Hüllblatt in kochendem Wasser, in der Mikrowelle oder im Dampftopf garen. Blätter und Narbenfäden entfernen. Die Kolben dritteln, in einer Marinade aus Olivenöl extra vergine, Butter, zerdrücktem Knoblauch und frisch gehacktem Schnittlauch wenden und großzügig mit schwarzem Steakpfeffer und Meersalz bestreuen.

OBEN: Ziti in einer Sauce aus Wurst und Gemüse

ROTWEIN
Rotwein gibt Gerichten einen volleren, weicheren Geschmack. Sein erdiges, kerniges Bukett paßt besonders gut zu rotem Fleisch und Wild, während er farblich gut zu Tomatensaucen paßt. Nur selten gibt man ihn zu Saucen auf Sahne- oder Milchbasis. Zum Kochen eignet sich am besten ein junger, ausgereifter Wein, der Tischweinqualität hat.

UNTEN: Rigatoni mit Ochsenschwanzsugo

RIGATONI MIT OCHSENSCHWANZSUGO

Vorbereitungszeit: 25 Minuten
Kochzeit: 2 Stunden
Für 4 Personen

2 EL Olivenöl
1,5 kg Ochsenschwanz, in Scheiben
2 große Zwiebeln, in Ringe geschnitten
4 Knoblauchzehen, gehackt
2 Selleriestangen, in Röllchen geschnitten
2 Möhren, feingeschnitten
2 große Zweige Rosmarin, zusammengebunden
60 ml Rotwein
60 ml Tomatenmark, 2fach konzentriert
4 Tomaten, enthäutet und zerkleinert
1,5 l Rinderbrühe
500 g Rigatoni oder Ditaloni

1 Das Öl in einer großen gußeisernen Pfanne erhitzen. Das Fleisch anbräunen, aus der Pfanne nehmen und beiseite stellen. Die Zwiebeln, den Knoblauch, den Sellerie und die Möhren in der Pfanne 3–4 Minuten unter Rühren anschwitzen, bis die Zwiebel leicht gebräunt ist.

2 Das Fleisch beigeben und Rotwein und Rosmarin unterrühren. 10 Minuten abgedeckt köcheln lassen. Dabei die Pfanne öfter rütteln, um ein Ansetzen zu vermeiden. Nun das Tomatenmark und die zerkleinerten Tomaten zusammen mit 500 ml Rinderbrühe angießen und ohne Deckel 30 Minuten unter gelegentlichem Umrühren köcheln lassen.

3 500 ml Rinderbrühe zugießen und weitere 30 Minuten köcheln. Danach 250 ml Brühe zugießen und nochmals 30 Minuten köcheln lassen. Dann den Rest der Brühe angießen und so lange köcheln lassen, bis sich das Fleisch vom Knochen zu lösen beginnt. Die Flüssigkeit ist nun auf dickflüssig reduziert.

4 Kurz vor Ende des Kochvorgangs die Pasta in einem großen Topf mit sprudelndem Salzwasser *al dente* kochen. Den Sugo über die Pasta löffeln und servieren.

Hinweis: Den Sugo kann man mit 250 g Speck, den man gewürfelt der gedünstetem Zwiebel, dem Knoblauch und dem Gemüse beigibt, geschmacklich variieren. Die weiteren Kochschritte bleiben unverändert.

PRO PERSON: *Protein 50 g; Fett 55 g; Kohlenhydrate 100 g; Ballaststoffe 10 g; Cholesterol 90 mg; 4600 kJ (1100 Kcal)*

ALS BEILAGE

PIKANTER GURKENSALAT 1 Salatgurke schälen, in dünne Scheiben schneiden und auf einer Platte anrichten. 1 feingehackte Frühlingszwiebel mit 2 EL Reisessig oder Weißweinessig und 1 TL Honig, 1 EL Sesamöl und 1 feingehackten roten Chili mengen. Das Dressing über die Gurkenscheiben träufeln. Mit 3 EL in der Pfanne gerösteter Erdnüsse garnieren.

CHAMPIGNONS MIT KNOBLAUCH-DILL-DRESSING Champignons putzen und in feine Scheiben schneiden. Olivenöl und Butter zu gleichen Teilen in einer Pfanne zerlassen, etwas feingehackten Knoblauch und Frühlingszwiebeln zugeben und die Champignons darin bräunen und weich dünsten. Überschüssige Flüssigkeit abgießen und mit frischem gehackten Dill, Salz und schwarzem Steakpfeffer abschmecken.

ITALIENISCHE WÜRSTE
Italienische Würste sind grobkörnig und gut gewürzt. Sie werden aus hochwertigem Schweinefleisch, Schweinespeck und Rindfleisch in unterschiedlichem Verhältnis hergestellt, haben einen delikaten Geschmack und ein typisches Aussehen. Als Fleischeinlage für Sugos und Eintöpfe sollte man kompaktere Würste wählen, deren Fleisch-Fett-Anteil ausgewogen ist und die ebenmäßig gekörnt sind. Die Haut kann vor dem Kochen abgezogen werden, ohne daß die Würste ihre Form verlieren. Chipolata, Luganeghe und andere Koch- und Rohwürste erhält man in Feinkostgeschäften und italienischen Läden.

RIGATONI MIT KIDNEYBOHNEN UND CHIPOLATA

Vorbereitungszeit: 25 Minuten
Kochzeit: 30 Minuten
Für 4–6 Personen

1 EL Olivenöl
1 große Zwiebel, gehackt
2 Knoblauchzehen, zerdrückt
4 kleine Chipolata oder 1 Luganeghe
800 g Dosentomaten, zerkleinert
425 g Kidneybohnen (oder Borlottibohnen), abgetropft
2 EL frisches Basilikum, feingezupft
1 EL frischer Salbei, feingehackt
1 EL frische glatte Petersilie, feingehackt
500 g Rigatoni
frisch geriebener Parmesan zum Servieren

1 Das Öl in einer gußeisernen Pfanne erhitzen. Zwiebel, Knoblauch und die kleingeschnittenen Würste zugeben und unter gelegentlichem Umrühren bei Mittelhitze 5 Minuten garen.
2 Tomaten, Bohnen, Basilikum, Salbei und Petersilie beigeben und mit Salz und Pfeffer abschmekken. Bei Niedrighitze 20 Minuten köcheln lassen.
3 Während die Sauce kocht, die Pasta in einem großen Topf mit sprudelndem Salzwasser *al dente* kochen. Abtropfen und auf Spaghettischüsseln verteilen. Die Sauce darüber löffeln und das Gericht mit Parmesan bestreuen.
Hinweis: Für dieses Gericht eignen sich auch getrocknete Bohnen. Sie müssen über Nacht eingeweicht werden und dann abtropfen. In einem Topf gut mit Wasser bedecken, und 20 Minuten weich kochen. Statt der Rigatoni kann man die Sauce auch mit großen Conchiglie servieren, die die Sauce ebenfalls gut aufnehmen.

PRO PERSON (BEI 6 PERSONEN): *Protein 25 g; Fett 30 g; Kohlenhydrate 75 g; Ballaststoffe 10 g; Cholesterol 60 mg; 2810 kJ (670 Kcal)*

OBEN: Rigatoni mit Kidneybohnen und Chipolata

AUFSCHNITT UND WÜRSTE

Obwohl Italien für seine Pasta berühmt ist, lieben die italienischen Köche auch Aufschnitt, Würste und Salami.

PANCETTA ist die italienische Version des Specks. Die Schwarte wird entfernt und das Fleisch mit Salz, Pfeffer und Gewürzen aromatisiert. Je nach Hersteller können Muskat, Wacholderbeeren, Gewürznelken und Zimt dazugehören. 2 Wochen wird die Pancetta nun getrocknet, dann fest aufgerollt und in Därme gepreßt, wie sie auch für Salami verwendet werden. Ihr Geschmack ist weniger salzig als der von Prosciutto, obwohl man sie wie Schinken auch roh essen kann. Pancetta wird besonders wegen des Geschmacks geschätzt, den sie beim Kochen entfaltet: Für ihren würzig-süßen Geschmack gibt es eigentlich keinen Ersatz.

PROSCIUTTO ist ein Schweineschinken, der durch Luft und Salz getrocknet wird. Das Salz entzieht dem Fleisch Feuchtigkeit; der langsame Trocknungsprozeß bringt ein zartes Aroma hervor. Prosciutto kann bis zu 18 Monaten reifen. Die besten unter ihnen werden am echten Parmaschinken gemessen. Aufgeschnitten sollte der Prosciutto bald verzehrt werden, da er dann schnell sein Aroma verliert. Man nimmt ihn 1 Stunde vor dem Verzehr aus dem Kühlschrank. Parmaschinken erhält seinen außergewöhnlichen Geschmack durch die Molke, die bei der Käseherstellung übrigbleibt und an die Schweine verfüttert wird. Traditionell wird er mit

Melonen oder Feigen auf einer Antipasti-Platte serviert.

MORTADELLA aus Bologna wird mit Pfefferkörnern, gefüllten Oliven, Pistazien und Knoblauch aromatisiert und mit Speckstreifen durchsetzt. Mortadella kann bis zu 40 cm breit sein. Sie wird aufgeschnitten auf Pizzen, in Sandwiches oder gehackt in Tortellini gegeben.

SALAMI ist eine geräucherte Trockenwurst aus Schweinehack, die mit Knoblauch, Kräutern und Gewürzen aromatisiert wird. Sie soll ursprünglich aus der zypriotischen Stadt Salamis kommen. Die meisten italienischen Salamis werden nach ihren Herstellungsort benannt. Auch in Dänemark, Spanien, Ungarn, Österreich und natürlich Deutschland werden Salamis mit einem unverwechselbaren Geschmack hergestellt.

CACCIATORE wird aus Schwein und Rind hergestellt, mit Knoblauch und Gewürzen aromatisiert und kann scharf oder mild im Geschmack sein.

MAILÄNDER SALAMI ist eine milde Salami aus magerem Schwein, Rind und Schweinefett. Die feinkörnige Wurst wird mit Knoblauch, Pfeffer und Wein gewürzt.

FINOCCHIONA TOSCANA ist eine Salami aus Schweinefleisch, die mit Fenchelsamen gewürzt wird. Es gibt sie scharf oder mild.

PEPPERONI ist eine italienische Trockenwurst aus Schweinehack und Rind und sehr stark gepfeffert. Man nimmt sie als Pizzabelag und Würze in Pastasaucen.

COPPA wird aus der geräucherten Schweineschulter gemacht. Coppa ist fetter als Prosciutto und wird wie Salami gerollt und im Darm verkauft. Coppa findet sich auf vielen Antipasti-Platten.

SPECK ist auch in Italien nicht unbekannt und wird dort ähnlich verwendet wie in Deutschland.

CHORIZO ist eine grobkörnige Wurst aus Spanien, die es in vielen Varianten gibt. Sie besteht jedoch immer aus Schweinefleisch und wird mit Piment gewürzt. In Scheiben geschnitten, wird sie ausgebraten und Pastasaucen zugegeben. Man kennt sie auch als Grundzutat zur Paella.

IM UHRZEIGERSINN, VON LINKS OBEN: Prosciutto am Knochen, Pancetta, Prosciutto in Scheiben, Mailänder Salami, Finocchiona Toscana, Coppa, Cacciatore, Speck, Chorizo, Pepperoni, Mortadella

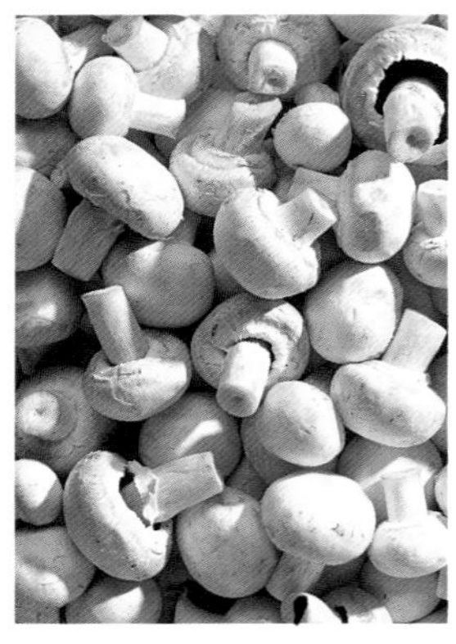

OBEN: Pappardelle in einer pikanten Sauce aus Schweinefleisch und Mohn

PAPPARDELLE IN PIKANTER SAUCE AUS SCHWEINE-FLEISCH UND MOHN

Vorbereitungszeit: 15 Minuten
Kochzeit: 15–20 Minuten
Für 4 Personen

☆

500 g Pappardelle
20 g Butter
1 1/2 EL Öl
1 Zwiebel, in feine Ringe geschnitten
1 Knoblauchzehe, zerdrückt
2 TL Paprikapulver edelsüß
eine Messerspitze Cayennepfeffer
500 mageres Schweinefleisch (Filet oder Keule), dünn aufgeschnitten
1 EL frische glatte Petersilie, feingehackt
1 EL Portwein (oder anderer trockener Südwein)
1 EL Tomatenmark, 2fach konzentriert
300 g Schmand
150 g Champignons, feingeschnitten
2 TL Mohn
2 EL frische glatte Petersilie, feingehackt

1 Die Pappardelle in einem großen Topf mit sprudelndem Salzwasser *al dente* kochen. Abtropfen und zurück in den Topf geben.
2 Die Butter mit etwas Öl in einer Pfanne erhitzen, und die Zwiebelringe 6–8 Minuten weich dünsten. Knoblauch, Paprikapulver, Cayennepfeffer, Schweinefleisch, Champignons und 1 EL Petersilie zugeben, und mit schwarzem Pfeffer aus der Mühle abschmecken. Bei hoher Hitze sautieren, bis das Fleisch durchgebraten ist. Den Portwein zugießen, aufkochen lassen und 10 Sekunden gut durchrühren. Tomatenmark und Schmand unterrühren. Abschmecken und auf niedrige Hitze stellen.
3 Das restliche Öl und den Mohn mit der Pasta vermengen. In Schüsseln geben, die Sauce darüberlöffeln und mit 2 EL Petersilie garnieren.

PRO PERSON: *Protein 40 g; Fett 45 g; Kohlenhydrate 65 g; Ballaststoffe 6 g; Cholesterol 170 mg; 3525 kJ (840 Kcal)*

TÜRKISCHE RAVIOLI

Vorbereitungszeit: 1 Stunde
Kochzeit: 30 Minuten
Für 4–6 Personen

Füllung

1 EL Öl
1 kleine Zwiebel, gerieben
1 rote Chilischote, feingehackt
1 TL Zimt
1 TL Gewürznelken, gemahlen
500 g Lammfleisch, als Hack durchgedreht
2 TL geriebene Schale einer ungespritzten Zitrone
2 TL frischer Dill, feingehackt
2 EL frische glatte Petersilie, feingehackt

Sauce

250 ml Hühnerbrühe
500 ml Naturjoghurt
4 Knoblauchzehen, zerdrückt

Teig

220 g Mehl
50 g Vollkornmehl
120 g Wasser
1 Ei
1 Eigelb
eine Handvoll frische Minze, feingehackt

1 Für die Füllung das Öl in einer großen Pfanne erhitzen und die Zwiebel, Chili und die Gewürze bei Mittelhitze 5 Minuten goldbraun braten. Das Fleisch zugeben und bei hoher Hitze bräunen. Dabei ständig umrühren, um es aufzulockern. Vom Herd nehmen und die Zitronenschale und die gehackten Kräuter unterrühren. Zum Abkühlen beiseite stellen.
2 Für die Sauce die Hühnerbrühe in einem Topf zum Kochen bringen, bis sie auf die Hälfte reduziert ist. Vom Herd nehmen und Joghurt und Knoblauch mit einem Schneebesen unterrühren. Mit Salz und Pfeffer abschmecken.
3 Mehl, Wasser, Ei und Eigelb in der Küchenmaschine zu einem glatten Teig rühren. Den Teig auf einer leicht bemehlten Arbeitsplatte ausrollen. Falls er noch zu klebrig ist, etwas mehr Mehl unterkneten. (Es ist wesentlich leichter, einen klebrigen Teig mit zusätzlichem Mehl zu korrigieren, als einen zu trockenen Teig mit zusätzlichen Eiern.)
4 Den Teig vierteln und die Teigstücke großzügig mit Mehl bestäuben. Die Teigstücke auf der weitesten Stufe der Pastamaschine durchrollen. Den Teig dreimal falten, und damit die Teiglänge um ein Drittel kürzen, aber die Teigbreite dabei unverändert lassen.
5 Teigplatten nun wieder durch die Maschine ziehen und wieder falten. Mindestens noch zehnmal auf diese Weise durch den Teigroller ziehen und den Teig dabei jedes Mal um 90° drehen. Bei Bedarf die Maschine und die Teigplatten noch mit Mehl bestäuben. Die Maschine auf engere Stufen stellen, sobald sich der Pastateig glatt anfühlt. Bis 1 mm Durchmesser ausrollen.
6 Die Teigplatten in Quadrate von 12 cm zurechtschneiden, und auf jedes Teigstück in der Mitte 1 EL der Füllung setzen. Die Enden leicht mit Wasser bestreichen. Die Teigstücke zum Dreieck zusammenlegen, an den Enden zusammendrücken und auf ein leicht bemehltes Backblech setzen. Abdecken, bis die restlichen Teigstücke entsprechend verarbeitet und gefüllt sind.
7 Die Ravioli portionsweise in einem großen Topf mit sprudelndem Salzwasser 3 Minuten *al dente* kochen. Abtropfen lassen und unter die Sauce mischen. Mit der gehackten Minze bestreuen.

PRO PERSON (BEI 6 PERSONEN): *Protein 25 g; Fett 20 g; Kohlenhydrate 30 g; Ballaststoffe 3 g; Cholesterol 120 mg; 1595 kJ (380 Kcal)*

NATURJOGHURT
Naturjoghurt wird aus fermentierter Kuh- oder Schafmilch gewonnen und stammt ursprünglich vom Balkan. Damals wurde er als Heilmittel eingesetzt; heute schätzt man den frischen, leicht sauren Geschmack und verwendet ihn auch gerne zum Kochen. Joghurt entsteht, wenn Milch eine aktive Milchsäurekultur beigegeben wird. Bei kontrollierter Temperatur fermentiert die Milch dann auf natürliche Weise. Der so entstandene Joghurt ist dickflüssig, hat eine glatte Konsistenz und eine klare, weiße Farbe. Frischer Joghurt hält sich im Kühlschrank 4–5 Tage.

UNTEN: Türkische Ravioli

INGWER
Ingwer ist ein Rhizom, die Wurzel einer Tropenpflanze, die ursprünglich aus Bengalen und von der Malabar-Küste Südindiens stammt. Sie wird als Beilage zu würzigen, scharfen Gerichten gereicht und dient auch als Würzmittel an süßen und scharfen Speisen. Ingwer hat einen frischen, aber scharfen Geschmack, und die Wurzel ist sehr festfleischig. Das starke, klare Aroma wird durch Erhitzen verstärkt. Je länger die Wurzel im Boden reift, desto intensiver ist ihr Aroma; allerdings wird die Wurzel damit auch faseriger und läßt sich schwerer feinhacken oder reiben. Beim Kauf von frischem Ingwer sollte man auf stämmige, feste Wurzeln achten, er sollte weder weich noch schwammig sein. In einer Papiertüte und einer Plastiktüte verpackt, halten sie sich im Kühlschrank.

GEGENÜBERLIEGENDE SEITE: Scharfes Rindergeschnetzeltes mit Spaghettini (oben); Marokkanisches Lammpaprika mit Fusilli

SCHARFES RINDERGESCHNETZELTES MIT SPAGHETTINI

Vorbereitungszeit: 40 Minuten
Kochzeit: 20 Minuten
Für 4 Personen

500 g Spaghettini
3 EL Erdnußöl
1 Zwiebel, in feine Ringe geschnitten
1 Knoblauchzehe, zerdrückt
etwas frischer Ingwer, feingehackt
eine Messerspitze Chillies, zerstoßen
400 g mageres Rindfleisch (Rumpsteak oder Filet), feingeschnitten
1 1/2 EL Sojasauce
einige Spritzer Sesamöl
160 g Sojasprossen
1 gehäufter TL frischer Koriander, gehackt

1 Die Spaghettini in einem großen Topf mit sprudelndem Salzwasser *al dente* kochen. Abtropfen, in den Topf zurückgeben und mit kalten Wasser bedecken. Wieder abtropfen und nochmals in den Topf geben. 1 EL Erdnußöl unterrühren und beiseite stellen.
2 Nun 1 EL Erdnußöl in einer großen Pfanne oder in einem Wok erhitzen und die Zwiebel darin weich garen, ohne sie zu bräunen. Dann Knoblauch, Ingwer und Chili einrühren und das Rindfleisch bei hoher Hitze anbraten, bis es gebräunt ist.
3 Sojasauce, Sesamöl, Sojasprossen und Koriander unterrühren und unter ständigem Rühren mit Salz, Pfeffer und Chili abschmecken. Aus dem Kochtopf heben und beiseite stellen. 1 EL Erdnußöl in der Pfanne oder im Wok erhitzen und die Pasta bei hoher Hitze kurz durchrühren, bis sie angewärmt ist. Die Sauce über die Pasta löffeln und servieren.

PRO PERSON: *Protein 35 g; Fett 20 g; Kohlenhydrate 70 g; Ballaststoffe 7 g; Cholesterol 65 mg; 2455 kJ (585 Kcal)*

MAROKKANISCHES LAMMPAPRIKA MIT FUSILLI

Vorbereitungszeit: 25 Minuten + Marinierzeit über Nacht
Kochzeit: 25 Minuten
Für 4–6 Personen

500 g Lammfilet
3 TL Kreuzkümmel, gemahlen
1 EL Koriandersamen, gemahlen
2 TL Piment, gemahlen
1 EL Zimt
eine Messerspitze Cayennepfeffer
4 Knoblauchzehen, zerdrückt
80 ml Olivenöl
120 ml Zitronensaft
2 rote Paprika
400 g Fusilli
60 ml Olivenöl extra vergine
2 TL Harissapaste
150 g Rucola

1 Die Filets halbieren, wenn sie sehr lang sind. Kreuzkümmel, Koriander, Piment, Zimt, Cayenne, Knoblauch, Olivenöl und 60 ml Zitronensaft vermengen und das Fleisch damit begießen. Über Nacht abgedeckt im Kühlschrank marinieren lassen.
2 Die Paprika in große Stücke teilen und die Samen und Rippen entfernen. Mit der Innenseite nach unten unter einem heißen Grill oder im Backofen 8 Minuten backen, bis die Haut schwarz ist und Blasen wirft. Herausnehmen und mit einem feuchten Küchentuch abdecken. Die Paprikaschoten enthäuten, wenn sie abgekühlt sind, und in dünne Streifen schneiden.
3 Die Pasta in sprudelndem Salzwasser *al dente* kochen. Abgießen und warm halten.
4 Das Lammfleisch abtropfen lassen. 1 EL des Olivenöls in einer großen Pfanne erhitzen und das Lamm bei großer Hitze nach Geschmack anbraten. Aus der Pfanne nehmen und mit Alufolie abdecken.
5 Nun 1 EL Öl in der Pfanne erhitzen und die Harissapaste bei Mittelhitze einige Sekunden erhitzen. Die Paste vorsichtig handhaben, da sie im Öl spritzen kann. Vom Herd nehmen, und mit dem restlichen Öl und Zitronensaft in einem Schüttelbecher gut mengen und abschmecken.
6 Das Lammfleisch in dünne Streifen schneiden, und mit der warmen Pasta, den Paprikascheiben und dem Rucola mengen. Vorsichtig das Dressing unterheben. Warm servieren.

PRO PERSON (BEI 6 PERSONEN): *Protein 25 g; Fett 30 g; Kohlenhydrate 50 g; Ballaststoffe 5 g; Cholesterol 55 mg; 2365 kJ (565 Kcal)*

MAJORAN
Der gemeine Majoran (*majorana hortensis*) ist eng mit Oregano verwandt, hat jedoch einen milderen, zarteren Geschmack und ein frisches, intensives Aroma. Majoran wird Suppen und Fischgerichten beigegeben und verträgt sich auch mit den meisten Gemüsesorten gut. Er läßt sich leicht ziehen und leicht trocknen. Zum Trocknen verwendet man die Zweige kurz vor der Blüte, denn dann hat das Kraut das stärkste Aroma.

OBEN: Rigatoni mit Salami und frischen Kräutern

RIGATONI MIT SALAMI UND FRISCHEN KRÄUTERN

Vorbereitungszeit: 35 Minuten
Kochzeit: 40 Minuten
Für 4 Personen

20 g Butter
1 EL Olivenöl
1 Zwiebel, in feine Ringe geschnitten
1 Möhre, in Juliennestreifen geschnitten
1 Lorbeerblatt
80 g Frühstücksspeck, feingehackt
200 g würzige italienische Salami ohne Haut, in Scheiben geschnitten
450 g Dosentomaten
120 ml Rinder- oder Hühnerbrühe
400 g Rigatoni
1 EL frischer Oregano oder Majoran

1 Butter und Öl in einer Pfanne erhitzen und die Zwiebel und die Möhre mit dem Lorbeerblatt dünsten, bis die Zwiebel glasig und weich ist. Den Speck und die Salami zugeben; unter mehrmaligem Umrühren gut anbräunen.
2 Die Hälfte der Dosentomaten über der Spüle durch Drücken von Saft und Kernen befreien, und in die Pfanne geben. Die restlichen Tomaten im Ganzen zugeben, und beim Umrühren mit dem Kochlöffel zerkleinern. Mit Salz und Pfeffer abschmecken, und 30 Minuten bei Niedrighitze köcheln lassen. Wenn die Sauce eindickt, Brühe portionsweise zugießen.
3 Die Rigatoni in einem großen Topf mit sprudelndem Salzwasser *al dente* kochen. Abtropfen und auf vorgewärmte Servierplatte geben. Oregano oder Majoran und die Sauce unterheben und sofort servieren.
Hinweis: Nur eine Salami von wirklich guter Qualität und pflückfrische Kräuter sollten hier verwendet werden.

PRO PERSON: *Protein 25 g; Fett 25 g; Kohlenhydrate 75 g; Ballaststoffe 10 g; Cholesterol 65 mg; 2755 kJ (660 Kcal)*

FLEISCHBÄLLCHEN MIT FUSILLI

Vorbereitungszeit: 35 Minuten
Kochzeit: 35 Minuten
Für 4 Personen

750 g Schweine-, Rinder- oder Kalbshack
80 g Semmelbrösel
3 EL frisch geriebener Parmesan
1 Zwiebel, feingehackt
2 EL frische glatte Petersilie, feingehackt
1 Ei, verschlagen
1 Knoblauchzehe, zerdrückt
geriebene Schale und Saft von 1 ungespritzten Zitrone
30 g Mehl, mit Salz und Pfeffer gewürzt
2 EL Olivenöl
500 g Fusilli

Sauce

425 g pürierte Tomaten
120 ml Rinderbrühe
120 ml Rotwein
2 EL frisches Basilikum, feingezupft
1 Knoblauchzehe, zerdrückt

1 In einer großen Schüssel das Hackfleisch mit den Semmelbröseln, dem Parmesan, Zwiebel, Petersilie, dem Ei, Knoblauch, Zitronensaft und -schale mengen, und mit Salz und Pfeffer abschmecken. Die Masse zu eßlöffelgroßen Bällchen rollen und im Mehl wälzen.
2 Das Öl in einer großen Pfanne erhitzen und die Fleischbällchen goldbraun braten. Auf Küchenkrepp abtropfen lassen. Fettreste und Bratensaft aus der Pfanne entfernen.
3 Für die Sauce nun die Tomaten, die Brühe, den Wein, das Basilikum, den Knoblauch sowie Salz und Pfeffer in die Pfanne geben und aufkochen.
4 Die Hitze reduzieren und die Fleischbällchen wieder in die Pfanne geben. In der Sauce 10–15 Minuten köcheln lassen.
5 Zwischenzeitlich die Pasta in einem großen Topf mit sprudelndem Salzwasser *al dente* kochen. Abtropfen lassen. Sauce und Fleisch über die Nudeln geben und servieren.

PRO PERSON: *Protein 60 g; Fett 35 g; Kohlenhydrate 115 g; Ballaststoffe 10 g; Cholesterol 170 mg; 4110 kJ (980 Kcal)*

ALS BEILAGE

RUCOLASALAT AUS ROTER BETE, ZIEGENKÄSE UND PISTAZIEN

Einen Rucolasalat auf eine Salatplatte legen und darauf 1 kg küchenfertige, in Scheiben geschnittene rote Bete in Scheiben dekorativ arrangieren. Dann feine Ringe von 1 roten Zwiebel, 100 g zerbröckelten Ziegenkäse und 100 g geröstete, grob gehackte Pistazien darüberstreuen. Für das Dressing 3 EL Himbeeressig mit 1 TL Dijonsenf, 1 TL Honig und 80 ml Oliven vermengen, über den Salat gießen und anschließend sofort servieren.

GEWÜRZTES MEHL
Einfaches Haushaltsmehl kann mit Salz, Pfeffer, aber auch mit anderen Gewürzen oder Kräutern gewürzt werden. So eignet es sich für das Wenden von Fleisch und Gemüse, das vor dem Schmoren kurz angebraten wird. Das Mehl verleiht den Speisen eine ebenmäßige Farbe, es läßt die Sauce etwas andicken und intensiviert das Aroma des Gerichts.

OBEN: Fleischbällchen mit Fusilli

MAKKARONI
Makkaroni sind kurze Röhrennudeln. Ihre Form kann von sehr kurz und dünn bis zu breit und 4 cm Länge variieren, doch die Pasta ist immer hohl. Die verschiedenen Längen haben in den Regionen Italiens die unterschiedlichsten Namen. Die unglaublichsten Geschichten über den Ursprung dieser Pasta kursieren dort, doch eine davon ist tatsächlich wahr: Die Nudel heißt schon mindestens seit dem Jahre 1041 *maccherone*, ein Wort, mit dem man damals Dummköpfe betitelte.

OBEN: Penne mit Schinken

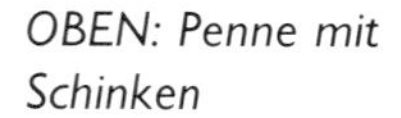

PENNE MIT SCHINKEN

Vorbereitungszeit: 15 Minuten
Kochzeit: 25 Minuten
Für 4–6 Personen

- 1 EL Olivenöl
- 6 Scheiben gekochter Schinken, fein aufgeschnitten und kleingehackt
- 1 Zwiebel, feingehackt
- 1 EL frischer Rosmarin, feingehackt
- 800 g Dosentomaten, zerkleinert
- 500 g Penne oder Makkaroni
- 50 g frisch geriebener Parmesan

1 Das Öl in einer großen gußeisernen Pfanne erhitzen. Den Schinken und die Zwiebel beigeben, und unter gelegentlichem Rühren 5 Minuten bei Niedrighitze dünsten, bis die Zwiebel eine goldgelbe Farbe angenommen hat.

2 Den Rosmarin und die Tomaten beigeben und mit Salz und Pfeffer abschmecken. 10 Minuten köcheln lassen.

3 Unterdessen die Pasta in einem großen Topf mit sprudelndem Salzwasser *al dente* kochen. Abtropfen lassen und auf Spaghettischalen verteilen. Darüber die Sauce gießen und mit geriebenem Parmesan bestreuen.

Hinweis: Rosmarin, ein in der Küche des Mittelmeerraums weitverbreitetes Kraut, verleiht diesem Gericht eine besondere Note.

PRO PERSON (BEI 6 PERSONEN): *Protein 20 g; Fett 9 g; Kohlenhydrate 65 g; Ballaststoffe 6 g; Cholesterol 20 mg; 1725 kJ (410 Kcal)*

LAMM MIT KREUZKÜMMEL, EIERN UND TAGLIATELLE

Vorbereitungszeit: 40 Minuten
Kochzeit: 1 Stunde 15 Minuten
Für 4 Personen

20 g Butter
1 große Zwiebel, feingehackt
2 Knoblauchzehen, zerdrückt
1 EL frischer Ingwer, feingehackt
je 1 knapper TL zerstoßene Chillies, Kurkuma, Garam Masala und Kreuzkümmel
600 g Lammhack
2 große, reife Tomaten, zerkleinert
eine Prise Zucker
1 EL Zitronensaft
3 EL frischer Koriander, feingehackt
1 kleine rote Chili, feingehackt (nach Wunsch)
350 g Tagliatelle
1 EL Pflanzenöl
3 hartgekochte Eier, feingehackt

1 Die Butter in einer Pfanne zerlassen und die Zwiebel, den Knoblauch und den Ingwer zugeben. Bei Niedrighitze anbraten, bis die Zwiebel glasig ist. Chillies, Kurkuma, Garam Masala und Kreuzkümmel unterrühren.

2 Das Lammfleisch beigeben und bei stärkerer Hitze unter gelegentlichem Rühren gut bräunen. Tomaten, eine Prise Zucker und Salz sowie 250 ml Wasser zugeben. Die Sauce bei Niedrighitze abgedeckt 50–60 Minuten köcheln lassen, bis sie eindickt und dunkel wird. Die Hitze erhöhen und Zitronensaft angießen. 2 EL Koriander und die Chili unterrühren. Mit Salz abschmecken, und ohne Deckel 2–3 Minuten kochen.

3 Die Tagliatelle in einem großen Topf mit sprudelndem Salzwasser *al dente* kochen. Abtropfen lassen, wieder in den Topf geben und das Öl unterrühren. Auf angewärmte Spaghettiteller verteilen und die Lammsauce darüberlöffeln. Die hartgekochten Eier und den restlichen Koriander darüber streuen und servieren.

PRO PERSON: *Protein 45 g; Fett 35 g; Kohlenhydrate 65 g; Ballaststoffe 7 g; Cholesterol 275 mg; 3270 kJ (780 Kcal)*

GARAM MASALA
Garam Masala ist eine indische Gewürzmischung. In einem luftdichten Behälter und an einem dunklen, trockenen Ort kann man sie bis zu 3 Monaten aufbewahren. Es gibt viele Varianten von Garam Masala – wohl so viele, wie es Köche in Indien gibt! Immer enthält sie jedoch Kardamom, Gewürznelken, Muskat und Zimt. Andere Versionen beinhalten Kreuzkümmel, gemahlenen Koriander oder schwarze Pfefferkörner. In Kaschmir gibt man Garam Masala gerne schwarzen Kreuzkümmel bei.

OBEN: Lamm mit Kreuzkümmel, Eiern und Tagliatelle

OBEN: Fleischbällchen à la Stroganoff

FLEISCHBÄLLCHEN À LA STROGANOFF

Vorbereitungszeit: 40 Minuten
Kochzeit: 20–25 Minuten
Für 4 Personen

☆

500 g Makkaroni
750 g mageres Rinderhack
2 Knoblauchzehen, zerdrückt
2–3 EL Mehl
1 TL Paprikapulver edelsüß
2 EL Öl
50 g Butter
1 große Zwiebel, in feine Ringe geschnitten
250 g kleine Champignons, halbiert
2 EL Tomatenmark, 2fach konzentriert
2–3 TL Dijonsenf
60 ml Weißwein
120 ml Rinderbrühe
180 g Schmand
3 EL frische glatte Petersilie, feingehackt

1 Die Pasta in einem großen Topf mit sprudelndem Salzwasser *al dente* kochen. Abtropfen und warm halten.

2 Das Rinderhack mit dem Knoblauch und etwas Salz und Steakpfeffer in einer Schüssel mit den Händen gut vermengen. Bällchen aus 2 gehäuften EL Fleischmasse formen. Mehl, Paprikapulver und schwarzen Pfeffer aus der Mühle mischen und auf ein Stück Backpapier oder Alufolie geben. Die Bällchen darin wälzen.

3 Das Öl mit der Hälfte der Butter in einer Pfanne erhitzen. Wenn das Fett aufschäumt, die Bällchen portionsweise bei Mittelhitze durchbraten. Herausnehmen und auf Küchenkrepp abtropfen lassen.

4 Die restliche Butter in der Pfanne zerlassen, und die Zwiebel weich dünsten. Nun die Pilze beigeben und weich köcheln. Tomatenmark, Senf, Wein und Brühe verrühren und zugießen. Die Fleischbällchen langsam in der Sauce erhitzen, aufkochen und bei Niedrighitze 5 Minuten unter gelegentlichem Rühren köcheln lassen. Abschmekken. Den Schmand in der Sauce glattrühren.
Mit etwas Petersilie bestreuen und mit der Pasta servieren.

PRO PERSON: *Protein 60 g; Fett 50 g; Kohlenhydrate 100 g; Ballaststoffe 10 g; Cholesterol 205 mg; 4615 kJ (1095 Kcal)*

KNOBLAUCH
Knoblauch, eine Knolle, ist ein Liliengewächs und das würzigste Mitglied der *Allium*-Familie, zu der auch Zwiebeln und Lauch zählen. Sein Geschmack ist klar und scharf. Bei zunehmender Austrocknung der Knolle wird der Geschmack milder und weniger intensiv. Knoblauch hat einen hohen Ölgehalt, der die Schärfe ausmacht: Je frischer die Knolle, desto mehr Öl enthält sie, und desto stärker ist ihr Geschmack. Sparsam verwendet, gibt Knoblauch Gerichten, die sonst etwas fade schmecken würden, einen gewissen Pep; nach langer Garzeit gibt er geschmackliches Volumen. Doch Knoblauch besitzt auch Heilkräfte: Er regt die Produktion der Magensäfte an und wirkt verdauungsfördernd.

PASTA MIT LAMM UND GEMÜSE

Vorbereitungszeit: 20 Minuten
Kochzeit: 20 Minuten
Für 4 Personen

2 EL Öl
1 große Zwiebel, gehackt
2 Knoblauchzehen, zerdrückt
500 g Lammhack
120 g kleine Champignons, ohne Stiele, halbiert
1 große rote Paprika, ohne Samen und Rippen, gehackt
150 g dicke Bohnen, ohne Schale
450 g Dosentomaten, zerkleinert
2 EL Tomatenmark, 2fach konzentriert
500 g Penne
120 g Fetakäse
2 EL frisches Basilikum, feingezupft

1 Das Öl in einer gußeisernen Pfanne bei Mittelhitze erwärmen. Die Zwiebel und den Knoblauch 2 Minuten anbräunen. Das Lammhack bei hoher Hitze 4 Minuten gut durchbräunen, bis die Flüssigkeit verkocht ist. Mit einer Gabel das Fleisch auflockern.
2 Die Pilze, die Paprika, die dicken Bohnen, die Tomaten im Saft und das Tomatenmark zugeben. Aufkochen, dann bei Niedrighitze unter gelegentlichem Umrühren abgedeckt 10 Minuten weich köcheln.
3 Während die Sauce kocht, die Pasta in einem großen Topf mit sprudelndem Salzwasser *al dente* kochen. Abtropfen und auf Spaghettiteller geben. Die Sauce darüberlöffeln und mit Basilikum garnieren.
Hinweis: Die Sauce kann 2 Tage im voraus zubereitet werden und sollte mit Klarsichtfolie abgedeckt im Kühlschrank aufbewahrt werden. Kurz vor dem Servieren vorsichtig erhitzen. Das Gericht eignet sich allerdings nicht zum Einfrieren.

PRO PERSON: *Protein 50 g; Fett 30 g; Kohlenhydrate 100 g; Ballaststoffe 15 g; Cholesterol 100 mg; 3730 kJ (890 Kcal)*

OBEN: Pasta mit Lamm und Gemüse

PASTA MIT HUHN

Pasta mit Huhn zu servieren hat noch keine lange Tradition. Wobei man man sich heute fragt: »Warum eigentlich nicht?« Mit frischen Kräutern und Gewürzen aromatisiert und mit Tomaten und Champignons als Beilage, paßt Huhn ausgezeichnet zu Nudeln, besonders als Füllung für Tortellini oder Ravioli. Die Vielseitigkeit des Huhns in der Pastaküche zeigt sich bei Gerichten wie Fleischbällchen mit Pasta, Lasagne und selbst bei einer anderen Variante der Bolognese: Mit Huhn zubereitet, werden diese Fleischgerichte neu interpretiert.

LORBEER
Der Lorbeer gilt als Symbol des Ruhms und des Sieges. Lorbeerkränze werden als Symbol der Ehre und Ehrerbietung verliehen – eine Tradition, die das alte Griechenland begründete, wo siegreichen Athleten, Dichtern und Staatsmännern Kronen aus Lorbeerblättern geflochten wurden. Die Tradition der Verwendung von Lorbeer als Küchenkraut ist mindestens ebenso alt, obwohl man Lorbeer zu Anfang eher süßen Gerichten beigab. Heute findet Lorbeer vorrangig in Marinaden, beim Einkochen und als aromatischer Zusatz von hellen Saucen, Suppen und Eintöpfen Verwendung.

SPAGHETTI MIT HÜHNERHACKBÄLLCHEN

Vorbereitungszeit: 45 Minuten + Kühlzeit
Kochzeit: 1 Stunde 30 Minuten
Für 4–6 Personen

500 g Hühnerfleisch, durch den Wolf gedreht
60 g frisch geriebener Parmesan
160 g Semmelbrösel oder geriebene altbackene Brötchen
2 Knoblauchzehen, zerdrückt
1 Ei
1 EL frische glatte Petersilie, feingehackt
1 EL frischer Salbei, feingehackt
3 EL Pflanzenöl
500 g Spaghetti
2 EL Oregano, feingehackt, zum Servieren

Tomatensauce

1 EL Olivenöl
1 Zwiebel, feingehackt
2 kg reife Tomaten, zerkleinert
2 Lorbeerblätter
30 g frisches Basilikum
1 TL Steakpfeffer

1 Das Hühnerhack mit dem Parmesan, den Semmelbröseln, dem Knoblauch, dem Ei und den Kräutern in einer Schüssel sorgfältig vermengen. Mit Salz und schwarzem Pfeffer aus der Mühle abschmecken. Die Masse eßlöffelweise zu Bällchen formen und 30 Minuten kalt stellen, bis sie fest ist.
2 Das Öl in einer Pfanne mit niedrigem Rand erhitzen und die Bällchen goldbraun backen. Die Pfanne oft rütteln und dabei die Bällchen wenden. Auf Küchenkrepp abtropfen lassen.
3 Für die Tomatensauce das Öl in einer großen Pfanne erhitzen und die Zwiebel weich dünsten. Die Tomaten und Lorbeerblätter zugeben und unter gelegentlichem Rühren aufkochen lassen. Bei Niedrighitze und schräg gestelltem Deckel 50–60 Minuten köcheln lassen.
4 Die Fleischbällchen und das Basilikum in die Sauce geben, mit schwarzem Pfeffer aus der Mühle abschmecken, und ohne Deckel 10–15 Minuten köcheln lassen.
5 Während die Sauce köchelt, die Spaghetti in einem großen Topf mit sprudelndem Salzwasser *al dente* kochen. Abtropfen und wieder in den Topf geben. Mit einigen Löffeln Sauce vermischen und auf Spaghettischalen verteilen. Die restliche Sauce darüberlöffeln und mit frischem Oregano bestreuen. Nach Wunsch noch etwas geriebenen Parmesan dazu reichen.

PRO PERSON (BEI 6 PERSONEN): *Protein 40 g; Fett 20 g; Kohlenhydrate 85 g; Ballaststoffe 10 g; Cholesterol 95 mg; 2915 kJ (670 Kcal)*

OBEN: Spaghetti mit Hühnerhackbällchen

HÜHNCHENTORTELLINI MIT TOMATENSAUCE

Vorbereitungszeit: 1 Stunde + Ruhezeit für den Teig
Kochzeit: 30 Minuten
Für 4 Personen

Pasta

250 g Mehl
3 Eier
1 EL Olivenöl

Füllung

20 g Butter
90 g Hühnerbrust, feingewürfelt
2 Scheiben Pancetta oder magerer Bauchspeck, zerkleinert
50 g frisch geriebener Parmesan
eine Prise Muskat
1 Ei, leicht verschlagen

Tomatensauce

80 ml Olivenöl
1,5 kg reife Tomaten, enthäutet und zerkleinert
7 g frischer Oregano, feingehackt
50 g frisch geriebener Parmesan
100 g Mozzarella, feingeschnitten

1 Für die Pasta das Mehl mit einer Prise Salz in eine Schüssel sieben, und in der Mitte eine Vertiefung formen. In einem Mixbecher die Eier und das Öl mit 1 EL Wasser vermengen und langsam in den Teig arbeiten. Einen festen Teigball formen; bei Bedarf Wasser zugeben.
2 Auf einer leicht bemehlten Arbeitsfläche den Teig 5 Minuten glatt und elastisch kneten. In eine leicht eingefettete Schüssel geben, mit Klarsichtfolie abdecken und 30 Minuten ruhen lassen.
3 Für die Füllung die Butter in einer Pfanne erhitzen und das Fleisch unter Rühren goldbraun werden lassen. Auf Küchenkrepp abtropfen lassen. Mit dem Pancetta in der Küchenmaschine fein pürieren. Dann in einer Schüssel mit dem Parmesan, dem Muskat, dem Ei sowie Salz und Pfeffer nach Geschmack würzen und beiseite stellen.
4 Den Teig dünn auf einer leicht bemehlten Arbeitsfläche ausrollen. Mit einem bemehlten Ausstecher (oder Glas) Kreise im Durchmesser von 5 cm ausstechen. Auf jeden Kreis 1/2 EL der Füllung setzen. Die Ränder mit etwas Wasser bestreichen und dann zu Halbkreisen zusammenlegen. Dabei die Ränder fest zusammendrücken. Jede Teigtasche wie einen Ring um den Finger wickeln und die Teigenden fest zusammendrücken.
5 Für die Tomatensauce das Öl, die Tomaten und den Oregano in einer Pfanne bei hoher Hitze 10 Minuten durchkochen. Den Parmesan einrühren und vom Herd nehmen.
6 Die Tortellini in 2 Portionen in kochendem Wasser 6 Minuten *al dente* kochen. Abtropfen lassen und wieder in den Topf geben. Die Tomatensauce erwärmen und mit den Nudeln mischen. Das Gericht auf Spaghettischüsseln verteilen, mit etwas Mozzarella bestreuen und den Käse vor dem Servieren anschmelzen lassen.

PRO PERSON: *Protein 40 g; Fett 55 g; Kohlenhydrate 55 g; Ballaststoffe 5 g; Cholesterol 300 mg; 3660 kJ (875 Kcal)*

TORTELLINI UND CAPPELLETTI
Die Teigtaschen, die in Bologna »Tortellini« heißen, werden in der Romagna »Cappelletti« genannt. Der Unterschied zwischen beiden ist minimal. Tortellini sind kleine, gefüllte Röllchen, die man ursprünglich um den Finger wickelte, um so die Enden miteinander zu verbinden. Cappelletti ähneln kleinen Hüten, deren Enden zusammengedrückt werden. Die beiden Pastasorten sind austauschbar.

OBEN: Hühnchentortellini mit Tomatensauce

LASAGNE MIT HUHN UND SPINAT

Vorbereitungszeit: 30 Minuten
Kochzeit: 1 Stunde 10 Minuten
Für 8 Personen

500 g Blattspinat
2 kg Hühnerhack (durch den Fleischwolf gedreht oder vom Verkäufer feingehackt)
1 Knoblauchzehe, zerdrückt
3 Scheiben Frühstücksspeck, zerkleinert
450 g Dosentomaten, zerkleinert
120 g Tomatenmark, 2fach konzentriert
120 ml Tomatensauce aus dem Glas
120 ml Hühnerbrühe
12 Lasagneplatten
120 g mittelalter Gouda oder Cheddar, gerieben

Käsesauce

60 g Butter
40 g Mehl
600 ml Milch
120 g mittelalter Gouda oder Cheddar, gerieben

OBEN: Lasagne mit Huhn und Spinat

1 Den Backofen auf Mittelhitze (180 °C) vorheizen. Die Stiele vom Spinat entfernen. Die Spinatblätter 2 Minuten in kochendem Wasser blanchieren. Dann sofort in Eiswasser abschrecken und abtropfen.
2 Etwas Öl in einer großen gußeisernen Pfanne erhitzen. Das Fleisch, den Knoblauch und den Speck zugeben und bei Mittelhitze 5 Minuten bräunen. Die Tomaten, das Tomatenmark, die Brühe und die Tomatensauce einrühren und aufkochen lassen. Temperatur verringern und bei gekipptem Deckel 10 Minuten köcheln lassen, bis die Sauce etwas andickt. Mit Salz und Pfeffer abschmecken.
3 Für die Käsesauce die Butter in einer mittelgroßen Pfanne zerlassen, das Mehl einstäuben, und bei Niedrighitze 1 Minute unterrühren, bis die Masse Farbe angenommen hat und glatt ist. Vom Herd nehmen und langsam die Milch einrühren. Erneut erhitzen und bei Mittelhitze unter ständigem Rühren 4 Minuten erwärmen, bis die Sauce Blasen wirft und eindickt. Vom Herd nehmen und den Käse einrühren.
4 Für die Lasagne eine tiefe, feuerfeste und 3 l fassende Form mit weicher Butter oder Öl auspinseln. Ein Viertel der Fleischmasse auf dem Boden verteilen. Mit 4 Lasagneplatten bedecken. Nun ein Drittel der Käsesauce verstreichen, mit einer Lasagnelage bedecken, ein weiteres Drittel der Käsesauce und darauf die restliche Fleischmasse verteilen. Den Rest der Käsesauce gleichmäßig verstreichen. Nun den geriebenen Käse darüber streuen. 50 Minuten goldgelb bräunen.

PRO PERSON: *Protein 50 g; Fett 45 g; Kohlenhydrate 35 g; Ballaststoffe 5 g; Cholesterol 230 mg; 3145 kJ (750 Kcal)*

ZITRONEN
Die Schale, das Fruchtfleisch und der Saft der Zitrone finden sowohl in würzigen Gerichten als auch in Nachspeisen, Kuchen und Süßigkeiten Verwendung. Die Zitrone ist wohl die säurehaltigste unter den Zitrusfrüchten und hat einen intensiven Duft. In Europa verwendet man hauptsächlich die Sauerzitronen, während in anderen Ländern und Kontinenten auch mit süßen Zitronen gearbeitet wird. Übrigens geben Zitronen mehr Saft, wenn man sie vor dem Auspressen auf einer festen Unterlage hin und her rollt.

HUHN MIT ZITRONE, PETERSILIE UND ORECCHIETTE

Vorbereitungszeit: 10 Minuten
Kochzeit: 20 Minuten
Für 4 Personen

380 g Orecchiette
1 EL Öl
60 g Butter
4 kleine Hühnerbrustfilets
80 ml Zitronensaft
20 g frische glatte Petersilie, feingehackt
Zitronenscheiben, als Garnierung
zusätzliche Petersilie, als Garnierung

1 Die Pasta in einem großen Topf mit sprudelndem Salzwasser *al dente* kochen. Abtropfen.
2 Gleichzeitig das Öl und die Hälfte der Butter in einer großen gußeisernen Pfanne erhitzen. Die Hühnchenfilets auf jeder Seite 2 Minuten anbraten. Beiseite stellen. Den Zitronensaft, die Petersilie und die restliche Butter in der Pfanne mengen und die Filets wieder in den Sud geben. Bei Niedrighitze 3–4 Minuten gar köcheln lassen, einmal wenden. Mit Salz und schwarzem Pfeffer aus der Mühle würzen.
3 Die Pasta auf Teller verteilen und auf jeden 1 Filet geben. Mit Zitronenscheiben und frischer Petersilie garnieren.

PRO PERSON: *Protein 40 g; Fett 20 g; Kohlenhydrate 25 g; Ballaststoffe 0 g; Cholesterol 120 mg; 1880 kJ (450 Kcal)*

ALS BEILAGE

SALAT MIT SPECK UND TOMATEN
4 Scheiben Frühstücksspeck schön knusprig braten oder grillen. Dann auf Küchenkrepp abtropfen, anschließend grob hacken. In einer Schüssel mit den geputzten Blättern eines Römersalats, 200 g halbierten Kirschtomaten und 1 feingehackten Avocado vermischen. Anschließend mit einem Dressing aus 1 Naturjoghurt, 1 EL grobem Senf, 1 EL Zitronensaft und 1 TL Honig vermischen.

OBEN: Huhn mit Zitrone, Petersilie und Orecchiette

PASTA ORIENTALISCH MIT HÄHNCHEN

Vorbereitungszeit: 25 Minuten
Kochzeit: 10 Minuten
Für 4 Personen

1 Grillhähnchen
1 Zwiebel
1 Möhre
150 g Tagliatelle
1 EL Öl
1 Knoblauchzehe, zerdrückt
2 TL Currypulver
2 TL gehackte Chillies aus dem Glas
1 große rote Paprika, in Juliennestreifen
150 g Zuckererbsen, halbiert

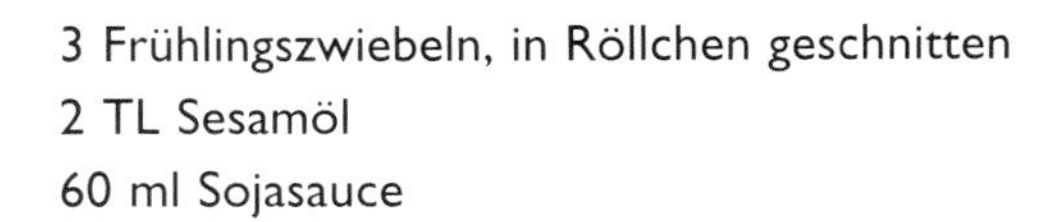

3 Frühlingszwiebeln, in Röllchen geschnitten
2 TL Sesamöl
60 ml Sojasauce

1 Das Hähnchen entbeinen und das Fleisch in dünne Streifen schneiden. Die Zwiebel in kleine Stücke und die Möhre in lange Streifen schneiden.
2 Die Tagliatelle in einem großen Topf mit sprudelndem Salzwasser *al dente* kochen. Gut abtropfen.
3 Das Öl in einem Wok oder einer gußeisernen Pfanne erhitzen. Das Kochgerät dabei drehen, damit das Öl die Wände benetzt. Die Zwiebel, die Möhre, den Knoblauch, den Currypulver und die Chillies dünsten, bis sich das Aroma entfaltet und der Knoblauch weich ist. Die Pasta und die übrigen Zutaten beigeben. Bei Mittelhitze 4 Minuten anbraten, bis alles erwärmt ist. Mit Salz abschmecken.

PRO PERSON: *Protein 40 g; Fett 25 g; Kohlenhydrate 40 g; Ballaststoffe 5 g; Cholesterol 105 mg; 2355 kJ (560 Kcal)*

RECHTS: Pasta orientalisch mit Hähnchen

SPAGHETTI MIT BOLOGNESE-SAUCE AUS HÄHNCHEN

Vorbereitungszeit: 20 Minuten
Kochzeit: 15 Minuten
Für 4 Personen

2 EL Olivenöl
2 Lauchstangen, in feine Streifen geschnitten
1 rote Paprika, gewürfelt
2 Knoblauchzehen, zerdrückt
500 g Hühnerhack
500 g Tomatenpastasauce aus dem Glas
1 EL frischer Thymian, gehackt
1 EL frischer Rosmarin, gehackt
2 EL schwarze Oliven, entsteint und gehackt
500 g Spaghetti
120 g Fetakäse, zerbröckelt

1 Das Öl in einer großen gußeisernen Pfanne erhitzen. Darin den Lauch, die Paprika und den Knoblauch bei Mittelhitze 2 Minuten leicht anbräunen.

2 Das Fleisch zufügen und bei hoher Hitze 3 Minuten braten, bis es gebräunt und alle Flüssigkeit verkocht ist. Gelegentlich umrühren, damit das Fleisch nicht klumpt.

3 Die Tomatenpastasauce und Thymian und Rosmarin zugeben und aufkochen. Bei Niedrighitze 5 Minuten köcheln lassen, bis die Sauce reduziert und eindickt. Die Oliven unterrühren. Abschmecken.

4 Die Spaghetti in einem großen Topf mit sprudelndem Salzwasser *al dente* kochen. Abtropfen, und auf Spaghettischüsseln anrichten. Die Sauce darübergießen oder mengen. Mit Fetakäse bestreuen und gleich servieren.

Hinweis: Die Sauce kann 2 Tage im voraus gekocht werden und hält sich abgedeckt im Kühlschrank. Sie kann auch bis zu 4 Wochen in der Tiefkühltruhe gelagert werden. Die Sauce vor dem Servieren erhitzen, und währenddessen die Spaghetti kochen. Auch andere Pastasorten, ob frisch oder getrocknet, eignen sich für dieses Gericht. Den Fetakäse kann man auch durch geriebenen Parmesan oder Pecorino ersetzen.

PRO PERSON: *Protein 45 g; Fett 35 g; Kohlenhydrate 85 g; Ballaststoffe 10 g; Cholesterol 120 mg; 3540 kJ (845 Kcal)*

ROSMARIN
Rosmarin spielt in der europäischen Küche eine wichtige Rolle und wird besonders für Fleischgerichte verwendet. Man gibt ihn erst am Ende des Kochgangs dazu, denn das ätherische Öl, das das Aroma des Krauts birgt, verdunstet bei zu langem Kochen. Die mehrjährige Pflanze läßt sich leicht ziehen, da sie bei unterschiedlichsten Wetterbedingungen gedeiht. Die getrockneten Blättchen haben das typische Rosmarinaroma: Intensiv und leicht nach Kiefernnadeln duftend.

OBEN: Spaghetti mit Bolognesesauce aus Hähnchen

PASTA AUFWÄRMEN
Die meisten Pastagerichte lassen sich wieder aufwärmen. Gerichte, die wie Pesto viel Sauce oder Öl enthalten, können bei hoher Hitze in einem Topf durchgerührt werden oder in einem auf Mittelhitze eingestellten Backofen in einer eingefetteten feuerfesten Backform, die mit Alufolie abgedeckt wird, aufgewärmt werden. Hat man noch gekochte Pasta, aber keine Sauce mehr, so kann man die Nudeln in ein Sieb geben und mit kochendem Wasser begießen oder sie 30 Sekunden in kochendes Wasser tauchen. Auch eine Mikrowelle eignet sich sehr gut.

OBEN: Fettuccine mit Hühnchen in Champignonsauce

FETTUCCINE MIT HÜHNCHEN IN CHAMPIGNONSAUCE

Vorbereitungszeit: 20 Minuten
Kochzeit: 20 Minuten
Für 4 Personen

400 g Fettuccine
2 große Hühnerbrustfilets
1 EL Olivenöl
30 g Butter
2 Scheiben Frühstücksspeck, feingehackt
2 Knoblauchzehen, zerdrückt
250 g Champignons, in Scheiben geschnitten
80 ml Weißwein
170 ml Sahne
4 Frühlingszwiebeln, in Röllchen geschnitten
1 EL Mehl
2 EL Wasser
40 g frisch geriebener Parmesan zum Servieren

1 Die Pasta in einem großen Topf mit sprudelndem Salzwasser *al dente* kochen. Abtropfen und zurück in den Topf geben.
2 Die Filets von überschüssigem Fett befreien und in dünne Streifen schneiden. Das Öl und die Butter in einer gußeisernen Pfanne erhitzen und die Filets darin bei Mittelhitze 3 Minuten anbräunen. Den Speck, den Knoblauch und die Champignons zugeben, und unter mehrmaligem Rühren 2 Minuten köcheln.
3 Den Wein zugießen und den Kochvorgang fortsetzen, bis die Flüssigkeit auf die Hälfte reduziert ist. Die Sahne und die Frühlingszwiebeln beigeben und aufkochen lassen. Das Mehl mit dem Wasser zu einer glatten Paste verrühren, zugießen und die Sauce unter Rühren aufkochen und eindicken lassen. Bei niedrigerer Hitze 2 Minuten köcheln lassen. Mit Salz und Pfeffer abschmecken.
4 Die Sauce über die Pasta gießen, und bei Niedrighitze sorgfältig mengen. Mit Parmesan bestreuen und gleich servieren. Als Beilage eignen sich ein grüner Salat oder auch ein warmes Kräuterbrot.

PRO PERSON: *Protein 40 g; Fett 35 g; Kohlenhydrate 75 g; Ballaststoffe 5 g; Cholesterol 135 mg; 3355 kJ (800 Kcal)*

PASTA MIT PESTO UND HÄHNCHEN

Vorbereitungszeit: 20 Minuten
Kochzeit: 20 Minuten
Für 4 Personen

250 g Fusilli oder Penne
1 kleines Grillhähnchen
120 g Walnüsse
4 Scheiben Frühstücksspeck
250 g Kirschtomaten, halbiert
60 g Oliven, entsteint, in Scheiben geschnitten
120 Pestosauce aus dem Glas
30 g frisches Basilikum, feingezupft
gehobelter Parmesan zum Servieren

1 Die Pasta in einem großen Topf mit sprudelndem Salzwasser *al dente* kochen. Abtropfen.
2 Während die Nudeln kochen, das Hähnchen von der Haut befreien und entbeinen. Das Fleisch in mundgerechte Stücke zerteilen und beiseite stellen.
3 Die Walnüsse unter einem heißen Grill oder in einer Bratpfanne ohne Fett 2–3 Minuten bräunen, abkühlen lassen und grob hacken.
4 Den Speck von der Schwarte befreien und 3–4 Minuten unter dem Grill oder in einer ungefetteten Bratpfanne kross braten. Dann abkühlen lassen und zerkleinern. Die Nüsse, den Speck, die Kirschtomaten und die Oliven zum Fleisch geben.
5 Die Pasta zusammen mit der Pestosauce und dem frischen Basilikum sorgfältig unter die Sauce mengen. Mit Zimmertemperatur servieren und mit gehobeltem Parmesan garnieren.

PRO PERSON: *Protein 55 g; Fett 45 g; Kohlenhydrate 25 g; Ballaststoffe 5 g; Cholesterol 190 mg; 2960 kJ (705 Kcal)*

ALS BEILAGE

GEBACKENE EIERTOMATEN MIT KRÄUTER-ZIEGENKÄSE-KRUSTE Eiertomaten halbieren und die Innenseite mit etwas Olivenöl bestreichen. Salz, Zucker und Pfeffer darüber streuen und im Backofen bei Mittelhitze (180 °C) 30 Minuten backen, bis die Tomaten weich und etwas angetrocknet sind. Den Ziegenkäse mit frischen Kräutern mengen und auf jede Tomate einen Klecks der Käsemasse setzen. Unter einem Grill oder in Backofen backen, bis der Käse Farbe annimmt und weich ist.

UNTEN: Pasta mit Pesto und Hähnchen

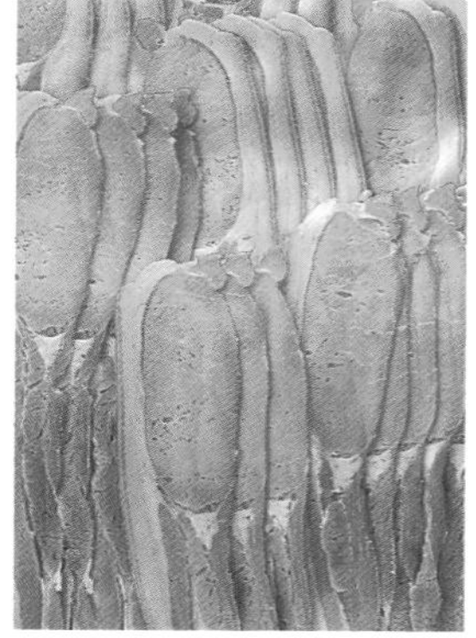

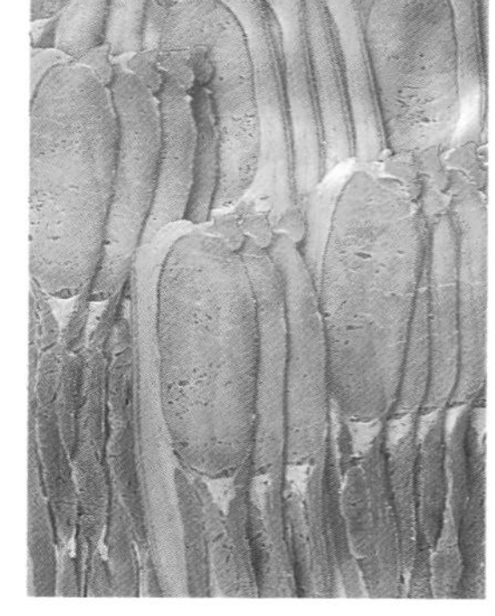

OBEN: Makkaroni-Auflauf mit Hühnchen
RECHTS: Lasagnette mit Pilzen und Huhn

MAKKARONI-AUFLAUF MIT HÜHNCHEN

Vorbereitungszeit: 20 Minuten
Kochzeit: 55 Minuten
Für 6 Personen

4 Hühnerbrustfilets
300 g kurze Makkaroni
60 ml Olivenöl
1 Zwiebel, gehackt
1 Möhre, gehackt
3 Scheiben Frühstücksspeck, gehackt
2 Zucchini, gehackt
450 g Tomatensuppe aus der Dose
90 g Schmand
180 g mittelalter Gouda oder Cheddar, gerieben

1 Die Filets von überschüssigem Fett und Sehnen befreien. Den Backofen auf Mittelhitze (180 °C) vorheizen. Die Makkaroni in einem großen Topf mit sprudelndem Salzwasser *al dente* kochen. Abtropfen.

2 Die Filets in lange Streifen schneiden und feinwürfeln. Das Öl in einer gußeisernen Pfanne erhitzen und die Filets bei hoher Hitze anbraten, bis sie Farbe angenommen haben, aber noch nicht gar sind. Auf Küchenkrepp abtropfen. Die Zwiebel, die Möhre und den Speck in die Pfanne geben und bei Mittelhitze 10 Minuten anbraten. Nun die Zucchini zugeben, und die Suppe eingießen. Aufkochen, dann 5 Minuten köcheln lassen.
3 Die Pasta mit dem Fleisch, der Tomatensauce und dem Schmand mengen, und mit Salz und Pfeffer abschmecken. In eine flache ofenfeste Form füllen, und den Käse darüberstreuen. 20 Minuten goldbraun durchbacken.

PRO PERSON: *Protein 45 g; Fett 30 g; Kohlenhydrate 45 g; Ballaststoffe 5 g; Cholesterol 115 mg; 2665 kJ (635 Kcal)*

LASAGNETTE MIT PILZEN UND HUHN

Vorbereitungszeit: 15 Minuten
Kochzeit: 20 Minuten
Für 4 Personen

60 ml Milch
eine Prise getrockneter Estragon oder 2 TL frischer Estragon, feingehackt
400 g Lasagnette
30 g Butter
2 Knoblauchzehen
200 g Hühnerbrustfilets, in Scheiben geschnitten
100 g Champignons, in Scheiben geschnitten
eine Prise Muskat
500 ml Sahne
einige frische Estragonzweige, als Garnierung

1 Die Milch mit dem Estragon in einem kleinen Topf aufkochen lassen. Vom Herd nehmen, abseihen und beiseite stellen.
2 Die Lasagnette in einem großen Topf mit sprudelndem Salzwasser *al dente* kochen. Abtropfen und zurück in den Topf geben.
3 Während die Pasta kocht, die Butter in einer Pfanne zerlassen und die ganzen Knoblauchzehen, die Filetstreifen und die Pilze sautieren, bis das Fleisch Farbe angenommen hat und gar ist. Die Knoblauchzehen entfernen und mit Muskat, Salz und Pfeffer würzen. Noch einige Sekunden rühren, dann die Sahne und die mit Estragon aromatisierte Milch zugießen. Aufkochen lassen, dann die Hitze reduzieren und die Sauce köcheln, bis sie eindickt. Über die Pasta gießen und mit frischen Estragonzweigen garnieren.

PRO PERSON: *Protein 25 g; Fett 60 g; Kohlenhydrate 75 g; Ballaststoffe 5 g; Cholesterol 215 mg; 4005 kJ (955 Kcal)*

HÜHNERLEBER MIT PENNE

Vorbereitungszeit: 15 Minuten
Kochzeit: 15 Minuten
Für 4 Personen

- 350 g Hühnerleber
- 500 g Penne
- 50 g Butter
- 1 Zwiebel, gewürfelt
- 2 Knoblauchzehen, zerdrückt
- 2 EL geriebene Schale einer ungespritzten Orange
- 2 Lorbeerblätter
- 120 ml Rotwein
- 2 EL Tomatenmark, 2fach konzentriert
- 2 EL Sahne

1 Die Leber waschen. Sehnen und Bindegewebe entfernen. Jede Leber in 6 Stücke teilen.
2 Die Penne in einem großen Topf mit sprudelndem Salzwasser *al dente* kochen. Abtropfen und warm halten.
3 Während die Pasta kocht, die Butter in einer Pfanne zerlassen und die Zwiebel weich dünsten. Den Knoblauch, die Hühnerleber, die Orangenschale und die Lorbeerblätter zugeben, 3 Minuten rühren. Die Hühnerleber mit einem Schaumlöffel aus der Pfanne heben und den Rotwein, das Tomatenmark und die Sahne unterrühren. Köcheln lassen, bis die Sauce reduziert und eindickt.
4 Dann die Hühnerleber wieder in die Pfanne geben und kurz aufwärmen. Mit Salz und Pfeffer aus der Mühle abschmecken. Die Sauce über die Pasta löffeln und servieren.

PRO PERSON: *Protein 35 g; Fett 20 g; Kohlenhydrate 90 g; Ballaststoffe 10 g; Cholesterol 460 mg; 3010 kJ (720 Kcal)*

ALS BEILAGE

PIKANTER BROKKOLI MIT KREUZKÜMMEL
Den Brokkoli in gleich große Röschen zerteilen und einige Minuten kochen oder garen. Sorgfältig abtropfen. In einer Mischung aus Olivenöl, zerdrücktem Knoblauch, etwas Kreuzkümmel und einer Handvoll in der Pfanne ohne Öl gerösteten Sesamkörnern mengen. Dann auf ein Backblech legen und bei hoher Hitze backen, bis der Brokkoli an den Seiten gebräunt ist.

KIRSCHTOMATEN MIT BUTTER UND DILL
Einige Kirschtomaten in etwas Butter anbraten, bis die Haut zu platzen beginnt. Mit Salz und Steakpfeffer gut würzen und mit Dillspitzen bestreuen. Vorsichtig vermengen und sofort servieren.

OBEN: Hühnerleber mit Penne

OBEN: *Hühnchenravioli in frischer Tomatensauce*

HÜHNCHENRAVIOLI IN FRISCHER TOMATENSAUCE

Vorbereitungszeit: 40 Minuten
Kochzeit: 40 Minuten
Für 4 Personen

☆☆

1 EL Öl
1 große Zwiebel, gehackt
2 Knoblauchzehen, zerdrückt
90 g Tomatenmark, 2fach konzentriert
60 ml Rotwein
170 ml Hühnerbrühe
2 reife Tomaten, gehackt
1 EL frisches Basilikum, feingezupft

Ravioli
200 g Hühnerhack
1 EL frisches Basilikum, feingezupft
30 g geriebener Parmesan
3 Frühlingszwiebeln, in Röllchen geschnitten
50 g Ricottakäse oder Magerquark, gut abgetropft
250 g Reispapier für Dim Sums (aus dem asiatischen Lebensmittelgeschäft)

1 Das Öl in einer mittelgroßen Pfanne erhitzen und die Zwiebeln und den Knoblauch 2–3 Minuten garen. Das Tomatenmark, den Rotwein, die Brühe und die Tomaten zugeben und 20 Minuten köcheln lassen. Das Basilikum unterrühren und abschmecken.
2 Für die Ravioli das Fleisch, das Basilikum, den Parmesan, die Frühlingszwiebeln, den Ricotta oder Quark und etwas Salz und Pfeffer mengen. Die vorgefertigten Teigrunde auf einer flachen Oberfläche auslegen und mit etwas Wasser bestreichen. Je 1 leicht gehäuften TL Füllung in die Mitte setzen und mit einem anderen Teigrund abschließen. Dabei die Enden gut aneinander drücken.
3 Wasser in einem großen Topf erhitzen und die Ravioli portionsweise 2–3 Minuten weich kochen. Gut abtropfen und mit der Sauce servieren.

PRO PERSON: *Protein 20 g; Fett 25 g; Kohlenhydrate 50 g; Ballaststoffe 5 g; Cholesterol 75 mg; 2210 kJ (530 Kcal)*

FETTUCCINE MIT HÄHNCHEN UND EINEM SCHUSS BRANDY

Vorbereitungszeit: 40 Minuten
Kochzeit: 40 Minuten
Für 4–6 Personen

10 g getrocknete Steinpilze
2 EL Olivenöl
2 Knoblauchzehen, zerdrückt
200 g Champignons, in Scheiben geschnitten
120 g gekochter Schinken, gehackt
375 g Fettuccine
60 ml Brandy
250 ml Sahne
1 Grillhähnchen, zerkleinert
150 g tiefgefrorene Erbsen
20 g frische glatte Petersilie, feingehackt

1 Die Steinpilze in einer Schüssel mit kochendem Wasser bedecken und 10 Minuten quellen lassen. Abtropfen, ausdrücken und hacken.
2 Das Öl in einer großen gußeisernen Pfanne erhitzen. Den Knoblauch zugeben und 1 Minute über Niedrighitze dünsten. Die Champignons, die Steinpilze und den Schinken zugeben und bei Niedrighitze 5 Minuten köcheln lassen. Dabei oft rühren.
3 Zwischenzeitlich die Pasta in einem großen Topf mit sprudelndem Salzwasser *al dente* kochen. Abtropfen und wieder in den Topf geben.
4 Den Brandy und die Sahne in die Sauce gießen und bei Niedrighitze 2 Minuten verrühren. Das Hähnchenfleisch, die Erbsen und die Petersilie zugeben. 4–5 Minuten umrühren und köcheln, bis alles durchgewärmt ist. Das Fleisch an die heiße Pasta geben und gut mischen.
Hinweis: Die Schinkenscheiben sollte man einzeln schneiden, da sie sonst aneinander haften. Auch Speck eignet sich für dieses Gericht sehr gut. Die getrockneten Steinpilze können auch durch 30 g Mu-err-Pilze ersetzt werden.

PRO PERSON (BEI 6 PERSONEN): *Protein 40 g; Fett 35 g; Kohlenhydrate 45 g; Ballaststoffe 5 g; Cholesterol 130 mg; 2900 kJ (690 Kcal)*

ALS BEILAGE

PANZANELLA Zwei dicke Scheiben eines 1–2 Tage alten Kastenweißbrots in mundgerechte Stücke zerteilen und mit zerdrücktem Knoblauch und Öl beträufeln. In einer Schüssel mit Salatgurkenscheiben, Tomaten, roten Zwiebeln und etwas Basilikum mengen. Mit Olivenöl und Rotweinessig beträufeln und gut würzen. Das Brot sollte gut durchfeuchtet sein, aber nicht matschig werden. Man kann auch gekochte Eier oder Anchovis zugeben.

BOHNEN IN KRÄUTERBUTTER Grüne Bohnen in einem großen Topf mit sprudelndem Salzwasser weich garen. Abtropfen und in einer Schüssel mit einigen Stücken Kräuterbutter und etwas Salz und schwarzem Pfeffer gut mengen.

OBEN: Fettuccine mit Hähnchen und einem Schuß Brandy

PASTA MIT MEERES-FRÜCHTEN

Es wundert nicht, daß Pasta und Meeresfrüchte so gut zusammenpassen. Rundum wird Italien vom Mittelmeer eingerahmt, und die Italiener ernten die Früchte des Meeres seit Menschengedenken. So ist es nur natürlich, daß fangfrische Scampi, Muscheln und wunderbar fleischiger Fisch ihren Eingang in die von den Italienern so geliebte Pastaküche fanden und einige der köstlichsten Gerichte zauberten.

KALMARE

Kalmare, *calamari* auf italienisch, gehören mit dem Tintenfisch und der Krake zur Familie der *Cephalopoden*. Wie die Krake hat auch der Kalmar acht Arme, doch zusätzlich zwei längere Tentakel, die am Ende mit Saugnäpfen besetzt sind. Sein länglicher Mantel hat kein richtiges Skelett, und sowohl dieser Rumpf als auch die Tentakel sind eßbar. Das Fleisch ist fest, leicht süßlich und hat kein Fisch-Aroma. Kalmare kann man im Ganzen essen, gefüllt, als Suppe, in Streifen, in Ringe geschnitten oder fritiert. Wenn er nicht richtig zubereitet wird, erinnert er allerdings eher an einen Fahrradschlauch!

OBEN: Spaghetti Marinara

SPAGHETTI MARINARA

Vorbereitungszeit: 40 Minuten
Kochzeit: 50 Minuten
Für 6 Personen

12 frische Miesmuscheln

Tomatensauce

2 EL Olivenöl
1 Zwiebel, feingewürfelt
1 Möhre, in feine Scheiben geschnitten
1 rote Chili, entkernt und gehackt
2 Knoblauchzehen, zerdrückt
450 g Dosentomaten, zerkleinert
120 ml Weißwein
1 TL Zucker
eine Prise Cayennepfeffer

60 ml Weißwein
60 ml Fischfond
1 Knoblauchzehe, zerdrückt
380 g Spaghetti
30 g Butter
120 g Kalmarmäntel, in Scheiben geschnitten
120 g Weißfischfilet, gewürfelt
200 g rohe Scampi, entdarmt und ohne Schale
30 g frische glatte Petersilie, gehackt
200 g Dosenmuscheln, abgetropft

1 Die Muschelbärte entfernen und die Schalen von möglichem Schmutz reinigen. Beschädigte oder geöffnete Muscheln aussortieren.
2 Für die Tomatensauce das Öl in einer mittelgroßen Pfanne erhitzen und die Zwiebel und die Möhre bei Mittelhitze 10 Minuten leicht anbräunen. Die Chili, den Knoblauch, die Tomaten, den Weißwein, den Zucker und den Cayennepfeffer zugeben und 30 Minuten unter gelegentlichem Rühren köcheln lassen.
3 Währenddessen den Weißwein mit der Brühe und dem Knoblauch in einem großen Topf erhitzen und die geschlossenen Muscheln zugeben. Abgedeckt über hoher Hitze 3–5 Minuten rütteln. Nach 3 Minuten alle schon geöffneten Muscheln herausheben und beiseite stellen. Alle Muscheln aussortieren, die sich nach 5 Minuten noch nicht geöffnet haben. Den Weinsud für später aufbewahren.
4 Die Pasta in einem großen Topf mit sprudelndem Salzwasser *al dente* kochen. Abtropfen und warm halten. In der Zwischenzeit die Butter in einer Pfanne zerlassen und die Kalmarmäntel, den Fisch und die Scampi 2 Minuten anbraten. Beiseite stellen. Den Weinsud erhitzen und mit den Miesmuscheln, den Kalmarmänteln, dem Fisch, den Scampi, der Petersilie und den Muscheln in die Tomatensauce geben und vorsichtig erhitzen. Sauce mit der Pasta mengen und gleich servieren.

PRO PERSON: *Protein 30 g; Fett 15 g; Kohlenhydrate 50 g; Ballaststoffe 5 g; Cholesterol 225 mg; 2000 kJ (480 Kcal)*

FARFALLE MIT THUNFISCH, PILZEN UND SAHNE

Vorbereitungszeit: 15 Minuten
Kochzeit: 15 Minuten
Für 4 Personen

500 g Farfalle
60 g Butter
1 EL Olivenöl
1 Zwiebel, gehackt
1 Knoblauchzehe, zerdrückt
120 g Champignons, in Scheiben geschnitten
250 ml Sahne
450 g Thunfisch aus der Dose, abgetropft und mit der Gabel zerpflückt
1 EL Zitronensaft
1 EL frische glatte Petersilie, gehackt

1 Die Farfalle in einem großen Topf mit sprudelndem Salzwasser *al dente* kochen. Abtropfen und wieder in den Topf geben.
2 Während die Pasta kocht, die Butter und das Öl in einer großen Pfanne zerlassen. Die Zwiebel und den Knoblauch bei Niedrighitze dünsten, bis die Zwiebel weich ist. Die Pilze zugeben und 2 Minuten braten. Die Sahne zugießen und aufkochen. Bei niedrigerer Hitze köcheln lassen, bis die Sauce eindickt.
3 Den Thunfisch, den Zitronensaft, die Petersilie und Salz und Pfeffer nach Geschmack gut einrühren. Vorsichtig unter ständigem Rühren erhitzen. Die Pasta vorsichtig in der Sauce wenden und servieren.
Hinweis: Anstelle des Thunfisches eignet sich auch Dosenlachs.

PRO PERSON: *Protein 45 g; Fett 50 g; Kohlenhydrate 90 g; Ballaststoffe 10 g; Cholesterol 145 mg; 4100 kJ (980 Kcal)*

THUNFISCH
Der Thunfisch ist ein großer Oberflächenfisch und zudem ein ausgezeichneter Schwimmer: Entsprechend muskulös, fest und engkörnig ist sein Fleisch. Aus diesem Grund eignet sich Thunfisch sehr gut zum Schmoren und für Gerichte mit langer Kochzeit. Er kann auch nur leicht sautiert und sogar roh verzehrt werden, wie Sashimi in der japanischen Küche. Das rohe Thunfischfleisch hat eine attraktive, rote Färbung und läßt sich gut in dicke Scheiben schneiden, ohne dabei zu zerfallen.

OBEN: Farfalle mit Thunfisch, Pilzen und Sahne

UNTEN: *Scampi in Sahnesauce mit Fettuccine*

SCAMPI IN SAHNESAUCE MIT FETTUCCINE

Vorbereitungszeit: 30 Minuten
Kochzeit: 15 Minuten
Für 4 Personen

500 g Fettuccine
500 g rohe Scampi
30 g Butter
1 EL Olivenöl
6 Frühlingszwiebeln, in feine Röllchen geschnitten
1 Knoblauchzehe, zerdrückt
250 ml Sahne
2 EL frische glatte Petersilie, gehackt, zum Servieren

1 Die Fettuccine in einem großen Topf mit sprudelndem Salzwasser *al dente* kochen. Abtropfen und wieder in den Topf geben.
2 Unterdessen die Scampi schälen und entdarmen. Die Butter und das Öl in einer Bratpfanne erhitzen und die Frühlingszwiebeln und den Knoblauch bei Niedrighitze 1 Minute dünsten. Die Scampi zugeben und 2–3 Minuten köcheln, bis sich ihr Fleisch verfärbt. Die Scampi aus der Pfanne heben und beiseite stellen. Nun die Sahne angießen und aufkochen lassen. Die Hitze verringern und die Sauce köcheln lassen, bis sie eindickt. Die Scampi wieder in die Sauce geben, mit Salz und Pfeffer abschmecken und 1 Minute köcheln.
3 Die Scampi in der Sauce über die Fettuccine löffeln und vorsichtig vermengen. Mit der Petersilie bestreuen und servieren.
Hinweis: Man kann bei Schritt 1 auch eine in Scheiben geschnittene rote Paprika und eine in feine Röllchen geschnittene Lauchstange zugeben, die Scampi durch Jakobsmuscheln ersetzen oder zu gleichen Teilen verwenden.

PRO PERSON: *Protein 35 g; Fett 40 g; Kohlenhydrate 90 g; Ballaststoffe 7 g; Cholesterol 320 mg; 3660 kJ (875 Kcal)*

ALS BEILAGE

SALAT AUS BRUNNENKRESSE, LACHS UND CAMEMBERT

500 g Brunnenkresse von den harten Stielen befreien und anschließend auf einer Platte anrichten. Dann 10 Scheiben geräucherten Lachs, 200 g dünn aufgeschnittenen Camembert, 2 EL Kapern und eine in feine Ringe geschnittene rote Zwiebel auf dem Salatbett arrangieren. Für das Dressing 2 EL frisch zerdrückten Limettensaft mit 1 TL Honig und 90 ml Olivenöl gut verschlagen, über den Salat träufeln und zum Abschluß großzügig mit Steakpfeffer und Schnittlauchröllchen garnieren.

SALAT AUS MARINIERTEN PILZEN

500 g Champignons putzen und halbieren. Dann in einer großen Schüssel mit 4 in feine Röllchen geschnittenen Frühlingszwiebeln, 1 feingewürfelten roten Paprika und 2 EL feingehackter, frischer, glatter Petersilie vermengen und mit einem Dressing aus 3 zerdrückten Knoblauchzehen, 3 EL Weißweinessig, 2 TL Dijonsenf und 80 ml Olivenöl anrichten. Vor dem Servieren abgedeckt 3 Stunden im Kühlschrank marinieren lassen.

KREBSKÜCHLEIN MIT SCHARFER SALSA

Vorbereitungszeit: 40 Minuten + 30 Minuten Kühlzeit
Kochzeit: 35 Minuten
Für 6 Personen

Scharfe Salsa

2 große, reife Tomaten
1 Zwiebel, feingehackt
2 Knoblauchzehen, zerdrückt
1 TL Oregano
2 EL süße Chilisauce

100 g Fadennudeln (capelli d'angeli), in kurze Stücke gebrochen
600 g Krebsfleisch
2 EL frische glatte Petersilie, feingehackt
1 kleine rote Paprika, feingehackt
3 EL frisch geriebener Parmesan
30 g Mehl
2 Frühlingszwiebeln, in feine Röllchen geschnitten
2 Eier, leicht verschlagen
2–3 EL Öl, zum Braten

1 Für die Salsa alle Zutaten in einer kleinen Schüssel vermischen und 1 Stunde bei Zimmertemperatur ziehen lassen.
2 Die Pasta in einem großen Topf mit sprudelndem Salzwasser *al dente* kochen. Abtropfen.
3 Überschüssige Flüssigkeit aus dem Krebsfleisch drücken. Das Krebsfleisch in einer großen Schüssel mit der Pasta, der Petersilie, der roten Paprika, dem Parmesan, dem Mehl, den Zwiebeln und Pfeffer nach Geschmack vermengen. Die verschlagenen Eier unterrühren.
4 Die Masse zu 12 flachen Küchlein formen und 30 Minuten kalt stellen.
5 Das Öl in einer großen gußeisernen Pfanne erhitzen und die Küchlein portionsweise bei Mittelhitze goldbraun backen. Gleich mit der scharfen Salsa servieren.

PRO PERSON: *Protein 20 g; Fett 10 g; Kohlenhydrate 25 g; Ballaststoffe 3 g; Cholesterol 150 mg; 1200 kJ (290 Kcal)*

ALS BEILAGE

SCHWARZE BOHNEN MIT TOMATE, LIMETTE UND FRISCHEM KORIANDER
3 große, reife Tomaten enthäuten, die Kerne entfernen und das Fruchtfleisch feinhacken. In einer Schüssel mit dem Saft von 1 Limette, etwas feingehackter Salatgurke und einer guten Handvoll frisch gehackten Korianderblättern mengen. Mit 500 g gekochten schwarzen Bohnen und 1 EL Olivenöl gut mischen.

ZUCCHINI MIT TOMATE UND KNOBLAUCH Kleine Zucchiniwürfel in Olivenöl, das mit 1 zerdrückten Knoblauchzehe gewürzt wurde, von allen Seiten knusprigbraun braten. Etwas frisch gehackte Tomate zugeben und gut mit Salz und Pfeffer abschmecken. Servieren, solange die Zucchini knusprig sind.

KREBSE
Der Fleischanteil des Krebses, eines Krustentiers, ist wesentlich geringer als seine Größe vermuten ließe. Schwimm- und Strandkrabben geben nur wenig Fleisch und werden daher für Fonds und Suppen als zusätzliches Aroma mitgekocht. Manchmal findet man sie mit jungem Panzer und kann sie dann im Ganzen verzehren. Einige Krebse, wie etwa *Alaskan crab*, haben riesige Scheren und viel Fleisch. Krebsfleisch schmeckt mild und süßlich.

OBEN: Krebsküchlein mit scharfer Salsa

LACHS
Der Lachs wird wegen seines zarten Geschmacks, seiner optisch angenehmen Farbe und seines saftigen, feinkörnigen Fleisches geschätzt. Er läßt sich gut konservieren, trocknen, räuchern und zu Dosenfisch verarbeiten. Lachse sind migratorisch: Sie leben im Meer, laichen aber im Süßwasser. Dort nehmen sie keine Nahrung auf, und deshalb ist ihr Fleisch von schlechter Qualität, wenn sie auf dem Weg zurück ins Meer gefangen werden. Doch es gibt Ausnahmen von dieser Regel. In einigen Gegenden leben Lachse im Süßwasser und wandern zur Laichzeit zu den Nebenflüssen. Einige Kenner halten dieses Fleisch für minderwertig, sowohl was Geschmack als auch die Struktur des Fleisches anbelangt, doch heute, wo der Lachs auf Farmen gezüchtet wird und Produktionskontrollen unterliegt, ist seine Qualität nach wie vor sehr hoch.

OBEN: Lachs mit Pasta à la Mornay

LACHS MIT PASTA À LA MORNAY

Vorbereitungszeit: 15 Minuten
Kochzeit: 10–15 Minuten
Für 4 Personen

☆

400 g Conchiglie
30 g Butter
6 Frühlingszwiebeln, in Röllchen geschnitten
2 Knoblauchzehen, zerdrückt
1 EL Mehl
250 ml Milch
250 ml Schmand
1 EL Zitronensaft
425 g Dosenlachs, abgetropft und mit der Gabel zerpflückt
30 g frische glatte Petersilie, feingehackt

1 Die Pasta in einem großen Topf mit sprudelndem Salzwasser *al dente* kochen. Abtropfen und wieder in den Topf geben.

2 Währenddessen die Butter in einer mittelgroßen Pfanne zerlassen und die Zwiebel und den Knoblauch bei Niedrighitze 3 Minuten weich garen. Das Mehl 1 Minute einrühren. Die Milch, den Schmand und den Zitronensaft in einem Schüttelbecher mixen, dann langsam unter ständigem Rühren zugießen. Bei Mittelhitze 3 Minuten rühren, bis die Sauce aufkocht und andickt.

3 Den Lachs und die Petersilie unterrühren und 1 Minute erwärmen. Die Sauce mit der Pasta vermengen und vor dem Servieren mit Salz und Pfeffer abschmecken.

Hinweis: Eine Abwandlung dieses Gerichts bereitet man mit Thunfisch, der als Dosenfisch abgetropft und mit der Gabel gelockert zugegeben wird. Man kann die Sauce auch mit 1 TL Senf variieren.

PRO PERSON: *Protein 40 g; Fett 40 g; Kohlenhydrate 80 g; Ballaststoffe 5 g; Cholesterol 190 mg; 3550 kJ (850 Kcal)*

SPAGHETTI MIT CHILI-KALMAREN

Vorbereitungszeit: 20 Minuten
Kochzeit: 20 Minuten
Für 4 Personen

500 g Kalmare, gesäubert
500 g Spaghetti
2 EL Olivenöl
1 Lauchstange, in feine Ringe geschnitten
2 Knoblauchzehen, zerdrückt
1–2 EL Chillies, feingehackt
eine Messerspitze Cayennepfeffer
450 g Dosentomaten, zerkleinert
120 ml Fischfond (siehe Bemerkung)
1 EL frisches Basilikum, feingezupft
2 TL frischer Salbei, feingehackt
1 TL frisches Majoran, feingehackt

1 Die Tentakel aus den Kalmarmäntel ziehen und mit den Fingern die federkielähnlichen Kalkblätter herausziehen und entfernen. Die Haut abziehen und wegwerfen. Mit einem scharfen Messer die Mäntel auf der einen Seite einschneiden, flach legen und ein Rautenmuster einritzen. Dann jeden Mantel vierteln.
2 Die Spaghetti in einem großen Topf mit sprudelndem Salzwasser *al dente* kochen. Abtropfen und warm halten.
3 Während die Pasta kocht, das Öl in einer großen Pfanne erhitzen. Die Lauchstange 2 Minuten darin anbraten. Nun den Knoblauch bei Niedrighitze 1 Minute erhitzen. Die Chillies und den Cayennepfeffer einrühren. Nun die Tomaten, die Brühe und die Kräuter beigeben und aufkochen lassen. Bei Niedrighitze 5 Minuten köcheln lassen.
4 Die Kalmare zugeben und 5–10 Minuten weich köcheln. Sauce über die Spaghetti löffeln und servieren.

PRO PERSON: *Protein 35 g; Fett 15 g; Kohlenhydrate 90 g; Ballaststoffe 10 g; Cholesterol 250 mg; 2670 kJ (640 Kcal)*

FISCHFOND
Fischfond ist im Glas oder in Würfelform erhältlich, läßt sich aber auch selbst herstellen (und einfrieren). Dafür 1 EL Butter in einer großen Pfanne erhitzen, und 2 feingehackte Zwiebeln bei Niedrighitze 10 Minuten weich dünsten, ohne sie zu bräunen. 2 l Wasser, 1,5 kg Fischgräten, -köpfe und -schwänze und ein Bouquet garni zugeben. 20 Minuten köcheln lassen, dabei den entstehenden Schaum abschöpfen. Vor dem Kühlen den Fond durch ein Haarsieb abgießen. Die Grundlage für den Fond sollte Weißfisch sein, denn dunklerer, ölhaltiger Fisch kann den Fond ölig machen.

OBEN: Spaghetti mit Chili-Kalmaren

OBEN: Würzige Scampi Mexicana

WÜRZIGE SCAMPI MEXICANA

Vorbereitungszeit: 20 Minuten
Kochzeit: 15 Minuten
Für 4 Personen

☆

500 g Rigatoni
1 EL Öl
2 Knoblauchzehen, zerdrückt
2 rote Chilischoten, feingehackt
3 Frühlingszwiebeln, in feine Röllchen geschnitten
750 g rohe Scampi, entdarmt und ohne Schale
375 ml Sahne
300 g scharfe Mexicana-Sauce aus dem Glas
2 EL frische glatte Petersilie, feingehackt

1 Die Rigatoni in einem großen Topf mit sprudelndem Salzwasser *al dente* kochen. Abtropfen.
2 Das Öl erhitzen und darin den Knoblauch, die Chilischoten und die Frühlingszwiebeln bei Mittelhitze 2 Minuten braten, bis der Knoblauch weich ist und Farbe angenommen hat.
3 Die Scampi beigeben und 5 Minuten gut anbräunen. Nun die Mexicana-Sauce und die Sahne zugießen und aufkochen. Bei Niedrighitze 2–3 Minuten köcheln lassen, bis die Sauce etwas eindickt. Die Nudeln auf vier Teller verteilen, die Sauce darüber gießen und mit Petersilie garnieren.

PRO PERSON: *Protein 55 g; Fett 40 g; Kohlenhydrate 95 g; Ballaststoffe 8 g; Cholesterol 385 g; 4105 kJ (975 Kcal)*

DUFTENDE KRÄUTER-TAGLIATELLE MIT ZITRONENBLÄTTERN UND SCAMPI

Vorbereitungszeit: 1 1/2 Stunden + 1 Stunde Trocknungszeit
Kochzeit: 12–15 Minuten
Für 4 Personen

Tagliatelle
250 g gesiebtes Mehl sowie zusätzliches Mehl für die Verarbeitung
15 g frische glatte Petersilie, feingehackt
3 TL Kräuteröl
3 TL Limettenöl
1 TL Salz
3 Eier, verschlagen

Sauce
20 g Butter
1 Zwiebel, gehackt
1 TL frischer Ingwer, gerieben
125 ml Fischsauce (nuoc mam)
90 ml süße Chilisauce
Saft und geriebene Schale von 1 Limette
6 Zitronenblätter, grobgehackt
450 ml Kokosmilch
1 kg rohe Scampi ohne Schale, entdarmt, nicht zerteilt
120 ml Sahne

1 Für die Tagliatelle das Mehl, die Petersilie, die Öle, das Salz und die Eier in einer Küchenmaschine 2–3 Minuten zu einem weichen Teig verrühren, der sich zwar nicht zu einem Ball formen läßt, aber zusammenhält. Dann auf eine leicht bemehlte Arbeitsfläche legen und mit einem bemehlten Messer in 3 oder 4 gleich große Stücke schneiden. Mit einem feuchten Tuch abdecken.
2 Die Rollen an einer Nudelmaschine auf die größte Stufe stellen. Ein Teigstück leicht bemeh-

len, durch die Maschine rollen und auf einem leicht bemehlten Brett ablegen. Den Teig zweimal falten, um 90° drehen und durchrollen. Dieser Vorgang, bei dem der Teig immer wieder leicht bemehlt werden muß, damit er nicht an der Maschine festklebt, knetet den Teig und muß etwa 10mal wiederholt werden. Danach die Rollen bei jedem Durchlauf bis zur drittkleinsten Öffnung verengen. Den nun dünner werdenden Teig nicht mehr falten. Ab Stufe 3 oder 4 kann man den Teig gegebenenfalls halbieren, denn zu lange Tagliatellestreifen lassen sich schlecht verarbeiten.

3 Nun den Teig durch die Tagliatelle-Einstellung der Maschine laufen lassen oder mit der Hand schneiden. Die Seitenenden begradigen. Zum Trocknen 10–15 Minuten über zwei Stuhllehnen auf einen Holzstiel hängen. (Bei zu langer Trockenzeit oder Zugluft wird der Teig brüchig und trocknet aus). Dann zu kleinen, leicht verschlungenen Häufchen formen, gut mit Mehl bestäuben und auf einem bemehlten Küchenhandtuch mindestens 1 Stunde trocknen lassen.

4 1 TL Limettenöl, 1 TL Olivenöl und 1 TL Salz in einen großen, mit Wasser gefüllten Topf geben, aufkochen und die Pasta darin *al dente* garen. Abtropfen und warm halten.

5 Für die Sauce die Butter in einer gußeisernen Pfanne zerlassen und die Zwiebel weich dünsten. Den Ingwer, die Fischsauce, die Chilisauce, den Limettensaft und die Schale sowie die Zitronenblätter zugeben und 1–2 Minuten köcheln. Die Kokosmilch zugießen und bei Niedrighitze 10 Minuten köcheln lassen.

6 Die Scampi und die Sahne beigeben. Noch 3–4 Minuten köcheln lassen, doch die Scampi nicht zu lange garen, da sie sonst ledrig werden.

7 Zum Servieren die Pasta auf angewärmte Teller verteilen und die Sauce darüberlöffeln.

Hinweis: Kräuteröl kann man auch selbst herstellen. Dazu 30 g Basilikumblätter und 15 g Petersilie in einer Küchenmaschine feinhacken. 125 ml Olivenöl Extra vergine zugießen und das Öl 2 Minuten leicht köcheln lassen. Abkühlen und abseihen. Wenn kein Limettenöl zur Hand ist, kann man statt dessen 2 TL fein geriebene Limettenschale mit 3 TL Olivenöl versetzen.

PRO PERSON: *Protein 70 g; Fett 50 g; Kohlenhydrate 70 g; Ballaststoffe 4 g; Cholesterol 555 mg; 4245 kJ (1010 Kcal)*

ZITRONENBLÄTTER

Die bei uns »Zitronenblätter« genannten Blätter stammen vom Baum einer bestimmten Limettenart, der dunkle Früchte mit harter, knubbeliger Oberfläche trägt. Seine unverwechselbaren Blätter sehen aus, als seien es zwei, die an den Enden verwachsen sind. Schale und Saft dieser Limettenart haben ein starkes Aroma und einen intensiven Geschmack. Sie werden in der asiatischen Küche für Suppen und Currys verwendet. Die frischen Blätter werden Currys im Ganzen beigegeben; für Salate werden sie zerschnitten. Man erhält sie in asiatischen Supermärkten. Die Zitronenblätter lassen sich in luftdichten Beuteln gut einfrieren. Getrocknet sind die Blätter ebenfalls erhältlich, sollten aber dann nur an gekochte Gerichte gegeben werden.

OBEN: Duftende Kräutertagliatelle mit Zitronenblättern und Scampi

ROTER KAVIAR
Der Rogen verschiedener zur Störfamilie gehörender Fische wird Kaviar genannt. Es gibt ihn – je nach Fisch – in unterschiedlichen Güteklassen. Seine Farbe kann von Schwarz, Dunkelbraun, Grau, Gold bis zu Lachsfarben reichen. Roter Kaviar ist von der Farbe her eigentlich blaßorange. Die Eier sollten fest und glänzend aussehen und weder zu salzig noch irgendwie »fischig« schmecken.

UNTEN: Fettuccine mit Keta-Kaviar

FETTUCCINE MIT KETA-KAVIAR

Vorbereitungszeit: 15 Minuten
Kochzeit: 15 Minuten
Für 4 Personen

2 Eier, hartgekocht
4 Frühlingszwiebeln
150 g Schmand
50 g Keta-Kaviar
2 EL frische Dillspitzen
1 EL Zitronensaft
500 g Fettuccine

1 Die Eier schälen und feinhacken. Die Frühlingszwiebeln putzen, die dunkelgrünen Enden entfernen und in feine Röllchen schneiden.
2 In einer kleinen Schüssel den Schmand, die Eier, die Frühlingszwiebeln, den Kaviar, den Dill und den Zitronensaft mit Pfeffer nach Geschmack vermengen und beiseite stellen.
3 Die Fettuccine in einem großen Topf mit sprudelndem Salzwasser *al dente* kochen. Abtropfen und wieder in den Topf geben.
4 Die Kaviarsauce vorsichtig unter die heiße Pasta heben, und nach Wunsch mit Dillzweigen garnieren.
Hinweis: Keta-Kaviar wird aus dem Rogen verschiedener Lachsarten gewonnen und eignet sich für dieses Gericht besser als der kleinere Forellenkaviar.

PRO PERSON: *Protein 20 g; Fett 15 g; Kohlenhydrate 90 g; Ballaststoffe 5 g; Cholesterol 165 mg; 2950 kJ (700 Kcal)*

AROMATISCHE MEERESFRÜCHTEPASTA

Vorbereitungszeit: 30 Minuten
Kochzeit: 20 Minuten
Für 4 Personen

500 g Conchiglie
2–3 EL mildes Olivenöl
4 Frühlingszwiebeln, in feine Röllchen geschnitten
1 kleine Chilischote, feingehackt
500 g rohe Scampi, entdarmt und ohne Schale, nicht zerteilt
250 g Jakobsmuscheln, bei Bedarf halbiert
15 g frische Korianderblätter, feingehackt
60 ml Limettensaft
2 EL süße Chilisauce
1 EL Fischsauce (nuoc mam)
2 EL Sesamöl
geriebene Limettenschale, zur Garnierung

1 Die Conchiglie in einem großen Topf mit sprudelndem Salzwasser *al dente* kochen. Abtropfen.
2 Unterdessen das Öl in einer Pfanne erhitzen, und die Frühlingszwiebeln, die Chilischote, die Scampi und die Jakobsmuscheln unter ständigem Rühren bei Mittelhitze köcheln lassen, bis sich die Scampi verfärben und die Jakobsmuscheln gar sind. Sofort aus der Pfanne heben. Den Koriander, den Limettensaft, die Chilisauce und die Fischsauce einrühren.
3 Die Pasta in die Pfanne geben, das Sesamöl unterrühren, die Meeresfrüchte wieder beigeben und alles vorsichtig mengen. Das Pastagericht nach Wunsch mit geriebener Limettenschale servieren.

PRO PERSON: *Protein 45 g; Fett 40 g; Kohlenhydrate 90 g; Ballaststoffe 5 g; Cholesterol 260 mg; 3885 kJ (925 Kcal)*

OBEN: *Aromatische Meeresfrüchtepasta*
UNTEN: *Meeresfrüchte in Chili-Tomaten-Sauce*

MEERESFRÜCHTE IN CHILI-TOMATEN-SAUCE

Vorbereitungszeit: 25 Minuten
Kochzeit: 30 Minuten
Für 4 Personen

8 frische Miesmuscheln
1 EL Olivenöl
1 große Zwiebel, gehackt
3 Knoblauchzehen, in dünne Scheiben geschnitten
2 kleine rote Chilischoten ohne Samen, feingehackt
850 g Dosentomaten, zerkleinert
2 EL Tomatenmark, 2fach konzentriert
eine Prise Steakpfeffer
120 ml Gemüsebrühe
2 EL Pernod
650 g Meeresfrüchtemix aus dem Glas
2 EL frische, glatte Petersilie, feingehackt
1 EL frische Dillspitzen
350 g Bucatini

1 Die Muschelschalen abbürsten, und die Bärte entfernen.
2 Das Öl in einer großen Pfanne erhitzen und darin die Zwiebel, den Knoblauch und die Chilischoten 1–2 Minuten anbraten. Die Tomaten, das Tomatenmark, die Brühe, den Pernod und den Pfeffer einrühren und bei Niedrighitze 8–10 Minuten köcheln lassen. Die Sauce vom Herd nehmen und etwas abkühlen lassen. In einer Küchenmaschine glatt pürieren.
3 Die Sauce wieder in die Pfanne geben und die Meeresfrüchte 4 Minuten darin köcheln lassen. Die Miesmuscheln und Kräuter dazugeben, und 1–2 Minuten köcheln lassen, bis sich die Muscheln geöffnet haben. Unbedingt die Muscheln, die sich nicht öffnen, aussortieren und wegwerfen!
4 Unterdessen die Nudeln in einem großen Topf mit sprudelndem Salzwasser *al dente* kochen. Sorgfältig abtropfen lassen und auf 4 Spaghettischüsseln verteilen. Die Sauce darüberlöffeln und servieren.
Hinweis: Meeresfrüchtemix aus dem Glas gibt es in verschiedenen Zusammenstellungen. Meist gehören Muscheln und Kalmarringe dazu.

PRO PERSON: *Protein 45 g; Fett 5 g; Kohlenhydrate 80 g; Ballaststoffe 10 g; Cholesterol 265 mg; 2380 kJ (570 Kcal)*

PAPPARDELLE
Pappardelle sind lange, flache Nudeln, die an Fettuccine erinnern, doch mit 3 cm Breite viel mehr Fläche haben als diese. Sie passen vorzüglich zu intensiven, aromatischen oder sahnehaltigen Saucen und werden auch mit Wild und Innereien kombiniert. Pappardelle sind manchmal an einer oder beiden Seiten gewellt und ähneln dann Lasagnette, die allerdings nur halb so breit sind. In den meisten Gerichten sind diese zwei Pastaformen austauschbar.

OBEN: Pappardelle mit Lachs

PAPPARDELLE MIT LACHS

Vorbereitungszeit: 15 Minuten
Kochzeit: 25 Minuten
Für 6 Personen

500 g Pappardelle
2 EL Olivenöl
2 Knoblauchzehen, feingehackt
1 EL frische Chillies, feingehackt
500 g reife Tomaten, zerkleinert
1 TL weicher brauner Zucker
425 g Dosenlachs, abgetropft und mit der Gabel zerpflückt
30 g frisches Basilikum, kleingezupft

1 Die Pappardelle in einem großen Topf mit sprudelndem Salzwasser *al dente* kochen. Abtropfen und wieder in den Topf geben.
2 Unterdessen das Olivenöl in einer gußeisernen Pfanne erhitzen und den Chili und den Knoblauch 1 Minute bei Niedrighitze dünsten. Dann die Tomaten im Saft und den Zucker zugeben. Bei Niedrighitze unter ständigem Rühren 5 Minuten köcheln lassen, bis die Tomaten erwärmt sind.
3 Den Lachs und das Basilikum unterheben, und mit Salz und Pfeffer abschmecken. Die Sauce unter die Pasta heben und servieren.

PRO PERSON: *Protein 25 g; Fett 10 g; Kohlenhydrate 60 g; Ballaststoffe 5 g; Cholesterol 55 mg; 1930 kJ (460 Kcal)*

SPAGHETTINI MIT GEGRILLTEM LACHS UND KNOBLAUCH

Vorbereitungszeit: 10 Minuten
Kochzeit: 20 Minuten
Für 4–6 Personen

4 Filets vom Babylachs, insgesamt 400 g
4–5 EL Olivenöl extra vergine
8–10 geschälte Knoblauchzehen, längs halbiert
300 g Spaghettini
50 g Fenchelknolle, in feine Ringe geschnitten
1 EL frisch geriebene Limettenschale
2 EL Limettensaft
Fenchelgrün zum Garnieren

1 Den Backofen auf hohe Hitze (220 °C) vorheizen und eine feuerfeste Backform einölen. Die Lachsfilets mit 2 EL Olivenöl bestreichen, leicht salzen und nebeneinander in die Form legen.
2 Die Knoblauchzehen über die Filets streuen. Leicht mit Olivenöl bestreichen. 10–15 Minuten backen, bis der Fisch gar ist.
3 Währenddessen die Pasta in einem großen Topf mit sprudelndem Salzwasser *al dente* kochen. Abtropfen und etwas Olivenöl unterrühren, bis die Nudeln einen schönen Glanz angenommen haben. Das Fenchelgrün und die Limettenschale unterheben und die Spaghettini auf vorgewärmten Tellern anrichten.
4 Auf die Nudeln je 1 Lachsfilet setzen und den Bratensaft und den Knoblauch darüberlöffeln. Mit Limettensaft beträufeln, mit Fenchelgrün garnieren und anschließend mit einem einfachen Tomatensalat servieren.

PRO PERSON (BEI 6 PERSONEN): *Protein 30 g; Fett 30 g; Kohlenhydrate 55 g; Ballaststoffe 5 g; Cholesterol 70 mg; 2640 kJ (630 Kcal)*

TAGLIATELLE MIT OCTOPUS

Vorbereitungszeit: 30 Minuten
Kochzeit: 25 Minuten
Für 4 Personen

500 g Eier- und Spinattagliatelle-Mix
1 kg Babyoctopus
2 EL Olivenöl
1 Zwiebel, in Ringe geschnitten
1 Knoblauchzehe, zerdrückt
450 g pürierte Tomaten
120 ml trockener Weißwein
1 EL Chilisauce aus dem Glas
1 EL frisches Basilikum, feingezupft

1 Die Tagliatelle in einem großen Topf mit sprudelndem Salzwasser *al dente* kochen. Abtropfen und wieder in den Kochtopf geben.
2 Die Meeresfrüchte mit einem kleinen, scharfen Messer von den Eingeweiden befreien oder den Kopf ganz abtrennen. Mit dem Finger den Schulp aus dem Mantel drücken und entfernen. Die Meeresfrüchte sorgfältig waschen, trockentupfen und bei Bedarf halbieren. Beiseite stellen.
3 Während die Pasta kocht, das Öl in einer großen Pfanne erhitzen und die Zwiebel und den Knoblauch bei Niedrighitze weich dünsten. Die pürierten Tomaten, den Wein, die Chilisauce, das Basilikum sowie Salz und Pfeffer nach Geschmack beigeben, aufkochen und dann bei Niedrighitze 10 Minuten köcheln lassen.
4 Die Meeresfrüchte an die Sauce geben, und 5–10 Minuten weich köcheln lassen. Über die Pasta löffeln und servieren.

PRO PERSON: *Protein 50 g; Fett 15 g; Kohlenhydrate 95 g; Ballaststoffe 10 g; Cholesterol 0 mg; 3130 kJ (750 Kcal)*

OBEN: Tagliatelle mit Octopus

CASERECCIE MIT RÄUCHERFISCH UND SESAM

Vorbereitungszeit: 25 Minuten
Kochzeit: 10 Minuten
Für 4 Personen

320 g geräucherter Kabeljau oder ein anderer frischer, großer Räucherfisch wie Schellfisch
120 ml Milch
400 g Casereccie
1 Möhre
4 EL Erdnußöl
1 kleine Zwiebel, in Ringe geschnitten
150 g Sojasprossen
1 EL Sojasauce
1 TL Sesamöl
1 EL Sesamkörner, in der Pfanne geröstet

1 Den Fisch in einer Pfanne mit Milch und soviel Wasser, daß er abgedeckt ist, 5 Minuten weich dünsten. Unter kaltem Wasser abspülen und Milchreste entfernen. Den Fisch in größere Stücke zerpflücken, Haut und Gräten entfernen. Beiseite stellen.
2 Die Pasta in einem großen Topf mit sprudelndem Salzwasser *al dente* kochen. Abtropfen.
3 Die Möhre diagonal in dünne Scheiben schneiden. 3 EL Erdnußöl in einem Wok oder in einer großen Pfanne erhitzen. Die Möhre und die Zwiebel knusprig braten. Nun die Sojasprossen, die Sojasauce und das Sesamöl unterrühren. Mit Salz und schwarzem Pfeffer aus der Mühle abschmecken.
4 Die Pasta, die in der Pfanne ohne Fett gerösteten Sesamkörner, den Fisch und das restliche Erdnußöl zugeben, vorsichtig vermischen und sofort servieren.

PRO PERSON: *Protein 30 g; Fett 25 g; Kohlenhydrate 75 g; Ballaststoffe 8 g; Cholesterol 45 mg; 2725 kJ (650 Kcal)*

FRITTATA MIT FORELLE, FETTUCCINE UND FENCHEL

Vorbereitungszeit: 20 Minuten
Kochzeit: 1 Stunde
Für 4–6 Personen

250 g Räucherforelle im Stück
200 g Fettuccine
250 ml Milch
120 ml Sahne
4 Eier
eine Prise Muskat
40 g Fenchel, fein geschnitten, und Fenchelgrün zum Garnieren
4 Frühlingszwiebeln, in Röllchen geschnitten
80 g mittelalter Gouda oder Cheddar, gerieben

1 Den Backofen auf Mittelhitze (180 °C) vorheizen. Eine backofenfeste Flanform (Ø 23 cm) leicht mit Öl einpinseln. Die Forelle von Haut und Gräten befreien.
2 Die Fettuccine in einem großen Topf mit sprudelndem Salzwasser *al dente* kochen. Abtropfen.
3 Die Milch, die Sahne, die Eier und den Muskat in einer Schüssel gut verschlagen. Mit Salz und Pfeffer abschmecken. Die Forelle, die Pasta, den Fenchel und die Frühlingszwiebeln gleichmäßig untermengen. In die backofenfeste Form gießen, mit Käse bestreuen und 1 Stunde backen, bis die Masse fest geworden ist. Mit Fenchelgrün garnieren und servieren.

PRO PERSON: *Protein 25 g; Fett 20 g; Kohlenhydrate 25 g; Ballaststoffe 2 g; Cholesterol 195 mg; 1615 kJ (385 Kcal)*

ALS BEILAGE

TABBOULEH 130 g Bulgur 15 Minuten in 180 ml Wasser einweichen, bis das Wasser absorbiert ist. Dann 300 g flache, glatte Petersilie ohne Stiel fein hacken und mit 25 g frischen Minzeblättern, 3 zerkleinerten Strauchtomaten und 4 in feine Röllchen geschnittenen Frühlingszwiebeln vermischen. Anschließend unter den Bulgur heben und mit einem gut verrührten Dressing aus 3 zerdrückten Knoblauchzehen, 80 ml Zitronensaft und 60 ml Olivenöl würzen.

FENCHEL
Die Fenchelknolle hat ein unverkennbares Anisaroma und schmeckt schön knakkig. Roh und fein aufgeschnitten, wird sie zu Antipasti und Salaten gegeben. Gekocht eignet sie sich gut zum Mitschmoren oder als Beilage zu Meeresfrüchten und Schweinefleisch. Beim Kauf sollte man auf frisch aussehende Knollen mit vielen Stielen achten. Bei der Fenchelknolle verwendet man sowohl die inneren weißen Stiele als auch das Grün, das man gehackt Salaten oder Fisch beigibt oder als Würzmittel in Fischsaucen verwendet. Getrocknete Fenchelsamen sind ein wichtiger Bestandteil von Gewürzmischungen und werden vielen verschiedenen Nahrungsmitteln beigegeben, von Brot bis zur italienischen Fenchelsalami.

GEGENÜBERLIEGENDE SEITE: Casereccie mit Räucherfisch und Sesam (oben); Frittata mit Forelle, Fettuccine und Fenchel

JAKOBSMUSCHELN
Jakobsmuscheln gehören zu den Weichtieren, die vor dem Verzehr gekocht werden. Ohne Schale können sie gedünstet, sautiert oder überbacken werden; in der Muschelhälfte werden sie leicht gegrillt, meist nur mit einem Minimum an Gewürzen. Jakobsmuscheln passen geschmacklich sehr gut zu Milch, Butter und Sahne und werden auch oft mit Weißwein kombiniert. Die Kochzeit sollte kurz sein, damit ihr zartes Fleisch nicht gummiartig wird.

OBEN: Meeresfrüchteravioli in Sahnesauce

MEERESFRÜCHTERAVIOLI IN SAHNESAUCE

Vorbereitungszeit: 1 Stunde + 30 Minuten Ruhezeit
Kochzeit: 30 Minuten
Für 4 Personen

Pasta

250 g Mehl
3 Eier
1 EL Olivenöl
1 Eigelb

Füllung

50 g weiche Butter
3 Knoblauchzehen, feingehackt
2 EL frische glatte Petersilie, feingehackt
100 g Jakobsmuscheln, gesäubert und feingehackt
100 g Scampi, entdarmt, ohne Schale und feingehackt

Sauce

75 g Butter
3 EL Mehl
380 ml Milch
300 ml Sahne
120 ml Weißwein
50 g geriebener Parmesan
2 EL frische glatte Petersilie, feingehackt

1 Für die Pasta das Mehl mit einer Prise Salz in eine Schüssel sieben und in der Mitte eine Vertiefung formen. Dann die Eier, das Öl und 1 EL Wasser verschlagen, in die Vertiefung gießen und langsam mit dem Mehl zu einem festen Teigball verkneten.

2 Den Teig auf einer leicht bemehlten Arbeitsplatte 5 Minuten glatt und elastisch kneten. Anschließend in eine leicht eingeölte Schüssel legen, mit Klarsichtfolie abdecken und 30 Minuten ruhen lassen.

3 Für die Füllung die Butter, den gehackten Knoblauch, die Petersilie, die Jakobsmuscheln und die Scampi vermischen. Beiseite stellen.
4 Jeweils ein Viertel des Pastateigs hauchdünn auf eine Breite von ungefähr 10 cm ausrollen. Im Abstand von 5 cm 1 TL Füllung entlang der Teigseite setzen. Das Eigelb mit 3 EL Wasser verschlagen und entlang einer Randseite und zwischen die Füllung streichen. Die andere Teighälfte darüberlegen, an den Seiten fest zusammendrücken und versiegeln.
5 Mit einem Rad zwischen die Raviolihügel fahren und auseinandertrennen. Portionsweise in einem großen Topf mit sprudelndem Salzwasser 6 Minuten kochen. (Während der Kochzeit die Sauce zubereiten.) Gut abtropfen und im Topf warm halten.
6 Für die Sauce Butter in einem Topf zerlassen und das Mehl bei Niedrighitze 2 Minuten einrühren. Vom Herd nehmen und die bereits vermengten Zutaten Sahne, Milch und Wein angießen. Langsam erhitzen, bis die Sauce eindickt. Dabei ständig rühren, um mögliche Klümpchen in der Sauce zu verschlagen. Aufkochen, dann bei Niedrighitze 5 Minuten köcheln lassen. Den Parmesan und die Petersilie einrühren. Vom Herd nehmen, an die Ravioli gießen und gut mengen.
Hinweis: Der Pastateig muß unbedingt 30 Minuten ruhen, damit das Gluten sich im Teig entfalten kann. Ohne Ruhezeit würde der Kleber nicht arbeiten und die Pasta auch nicht elastisch werden.

PRO PERSON: *Protein 30 g; Fett 70 g; Kohlenhydrate 60 g; Ballaststoffe 5 g; Cholesterol 430 mg; 4255 kJ (1020 Kcal)*

MUSCHELN IN TOMATEN-SAUCE

Vorbereitungszeit: 20 Minuten
Kochzeit: 20 Minuten
Für 4 Personen

500 g Penne oder Rigatoni
1 EL Olivenöl
1 kleine Zwiebel, feingehackt
1 große Möhre, gewürfelt
1 Selleriestange, in Röllchen geschnitten
3 EL frische glatte Petersilie, feingehackt
800 ml Tomatenpastasauce aus dem Glas
120 ml Weißwein
380 g Muscheln aus dem Glas
60 ml Sahne (nach Wunsch)

1 Die Pasta in einem großen Topf mit sprudelndem Salzwasser *al dente* kochen. Abtropfen und im Topf warm halten.
2 Das Öl in einer Pfanne erhitzen und die Zwiebel, den Knoblauch, die Möhre und die Selleriestange bei Mittelhitze weich dünsten. Die Petersilie, die Tomatensauce und den Wein zugeben und unter gelegentlichem Umrühren 15 Minuten köcheln lassen.
3 Die Muscheln abtropfen, zusammen mit der Sahne an die Sauce geben und gut verrühren. Dann sorgfältig mit der Pasta vermengen.
Hinweis: Die Tomatenpastasauce kann auch durch zerkleinerte Dosentomaten ersetzt werden.

PRO PERSON: *Protein 35 g; Fett 25 g; Kohlenhydrate 100 g; Ballaststoffe 10 g; Cholesterol 105 mg; 3280 kJ (780 Kcal)*

OBEN: Muscheln in Tomatensauce

SPAGHETTI
Die Spaghetti kamen über den Umweg Sizilien nach Italien. Dort hatten sie die Araber 827 n. Chr. bei ihrer Eroberung der Insel eingeführt. Die Araber, die damals weite Reiserouten zurücklegten und als Händler tätig waren, brauchten für ihren Lebensstil eine Nudelform, die sich leicht lagern und transportieren ließ. Ihre Vorliebe für Spaghetti ging so auf Italien über. Damals hieß sie *itriyah* (das persische Wort für »Faden«). Daraus wurde *tria* und später *trii*, eine Form, die noch heute auf Sizilien und in Teilen Süditaliens beliebt ist.

UNTEN: Spaghetti mit Muscheln in Knoblauch-Sahne-Sauce

SPAGHETTI MIT MUSCHELN IN KNOBLAUCH-SAHNE-SAUCE

Vorbereitungszeit: 20 Minuten
Kochzeit: 10–15 Minuten
Für 4 Personen

500 g Spaghetti
1,5 kg frische Miesmuscheln
2 EL Olivenöl
2 Knoblauchzehen, zerdrückt
120 ml Weißwein
250 ml Sahne
2 EL frisches Basilikum, feingezupft

1 Die Spaghetti in einem großen Topf mit sprudelndem Salzwasser *al dente* kochen. Dann abtropfen.
2 Unterdessen die Miesmuscheln von den Bärten befreien und die Schalen gut abbürsten. Geöffnete Muscheln wegwerfen! Das Öl in einer großen Pfanne erhitzen und den Knoblauch über Niedrighitze 30 Sekunden andünsten.
3 Wein und Muscheln zugeben; abgedeckt 5 Minuten köcheln lassen. Muscheln herausheben, dabei die ungeöffneten aussortieren. Beiseite stellen.
4 Die Sahne, das Basilikum sowie Salz und Pfeffer nach Geschmack in die Pfanne geben und 2 Minuten unter gelegentlichem Rühren köcheln lassen. Die Sauce mit den Muscheln über die Spaghetti geben und servieren.

PRO PERSON: *Protein 80 g; Fett 40 g; Kohlenhydrate 90 g; Ballaststoffe 7 g; Cholesterol 445 mg; 4510 kJ (1075 Kcal)*

ALS BEILAGE

SALAT AUS GEBACKENEM GEMÜSE UND BRIE 300 g geschälte und halbierte Tomaten, 300 g Steckrüben, 300 g Süßkartoffeln, 300 g Möhren und 300 g Zwiebeln in Öl weich und schön knusprig braten. Zu diesem warmen Gemüse ein Dressing aus 2 EL Orangensaft, 1 EL Meerrettich und 2 EL Öl geben und anschließend sofort mit 200 g Brie in Scheiben und reichlich Steakpfeffer servieren.

FETTUCCINE MIT RÄUCHERLACHS

Vorbereitungszeit: 10 Minuten
Kochzeit: 10–15 Minuten
Für 4 Personen

100 g Räucherlachs
40 g getrocknete Tomaten
1 EL Olivenöl
1 Knoblauchzehe, zerdrückt
250 ml Sahne
15 g frische Schnittlauchröllchen und zusätzlich Schnittlauch als Garnierung
eine Prise gemahlene Senfkörner
2 TL Zitronensaft
380 g Fettuccine
2 EL frisch geriebener Parmesan zum Servieren

1 Den Räucherlachs in mundgerechte Stücke zerteilen und die Tomaten feinschneiden.
2 Das Olivenöl in einer Pfanne erhitzen und darin den Knoblauch 30 Sekunden unter Rühren andünsten. Die Sahne, den Schnittlauch, das Senfpulver und Salz und Pfeffer nach Geschmack beigeben. Aufkochen lassen und bei Niedrighitze köcheln lassen, bis die Sauce eindickt.
3 Den Lachs und den Zitronensaft untermengen und vorsichtig erhitzen.
4 Währenddessen die Pasta in einem großen Topf mit sprudelndem Salzwasser *al dente* kochen. Abtropfen und wieder in den Topf geben. Die Sauce unter die Nudeln rühren, mit den getrockneten Tomaten und Schnittlauch garnieren und gleich servieren.

PRO PERSON: *Protein 20 g; Fett 30 g; Kohlenhydrate 70 g; Ballaststoffe 5 g; Cholesterol 90 mg; 2685 kJ (640 Kcal)*

GETROCKNETE TOMATEN

sind beim türkischen oder italienischen Gemüsehändler lose erhältlich oder in Öl eingelegt und in Gläsern abgepackt im gut sortierten Lebensmittelgeschäft. Sie eignen sich gut für Nudelgerichte, Salate oder als Garnierung von Pizzen. Ihr Geschmack ist intensiv und süßlich. Die Tomaten im Glas müssen vor einer Weiterverarbeitung abgetropft werden, während lose Tomaten 5 Minuten in kochendem Wasser einweichen müssen, bevor man sie weiterverwendet. Getrocknete Tomaten passen gut zu Käse, Oliven, Meeresfrüchten, Huhn und Fleisch.

OBEN: Fettuccine mit Räucherlachs

VENUSMUSCHELN
Die Venusmuschel galt in der Familie der Mollusken lange als eine Art arme Verwandte. Heute schätzt man sie wegen ihres saftigen Fleischs und ihres milden Geschmacks. Lebend in geöffneter Schale gekauft, kann man sie roh oder leicht gekocht verzehren. In der Dose oder im Glas wird das Muschelfleisch ohne Schale in Saucen und Eintöpfen gekocht. Manchmal sind sie auch mit Schale konserviert erhältlich und stellen dann eine hervorragende Alternative zu frisch zubereiteten Venusmuscheln dar. Ihr Sud gibt einen milden Meeresfrüchtefond, der sich gut in Suppen oder Saucen macht.

OBEN: Spaghetti Vongole

SPAGHETTI VONGOLE

Vorbereitungszeit: 25 Minuten + Einweichzeit
Kochzeit: 20–35 Minuten
Für 4 Personen

1 kg frische Venusmuscheln oder 750 g Venusmuscheln im Glas, im Eigensaft
1 EL Zitronensaft
80 ml Olivenöl
3 Knoblauchzehen, zerdrückt
850 g Dosentomaten
250 g Spaghetti
4 EL frische glatte Petersilie, feingehackt

1 Frische Venusmuscheln säubern (siehe Hinweis). In einem großen Topf mit dem Zitronensaft und Wasser bedecken und abgedeckt bei Mittelhitze 7–8 Minuten schütteln, damit sich die Muscheln öffnen. Ungeöffnete Muscheln wegwerfen! Das Muschelfleisch lösen und beiseite legen; die Schalen wegwerfen. Venusmuscheln im Glas abtropfen, gut abspülen und beiseite stellen.
2 Das Öl in einer großen Pfanne erhitzen und den Knoblauch 5 Minuten bei Niedrighitze dünsten. Die Tomaten zugeben und vermengen. Aufkochen lassen, dann abgedeckt 20 Minuten köcheln lassen. Mit schwarzem Pfeffer aus der Mühle abschmecken und die Muscheln in der Sauce erwärmen.
3 Unterdessen die Pasta in einem großen Topf mit sprudelndem Salzwasser *al dente* kochen. Abtropfen und wieder in den Topf geben. Vorsichtig die Sauce und die Petersilie unterrühren, und sofort in einer vorgewärmten Schüssel servieren. Kapernäpfel und dünn geschälte Streifen einer ungespritzten Zitronenschale eignen sich gut als Garnierung.
Hinweis: Venusmuscheln müssen sorgfältig von Sand und Schmutz befreit werden. Dazu 2 EL Salz und 2 EL Mehl mit Wasser zu einer Paste vermischen. Die Venusmuscheln in einer großen Schüssel mit Wasser und dieser Paste über Nacht stehen lassen. Abtropfen, die Schalen gut bürsten, abbrausen und nochmals abtropfen.

PRO PERSON: *Protein 35 g; Fett 25 g; Kohlenhydrate 55 g; Ballaststoffe 7 g; Cholesterol 355 mg; 2420 kJ (580 Kcal)*

SPAGHETTI MIT MIESMUSCHELN IN TOMATEN-KRÄUTER-SAUCE

Vorbereitungszeit: 15 Minuten
Kochzeit: 30 Minuten
Für 4 Personen

- 1,5 kg frische Miesmuscheln
- 2 EL Olivenöl
- 1 Zwiebel, in feine Ringe geschnitten
- 2 Knoblauchzehen, zerdrückt
- 450 g Dosentomaten, zerkleinert
- 250 ml Weißwein
- 1 EL frisches Basilikum, feingezupft
- 2 EL frische, glatte Petersilie, feingehackt
- 500 g Spaghetti

1 Miesmuscheln von den Bärten und Schmutz befreien. Geöffnete Muscheln aussortieren.
2 Das Olivenöl in einer großen Pfanne erhitzen und die Zwiebel und den Knoblauch bei Niedrighitze unter Umrühren dünsten lassen, bis die Zwiebel weich ist. Die Tomaten, den Weißwein, das Basilikum und die Petersilie zugeben und mit Salz und Pfeffer abschmecken. Die Sauce aufkochen, dann bei Niedrighitze 15–20 Minuten köcheln lassen, bis sie eindickt.
3 Die Muscheln in die Sauce geben, und abgedeckt 5 Minuten garen, dabei öfter die Pfanne rütteln. Unbedingt alle Muscheln aussortieren, die sich dann noch nicht geöffnet haben!
4 Währenddessen die Pasta in einem großen Topf mit sprudelndem Salzwasser *al dente* kochen. Abtropfen. Die Muscheln und die Sauce über die Spaghetti geben und servieren.

PRO PERSON: *Protein 50 g; Fett 15 g; Kohlenhydrate 95 g; Ballaststoffe 10 g; Cholesterol 190 mg; 3050 kJ (730 Kcal)*

ALS BEILAGE

KARTOFFELSALAT MIT EIERN UND SPECK
1 kg festkochende kleine Kartoffeln in der Schale weichkochen. 4 Scheiben Frühstücksspeck knusprig braten und auf Küchenkrepp abtropfen. 6 hartgekochte Eier schälen und vierteln und mit den noch warmen Kartoffeln, 4 in feine Röllchen geschnittenen Frühlingszwiebeln, 2 EL gehackter frischer Minze und 2 EL Schnittlauchröllchen mengen. 250 g Naturjoghurt unterheben, und mit dem Speck garnieren.

GREMOLATA
Pastagerichte mit Meeresfrüchten werden eigentlich nicht mit geriebenem Käse bestreut, doch wer dieses Ritual vermißt, kann den Käse durch die Mailänder Gremolata ersetzen. Die ungespritzte Schale einer halben Zitrone wird mit 1 feingehackten Knoblauchzehe und 2 Handvoll frisch gehackter, glatter Petersilie vermengt. (Diese Grundmengen können je nach Geschmack variiert werden.) Diese Kräutermischung wird in Mailand traditionell mit Osso Buco serviert.

OBEN: Spaghetti mit Muscheln in Tomaten-Kräuter-Sauce

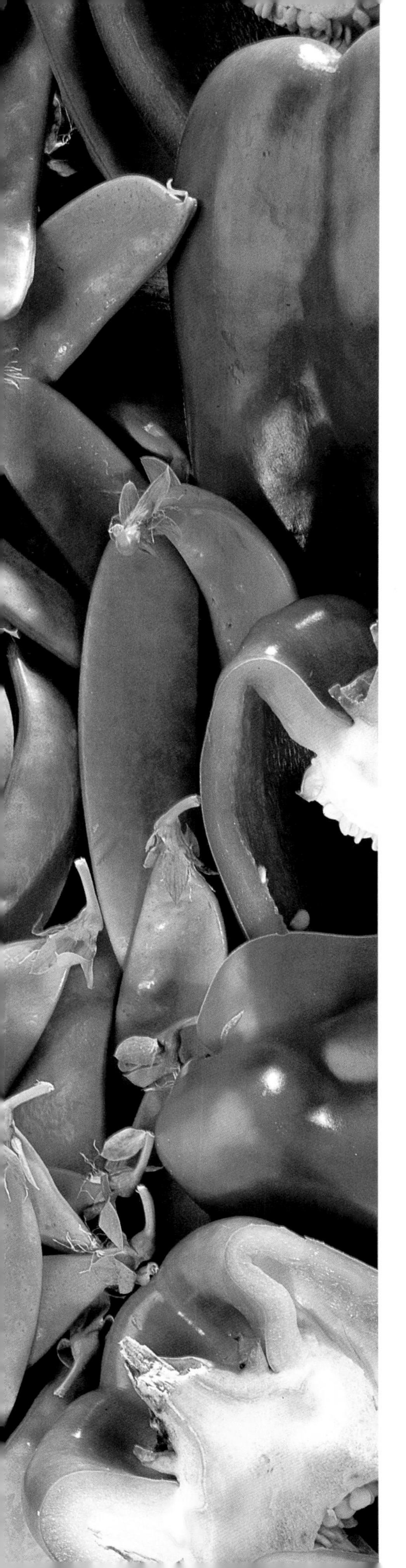

PASTA MIT GEMÜSE

Der Schlüssel zu einem wirklich herausragenden Essen ist die Frische der Zutaten. Obwohl die italienischen Köche viel mit den in jeder Speisekammer vorhandenen Klassikern Dosentomaten und Olivenöl arbeiten, sind es doch die frischen Gemüsesorten und Kräuter, die aus einfachen Gerichten wahrhaft Himmlisches zaubern. Kräuter werden vorrangig frisch verwendet und oft körbeweise in der Gegend gesammelt. Tomaten, Paprika und Artischocken reifen unter der mediterranen Sonne und geben in einer Schüssel Pasta ein farbenprächtiges Bild ab.

ZUCCHINI
Zucchini sind die italienische Variante des Sommerkürbis. Die grünen oder gelben Früchte sollten 4–5 Tage nach der Blüte geerntet werden, denn zu diesem Zeitpunkt ist ihre Schale noch zart und ihr Fleisch fest. Zu große oder zu alte Zucchini können im Fleisch einen bitteren Geschmack entwickeln. Die Zubereitung dieses Gemüses erfordert wenig Zeit und ebenso wenig Kochzeit. Es schmeckt gedämpft, gekocht, sautiert, gebakken oder fritiert; größere Zucchini können auch gefüllt und gebacken werden.

OBEN: Fettuccine mit Zucchini und knusprig gebratenem Basilikum

FETTUCCINE MIT ZUCCHINI UND KNUSPRIG GEBRATENEM BASILIKUM

Vorbereitungszeit: 15 Minuten
Kochzeit: 15 Minuten
Für 6 Personen

250 ml Olivenöl
eine Handvoll frische Basilikumblätter
500 g Fettuccine oder Tagliatelle
60 g Butter
2 Knoblauchzehen, zerdrückt
500 g Zucchini, gerieben
80 g frisch geriebener Parmesan

1 In einer kleinen Pfanne die Basilikumblätter portionsweise im Öl 1 Minute knusprig braten. Mit einem Schaumlöffel aus der Pfanne heben und auf Küchenkrepp abtropfen.
2 Die Pasta in einem großen Topf mit sprudelndem Salzwasser *al dente* kochen. Abtropfen und erneut in den Topf geben.
3 Während die Pasta kocht, die Butter in einer tiefen gußeisernen Pfanne aufschäumen und den Knoblauch 1 Minute dünsten. Die Zucchini unter mehrmaligem Umrühren 1–2 Minuten weich dünsten. Zu der heißen Pasta geben und gut mit dem Parmesan vermengen. Mit den knusprigen Basilikumblättern garnieren.
Hinweis: Die Basilikumblätter können schon 2 Stunden im voraus ausgebraten werden. Nach dem Abkühlen sollte man sie in einem luftdichten Gefäß aufbewahren.

PRO PERSON: *Protein 15 g; Fett 55 g; Kohlenhydrate 60 g; Ballaststoffe 5 g; Cholesterol 35 mg; 3245 kJ (775 Kcal)*

SPAGHETTI MIT OLIVEN UND MOZZARELLA

Vorbereitungszeit: 20 Minuten
Kochzeit: 15 Minuten
Für 4 Personen

500 g Spaghetti
50 g Butter
2 Knoblauchzehen, zerdrückt
70 g schwarze Oliven, entsteint und halbiert
3 EL Olivenöl
20 g frische glatte Petersilie, feingehackt
150 g Mozzarella, feingewürfelt

1 Die Spaghetti in einem großen Topf mit sprudelndem Salzwasser *al dente* kochen. Abtropfen und wieder in den Topf geben.

2 Währenddessen die Butter in einer kleinen Pfanne goldbraun zerlassen. Den Knoblauch 1 Minute bei Niedrighitze darin garen.
3 Die Pasta, die Oliven, das Olivenöl, die Petersilie und den Käse zugeben und gut mengen.

PRO PERSON: *Protein 25 g; Fett 35 g; Kohlenhydrate 90 g; Ballaststoffe 5 g; Cholesterol 55 mg; 3320 kJ (770 Kcal)*

FARFALLE MIT ARTISCHOCKENHERZEN UND OLIVEN

Vorbereitungszeit: 20 Minuten
Kochzeit: 20 Minuten
Für 4 Personen

500 g Farfalle
400 g Artischockenherzen im Glas oder aus der Dose
3 EL Olivenöl
3 Knoblauchzehen, zerdrückt
100 g schwarze Oliven, entsteint und gehackt
2 EL frische Schnittlauchröllchen
200 g frischer Ricottakäse oder abgetropfter Magerquark

1 Die Farfalle in einem großen Topf mit sprudelndem Salzwasser *al dente* kochen. Abtropfen und erneut in den Topf geben.
2 Währenddessen die Artischocken abtropfen und feinschneiden. Das Olivenöl in einer großen Pfanne erhitzen, und den Knoblauch bei Niedrighitze vorsichtig bräunen lassen. (Knoblauch darf nicht anbrennen oder zu stark bräunen, denn sonst entwickelt er einen bitteren Beigeschmack).
3 Nun die Artischockenherzen und die Oliven zugeben und unter Rühren erhitzen. Den Schnittlauch und den Ricotta oder Quark beigeben und mit einer Gabel zerpflücken. Weiter köcheln lassen, bis der Frischkäse gleichmäßg erhitzt ist.
4 Die Sauce mit der Pasta vermengen, mit Salz und schwarzem Pfeffer aus der Mühle abschmekken und sofort servieren.
Hinweis: Frische, gekochte Artischockenherzen verleihen diesem Gericht eine besondere Note. Für die angegebene Personenzahl werden 5 Artischockenherzen benötigt. Die einzelnen Kochschritte bleiben davon unverändert.

PRO PERSON: *Protein 15 g; Fett 15 g; Kohlenhydrate 60 g; Ballaststoffe 5 g; Cholesterol 15 mg; 1840 kJ (440 Kcal)*

OBEN: Spaghetti mit Oliven und Mozzarella (links); Farfalle mit Artischockenherzen und Oliven

SCHWARZE OLIVEN
Wenn Oliven jung geerntet werden, sind sie grün und hart. Am Baum werden sie dunkel und reifen. Oliven werden in Öl oder in Lake eingelegt und manchmal zusätzlich mit Kräutern gewürzt. Sie sind Bestandteil vieler Gerichte der mediterranen Küche, eignen sich für Salate, als Füllung, sie werden im Brot mitgebacken und verleihen vielen Pasta- und Reisgerichten eine besondere Note. Oliven müssen nach dem Kauf bald verzehrt werden. Beim Kauf sollte man auf Qualität achten. Griechische und italienische Oliven gelten als die besten.

GEGENÜBERLIEGENDE SEITE: Tagliatelle in Sauce aus getrockneten Tomaten (oben); Linguine mit grünem Spargel in Sahnesauce

TAGLIATELLE IN EINER SAUCE AUS GETROCKNETEN TOMATEN

Vorbereitungszeit: 20 Minuten
Kochzeit: 20 Minuten
Für 4 Personen

500 g Tagliatelle
2 EL Olivenöl
1 Zwiebel, gehackt
80 g getrocknete Tomaten, feingeschnitten
2 Knoblauchzehen, zerdrückt
450 g Dosentomaten, zerkleinert
120 g schwarze Oliven, entsteint
20 g frisches Basilikum, feingezupft
frisch geriebener Parmesan zum Servieren

1 Die Tagliatelle in einem großen Topf mit sprudelndem Salzwasser *al dente* kochen. Abtropfen und wieder in den Topf geben.
2 Das Öl in einer großen Pfanne erhitzen und die Zwiebel 3 Minuten unter gelegentlichem Rühren weich dünsten. Die getrockneten Tomaten und den Knoblauch zugeben und 1 Minute dünsten.
3 Die Dosentomaten, die Oliven und das Basilikum beigeben und mit schwarzem Pfeffer aus der Mühle abschmecken. Aufkochen und bei Niedrighitze 10 Minuten köcheln lassen.
4 Nun die Sauce vorsichtig mit der warmen Pasta mischen, mit Parmesan bestreuen und sofort servieren.
Hinweis: Getrocknete Tomaten sind entweder lose oder in einer Öltunke im Glas erhältlich. Letztere müssen nur abgetropft werden, während man die losen Tomaten 5 Minuten in kochendem Wasser einweichen muß. Auf diese Weise werden sie weich und können wieder Feuchtigkeit aufnehmen.

PRO PERSON: *Protein 20 g; Fett 15 g; Kohlenhydrate 95 g; Ballaststoffe 10 g; Cholesterol 5 mg; 2415 kJ (575 Kcal)*

LINGUINE MIT GRÜNEM SPARGEL IN SAHNESAUCE

Vorbereitungszeit: 15 Minuten
Kochzeit: 15 Minuten
Für 4 Personen

200 g frischer Ricottakäse oder Magerquark, gut abgetropft
250 ml Sahne
80 g frisch geriebener Parmesan
Muskat nach Geschmack
500 g Linguine
500 g grüner Spargel ohne holzige Enden, in kleinere Stücke geschnitten
50 g geröstete Mandelflocken zum Servieren

1 Den Ricotta oder Quark in einer Schüssel glattrühren. Die Sahne, den Parmesan und das Muskat untermischen und mit Salz und schwarzem Pfeffer aus der Mühle abschmecken.
2 Die Linguine in einem großen Topf mit sprudelndem Salzwasser nicht ganz bißfest kochen. Den Spargel zugeben und *al dente* garen.
3 Die Pasta und den Spargel abtropfen und 2 EL der Kochflüssigkeit auffangen. Die Pasta und den Spargel wieder in den Kochtopf geben.
4 Die Kochflüssigkeit unter die Käsemasse rühren und dann über die Pasta und den Spargel löffeln und vorsichtig mengen. Mit gerösteten Mandelflocken bestreuen und servieren.

PRO PERSON: *Protein 35 g; Fett 45 g; Kohlenhydrate 90 g; Ballaststoffe 10 g; 3850 kJ (920 Kcal)*

FETTUCCINE MIT AUBERGINEN UND GRÜNEN OLIVEN

Vorbereitungszeit: 20 Minuten
Kochzeit: 20 Minuten
Für 4 Personen

500 g Fettuccine oder Tagliatelle
180 g grüne Oliven ohne Stein
1 große Aubergine
2 EL Olivenöl
2 Knoblauchzehen, zerdrückt
120 ml Zitronensaft
2 EL frische glatte Petersilie, feingehackt
50 g frisch geriebener Parmesan

1 Die Pasta in einem großen Topf mit sprudelndem Salzwasser *al dente* kochen. Abtropfen und wieder in den Topf geben.
2 Währenddessen die Oliven in Scheiben und die Aubergine in feine Würfel schneiden.
3 Das Öl in einer großen gußeisernen Pfanne erhitzen und den Knoblauch 30 Sekunden anbraten. Die Aubergine zugeben und bei Mittelhitze unter Rühren 6 Minuten weich dünsten. Die Oliven, den Zitronensaft sowie Salz und Pfeffer nach Geschmack zugeben. Die Sauce mit der Pasta mischen; mit Petersilie und Parmesan bestreuen.

Hinweis: Der bittere Beigeschmack von Auberginen kann durch Entwässern entzogen werden. Die Auberginen zerkleinern, großzügig salzen und 30 Minuten stehen lassen. Dann sorgfältig abbrausen und weiterverarbeiten.

PRO PERSON: *Protein 20 g; Fett 15 g; Kohlenhydrate 95 g; Ballaststoffe 10 g; Cholesterol 5 mg; 2485 kJ (615 Kcal)*

ALS BEILAGE

WARMER GEMÜSESALAT 200 g Möhren, 200 g Zuckererbsen, 200 g gelbe Zucchini, 200 g grüne Zucchini und 200 g neue Kartoffeln putzen und bißfest garen oder kochen. Dabei die Garzeit beachten, denn zu weiches Gemüse verliert seine leuchtende Farbe. Für das Dressing 2 zerdrückte Knoblauchzehen mit 2 EL frischem Dill, 2 EL frischen Schnittlauchröllchen, 1 EL Limettensaft, 1 EL Dijonsenf und 80 ml Olivenöl verschlagen und mit dem Gemüse mischen.

UNTEN: Fettuccine mit Auberginen und grünen Oliven

SPAGHETTI IN EINER SAUCE AUS FRISCHEN TOMATEN

Vorbereitungszeit: 15 Minuten + 2 Stunden Kühlzeit
Kochzeit: 10–15 Minuten
Für 4 Personen

4 feste, reife Tomaten
8 grüne Oliven, entsteint
2 EL Kapern
4 Frühlingszwiebeln, in feine Röllchen geschnitten
2 Knoblauchzehen, zerdrückt
1 Prise getrockneter Oregano
20 g frische, glatte Petersilie, feingehackt
80 ml Olivenöl
375 g Spaghetti oder Spaghettini

1 Die Tomaten fein zerkleinern. Die Oliven und die Kapern feinschneiden. Alle Zutaten außer der Pasta in einer Schüssel gut mengen, dann abgedeckt 2 Stunden im Kühlschrank ziehen lassen.
2 Die Pasta in einem großen Topf mit sprudelndem Salzwasser *al dente* kochen. Abtropfen und wieder in den Topf geben. Die kalte Sauce sorgfältig mit der noch heißen Pasta mengen und servieren.
Hinweis: Als Abwandlung eignet sich auch 30 g frisches, feingezupftes Basilikum, das der Sauce beigegeben wird.

PRO PERSON: *Protein 15 g; Fett 20 g; Kohlenhydrate 70 g; Ballaststoffe 10 g; Cholesterol 0 mg; 2190 kJ (525 Kcal)*

LINGUINE IN EINER SAUCE AUS GEBACKENEM GEMÜSE

Vorbereitungszeit: 30 Minuten
Kochzeit: 50 Minuten
Für 4 Personen

4 große rote Paprika
500 g feste reife Tomaten
3 große rote Zwiebeln, geschält
1 Knoblauchknolle
120 ml Balsamico-Essig
60 ml Olivenöl
2 EL grobes Salz
2 TL schwarzer Pfeffer aus der Mühle
500 g Linguine
100 g Parmesan, frisch gehobelt
100 g schwarze Oliven, entsteint

1 Den Backofen auf Mittelhitze (180 °C) vorheizen. Die Paprika halbieren und die Samen und Rippen herausschaben. Die Tomaten und die Zwiebeln halbieren und die Knoblauchknolle in einzelne Zehen teilen und schälen.
2 Das Gemüse in einer großen backofenfesten Form in einer Einzellage nebeneinander legen, mit dem Essig und dem Öl beträufeln und mit dem Salz und dem Pfeffer bestreuen.
3 Nach 50 Minuten Backzeit 5 Minuten abkühlen lassen, dann in der Küchenmaschine 3 Minuten glattpürieren. Mit Salz und Pfeffer abschmecken.
4 Kurz vor dem Garende des Gemüses die Linguine in einem großen Topf mit sprudelndem Salzwasser *al dente* kochen. Abtropfen.
5 Die Gemüsesauce über die Linguine löffeln und mit dem Parmesan, den Oliven und zusätzlichem schwarzem Pfeffer aus der Mühle garnieren.

PRO PERSON: *Protein 30 g; Fett 30 g; Kohlenhydrate 100 g; Ballaststoffe 10 g; Cholesterol 25 mg; 3320 kJ (790 Kcal)*

OBEN: Spaghetti in einer Sauce aus frischen Tomaten

EIERTOMATEN
Eiertomaten schätzt man wegen ihren hohen Fleischanteils. Sie eignen sich sehr gut zum Verkochen. Eiertomaten, auch »Romatomaten« genannt, haben ein gleichmäßig leuchtendes Rot und sind dick und fest, was das Schälen sehr erleichtert. Sie werden zu Dosentomaten und getrockneten Tomaten verarbeitet.

OBEN: Gegrilltes Gemüse auf einem Pastabett

GEGRILLTES GEMÜSE AUF EINEM PASTABETT

Vorbereitungszeit: 30 Minuten
Kochzeit: 20 Minuten
Für 4 Personen

500 g Fettuccine oder Tagliatelle
1 rote Paprika
1 gelbe Paprika
250 g Eiertomaten, in dicke Scheiben geschnitten
2 große Zucchini, in Scheiben geschnitten
80 ml Olivenöl
3 Knoblauchzehen, zerdrückt
10 große Basilikumblätter, grob zerpflückt
1 Büffelmozzarella, gewürfelt

1 Die Pasta in einem großen Topf mit sprudelndem Salzwasser *al dente* kochen. Abtropfen und wieder in den Topf geben. Die Paprika in große, flache Stücke zerteilen und die Samen und die Rippen entfernen. Mit der Innenseite nach unten unter einen heißen Grill oder in den Backofen legen und 8 Minuten rösten, bis die Haut schwarz ist und Blasen wirft. Aus dem Backofen nehmen und mit einem feuchten Küchenhandtuch abdecken. Wenn die Scheiben abgekühlt sind, die Haut abziehen und das Fleisch feinhacken.
2 Die Tomatenscheiben leicht salzen. Die Zucchini mit 1 EL Öl bestreichen. Das Gemüse unter einem heißen Grill oder im heißen Backofen weich garen, dabei einmal wenden.
3 Die Pasta mit dem Gemüse, dem Knoblauch, dem Basilikum, dem restlichen Öl und dem Mozzarella mengen und mit Salz und schwarzem Pfeffer aus der Mühle abschmecken. Sofort servieren.

PRO PERSON: *Protein 25 g; Fett 30 g; Kohlenhydrate 95 g; Ballaststoffe 10 g; Cholesterol 20 mg; 3060 kJ (730 Kcal)*

GEMÜSELASAGNE

Vorbereitungszeit: 40 Minuten
Kochzeit: 1 Stunde 15 Minuten
Für 6 Personen

3 große Paprika
2 große Auberginen
2 EL Öl
1 große Zwiebel, gehackt
3 Knoblauchzehen, zerdrückt
1 TL Kräuter der Provence
1 TL getrockneter Oregano
500 g Champignons, in Scheiben geschnitten
440 g Dosentomaten, zerkleinert
440 g Kidneybohnen aus der Dose, abgetropft
1 EL süße Chilisauce
250 g Lasagne
500 g Blattspinat, gehackt
30 g frisches Basilikum
90 g getrocknete Tomaten, in Scheiben geschnitten
3 EL geriebener Parmesan
3 EL geriebener Cheddar oder geriebener mittelalter Gouda

Käsesauce

60 g Butter
3 EL Mehl
500 ml Milch
600 g Ricottakäse oder Magerquark, abgetropft

1 Den Backofen auf Mittelhitze (180 °C) vorheizen. Eine backofenfeste Form von 35 x 28 cm leicht einölen.

2 Die Paprika in große, flache Stücke schneiden und die Samen und Rippen entfernen. Mit der Innenfläche nach unten unter einem heißen Grill oder im Backofen 8 Minuten rösten, bis die Haut schwarz wird und Blasen wirft. Aus dem Backofen nehmen, mit einem feuchten Küchenhandtuch abdecken und abkühlen lassen. Die Haut abziehen und das Fleisch in dünne Streifen schneiden. Beiseite stellen.

3 Die Auberginen in 1 cm breite Scheiben schneiden und in einem Topf mit kochendem Wasser 1 Minute blanchieren, bis sie fast weich sind. Abtropfen, mit Küchenkrepp trockentupfen und beiseite stellen.

4 Das Öl in einer großen gußeisernen Pfanne erhitzen und die Zwiebel, den Knoblauch und die Kräuter bei Mittelhitze 5 Minuten garen, bis die Zwiebel weich ist. Die Champignons zugeben und 1 Minute garen.

5 Die Tomaten, die Bohnen, die Chilisauce und Salz und Pfeffer nach Geschmack unterrühren. Aufkochen, dann bei Niedrighitze 15 Minuten köcheln lassen, bis die Sauce eindickt. Vom Herd nehmen und beiseite stellen.

6 Für die Käsesauce die Butter in einer Pfanne zerlassen und das Mehl bei Mittelhitze 1 Minute unterrühren, bis es eine glatte Schwitze ergibt. Vom Herd nehmen und die Milch unterrühren. Nun den Topf wieder auf die Herdplatte stellen und die Sauce ständig rühren, bis sie aufkocht und eindickt. Noch 1 Minute köcheln lassen, dann den Ricotta oder den Quark glatt einrühren.

7 Den Boden der Form mit 4 Lasagnescheiben auslegen und dann im Wechsel Auberginen, Spinat, Basilikum, Paprika, die Pilzsauce und die getrockneten Tomaten und wieder Lasagnescheiben darüberschichten. Mit einer Lasagneschicht abschließen, darauf die Käsesauce gießen und mit Käse bestreuen. 45 Minuten backen, bis die Nudeln gar sind.

PRO PERSON: *Protein 35 g; Fett 35 g; Kohlenhydrate 65 g; Ballaststoffe 15 g; Cholesterol 95 mg; 2965 kJ (710 Kcal)*

OBEN: Gemüselasagne

GLATTE PETERSILIE
Im Gegensatz zur deutschen krausen Petersilie ist die italienische Variante der Petersilie glatt. Sie schmeckt intensiver als die deutsche Petersilie und wird in der Küche häufiger als Aromaverstärker eingesetzt. Dennoch ist sie so mild im Geschmack, daß man sie auch in größerer Menge verarbeiten, zum Eindicken an Gerichte geben oder zum aromatischen Ausgleich anderer Zutaten verwenden kann. Die Stengel sind zarter im Geschmack. Bei Gerichten, die kein zu intensives Kräuteraroma vertragen, kann man die Blätter durch die Stengel ersetzen.

OBEN: Spaghetti Napolitana mit ganzen Tomatenstücken

SPAGHETTI NAPOLITANA MIT TOMATENSTÜCKEN

Vorbereitungszeit: 20 Minuten
Kochzeit: 1 Stunde
Für 6 Personen

2 EL Olivenöl
1 Zwiebel, feingehackt
1 Möhre, gewürfelt
1 Selleriestange, gewürfelt
500 g reife Tomaten
120 ml Weißwein
2 EL Zucker
500 g Spaghetti
1 EL frische glatte Petersilie, feingehackt
1 EL frischer Oregano, feingehackt

1 Das Öl in einer gußeisernen Pfanne erhitzen und darin die Zwiebel, die Möhre und den Sellerie bei Niedrighitze unter mehrmaligem Umrühren 10 Minuten dünsten, aber nicht bräunen.

2 Die Tomaten hacken und mit dem Wein und dem Zucker zugeben. Die Sauce aufkochen, dann bei Niedrighitze abgedeckt unter mehrmaligem Umrühren 45 Minuten köcheln lassen. Mit Salz und schwarzem Pfeffer aus der Mühle abschmecken. Falls die Sauce zu sehr eindickt, mit bis zu 180 ml Wasser verdünnen.

3 15 Minuten vor dem Ende der Kochzeit die Spaghetti in einem großen Topf mit sprudelndem Salzwasser *al dente* kochen. Abtropfen und wieder in den Topf geben. Zwei Drittel der Sauce, die Petersilie und den Oregano an die Pasta geben und vorsichtig durchheben. In Spaghettischalen oder einer Schüssel servieren und die restliche Sauce bei Tisch reichen.

PRO PERSON: *Protein 10 g; Fett 7 g; Kohlenhydrate 65 g; Ballaststoffe 7 g; Cholesterol 0 mg; 1595 kJ (380 Kcal)*

KAPERN

Bei Kapern handelt es sich um die kleinen, noch unreifen Blütenknospen des Kapernstrauchs. Sie werden in Essig oder Öl eingelegt, und ihr pikantes Aroma eignet sich vorzüglich für Fisch- und Fleischgerichte. In Salz eingelegte Kapern haben ein zarteres Aroma. Vor der Verarbeitung muß das Salz sorgfältig abgebraust werden. Kleine Kapern haben einen feineren Geschmack als größere und schmecken knackiger. Da ihre Ernte arbeitsintensiver ist, sind sie allerdings auch teurer.

SPAGHETTI MIT OLIVEN UND KAPERN

Vorbereitungszeit: 20 Minuten
Kochzeit: 20 Minuten
Für 4 Personen

170 ml Olivenöl extra vergine
120 g Semmelbrösel oder geriebenes Weißbrot
3 Knoblauchzehen, feingehackt
40 g Anchovis aus dem Glas, abgetropft und feingehackt, nach Wunsch
300 g schwarze Oliven, entsteint, feingehackt
6 Eiertomaten, enthäutet und zerkleinert
2 EL kleine Kapern
500 g Spaghetti oder Spaghettini

1 2 EL Olivenöl in einer mittelgroßen Pfanne erhitzen und die Semmelbrösel unter Rühren goldbraun und knusprig braten. Aus der Pfanne nehmen und vollständig abkühlen lassen.

2 Das restliche Öl in die Pfanne geben und 1 Minute erhitzen. Den Knoblauch, die Anchovis und die Oliven bei Mittelhitze 30 Sekunden durchrühren. Die Tomaten und Kapern beigeben und 3 Minuten köcheln.

3 Die Pasta in einem großen Topf mit sprudelndem Salzwasser *al dente* kochen. Abtropfen und wieder in den Topf geben. Die Tomatensauce und die Semmelbrösel zugeben und gut vermischen. Nach Wunsch mit Kräutern garnieren und sofort servieren.

PRO PERSON: *Protein 25 g; Fett 45 g; Kohlenhydrate 115 g; Ballaststoffe 15 g; Cholesterol 10 mg; 4065 kJ (970 Kcal)*

OBEN: Spaghetti mit Oliven und Kapern

OBEN: Penne mit Tomaten-Sahne-Sauce

PENNE MIT TOMATEN-SAHNE-SAUCE

Vorbereitungszeit: 25 Minuten
Kochzeit: 20 Minuten
Für 6 Personen

2 Streifen Frühstücksspeck, nach Wunsch
4 große, reife Tomaten
500 g Penne
1 EL Olivenöl
2 Frühlingszwiebeln, in Röllchen geschnitten
2 EL frisches Basilikum, feingezupft
320 ml Sahne

1 Die Speckschwarte entfernen und den Speck in kleine Stücke teilen. Die Tomaten am Stielansatz einschneiden und 1–2 Minuten in kochendes Wasser tauchen. In kaltem Wasser abschrecken, dann die Haut vom Ansatz her abziehen.
2 Die Tomaten halbieren und die Kerne mit einem Löffel herausschaben. Das Tomatenfleisch fein hacken.
3 Die Pasta in einem großen Topf mit sprudelndem Salzwasser *al dente* kochen. Abtropfen und warm halten.
4 Unterdessen das Öl in einer gußeisernen Pfanne erhitzen. Den Speck und die Frühlingszwiebeln bei Mittelhitze unter gelegentlichem Rühren 5 Minuten anbraten. Das Basilikum und die Sahne dazugeben und mit Salz und Pfeffer abschmecken. 5 Minuten köcheln lassen. Nun die Tomaten zugeben und 2–3 Minuten vollständig erwärmen. Schließlich die Sauce über die Pasta geben und servieren.

PRO PERSON: *Protein 15 g; Fett 25 g; Kohlenhydrate 65 g; Ballaststoffe 6 g; Cholesterol 80 mg; 2325 kJ (555 Kcal)*

FARFALLE MIT PILZEN

Vorbereitungszeit: 20 Minuten
Kochzeit: 15 Minuten
Für 4 Personen

500 g Farfalle
50 g Butter
2 Knoblauchzehen, feingeschnitten
500 g Champignons, feingeschnitten
2 EL trockener Sherry
60 ml Hühnerbrühe
90 g Schmand
2 EL frische Schnittlauchröllchen
2 EL frische, glatte Petersilie, feingehackt
2 EL frischer Thymian, feingehackt
frisch geriebener Parmesan zum Servieren

1 Die Farfalle in einem großen Topf mit sprudelndem Salzwasser *al dente* kochen. Abtropfen und erneut in den Topf geben.
2 Unterdessen die Butter in einer großen Pfanne erhitzen und den Knoblauch 1 Minute bei Mittelhitze garen.
3 Die Champignons zugeben. Sobald sie das Fett aufgesogen haben, mit Sherry, Brühe und Schmand aufgießen. Gut vermengen und aufkochen. Bei Niedrighitze 4 Minuten köcheln lassen.
4 Die Pilzsauce und die Kräuter mit der Pasta mischen. Den geriebenen Parmesan über die Pasta streuen, nach Wunsch auch etwas Steakpfeffer.

PRO PERSON: *Protein 20 g; Fett 25 g; Kohlenhydrate 90 g; Ballaststoffe 10 g; Cholesterol 65 mg; 2790 kJ (665 Kcal)*

RIGATONI MIT KÜRBISSAUCE

Vorbereitungszeit: 15 Minuten
Kochzeit: 25 Minuten
Für 6 Personen

500 g Rigatoni oder große Penne
1 kg Garten- oder Winterkürbis
2 Lauchstangen
30 g Butter
eine Prise Muskat
320 ml Sahne
3 EL geröstete Pinienkerne

1 Die Pasta in einem großen Topf mit sprudelndem Salzwasser *al dente* kochen. Abtropfen und wieder in den Topf geben.
2 Den Kürbis schälen, die Kerne entfernen und das Fleisch feinwürfeln. Die Lauchstangen sorgfältig abbrausen, um Erde und Schmutzrückstände zu entfernen. In feine Röllchen schneiden. Die Butter in einem großen Topf erhitzen und die Lauchstangen abgedeckt 5 Minuten bei Niedrighitze köcheln lassen. Gelegentlich umrühren.
3 Den Kürbis und den Muskat zugeben und abgedeckt 8 Minuten köcheln lassen. Die Sahne und 3 EL Wasser zugießen und aufkochen. Den Kürbis unter gelegentlichem Rühren 8 Minuten weich garen.
4 Die Pasta auf Spaghettischalen verteilen und die Sauce darüber löffeln. Mit Pinienkernen bestreuen und sofort servieren.
Hinweis: Die Pinienkerne bei Niedrighitze in einer beschichteten Pfanne ohne zusätzliches Öl goldbraun rösten, dabei die Pfanne öfter rütteln. Man kann sie auch auf einem Backblech unter einem heißen Grill rösten. Den Bräunungsgrad sollte man mehrmals überprüfen, denn sie brennen schnell an.

PRO PERSON: *Protein 20 g; Fett 15 g; Kohlenhydrate 90 g; Ballaststoffe 10 g; Cholesterol 65 mg; 2790 kJ (665 Kcal)*

UNTEN: Rigatoni mit Kürbissauce

LINGUINE MIT ROTEN PAPRIKA

Vorbereitungszeit: 20 Minuten
Kochzeit: 30 Minuten
Für 6 Personen

3 rote Paprika
3 EL Olivenöl
1 große Zwiebel, in Ringe geschnitten
2 Knoblauchzehen, zerdrückt
eine Messerspitze Chilipulver oder gestoßene Chillies
120 ml Sahne
2 EL frischer Oregano, feingehackt
500 g Linguine oder Spaghetti (Eier- oder Spinatgeschmack)

1 Die Paprika in große, flache Stücke teilen und die Samen und Rippen entfernen. Mit der Innenseite nach unten unter einen heißen Grill legen oder im Backofen rösten, bis die Haut schwarz ist und Blasen wirft. Aus dem Backofen nehmen, mit einem feuchten Küchenhandtuch abdecken und die Haut abziehen, sobald die Paprika abgekühlt sind. Dann in dünne Scheiben schneiden.
2 Das Öl in einer großen gußeisernen Pfanne erhitzen und die Zwiebel bei Niedrighitze 8 Minuten weich dünsten. Die Paprikastreifen, den Knoblauch, Chili und die Sahne zugeben und 2 Minuten unter gelegentlichem Rühren köcheln lassen. Den Oregano beigeben und mit Salz und Pfeffer abschmecken.
3 15 Minuten vor Kochende die Pasta in einem großen Topf mit sprudelndem Salzwasser *al dente* kochen. Abtropfen und wieder in den Topf geben. Schließlich die Sauce sorgfältig mit der heißen Pasta vermengen.
Hinweis: Falls Sie keinen frischen Oregano bekommen, können Sie ihn durch getrockneten ersetzen. Dabei verringert sich die Menge um ungefähr ein Drittel, denn getrocknete Kräuter sind geschmacksintensiver als frische. Bevorzugen Sie hingegen einen stärkeren Paprikageschmack an der Sauce, können Sie die Sahne weglassen.

PRO PERSON: *Protein 10 g; Fett 20 g; Kohlenhydrate 65 g; Ballaststoffe 5 g; Cholesterol 30 mg; 2050 kJ (490 Kcal)*

FUSILLI MIT GRÜNER SAUCE

Vorbereitungszeit: 10 Minuten
Kochzeit: 15 Minuten
Für 6 Personen

500 g Fusilli
1 Zwiebel
2 Zucchini
5–6 große Mangoldblätter
2 Anchovis, nach Wunsch
2 EL Olivenöl
1 EL Kapern
50 g Butter
60 ml Weißwein

1 Die Pasta in einem großen Topf mit sprudelndem Salzwasser *al dente* kochen. Abtropfen und wieder in den Topf geben.
2 Währenddessen die Zwiebel fein hacken, die Zucchini fein reiben. Die Stiele des Mangolds entfernen und die Blätter fein hacken. Wenn Anchovis verwendet werden, diese grob hacken. Das Olivenöl und die Butter in einer großen gußeisernen Pfanne erhitzen. Die Zwiebel und die Zucchini 3 Minuten bei Mittelhitze mit einem Holzlöffel durchrühren.
3 Die Anchovis, die Kapern, den Wein sowie Salz und Pfeffer nach Geschmack zugeben und 2 Minuten unter Rühren köcheln lassen. Den Mangold 1–2 Minuten in der Sauce weich dünsten. Die grüne Sauce gut mit der warmen Pasta vermengen.
Hinweis: Statt Mangold eignet sich auch Blattspinat. Für dieses Rezept werden 500 g frischer Spinat benötigt.

PRO PERSON: *Protein 10 g; Fett 15 g; Kohlenhydrate 60 g; Ballaststoffe 10 g; Cholesterol 20 mg; 1815 kJ (430 Kcal)*

MANGOLD
Was den Mangold ungewöhnlich macht, ist die Verwendungsmöglichkeit von Blatt und Stiel als zwei verschiedenen Gemüsen: Die Blätter kann man wie Spinat, die Stiele wie Spargel zubereiten. Letztere haben einen süßes, nussiges Aroma. Man trennt sie von den Blättern, wäscht sie und zieht die faserige Außenhaut in Längsrichtung ab, bevor man sie kocht oder dünstet. Mangoldblätter sind härter und weniger lieblich im Geschmack als Spinatblätter. Man kann sie zu Füllung verarbeiten und die robusten Blätter auch als Päckchen aufrollen, um sie dann zu backen oder zu schmoren.

GEGENÜBERLIEGENDE SEITE: Linguine mit roten Paprika (oben); Fusilli mit grüner Sauce

FRISCHE SEMMEL-BRÖSEL
Anstelle der gekauften Semmelbrösel beim Bäkker kann man Semmelbrösel auch leicht selbst herstellen: Brot von der Rinde befreien, in größere Stücke zerteilen und in der Küchenmaschine zu Brösel verarbeiten. Kleinere und gleichmäßigere Brösel erhält man mit noch tiefgefrorenen geriebenem Brot. Semmelbrösel sollten sofort verwendet werden. Das Brot sollte generell nicht älter als 2 Tage sein, denn altbackenes Brot kann geschmackliche Einbußen erleiden, die auch das Gericht, dem Semmelbrösel beigegeben werden, beeinträchtigen.

OBEN: Spaghetti mit Kräutern und Tomaten

SPAGHETTI MIT KRÄUTERN UND TOMATEN

Vorbereitungszeit: 20 Minuten
Kochzeit: 15 Minuten
Für 4 Personen

20 g Semmelbrösel oder Weißbrot, gerieben
500 g Spaghetti
4 EL Olivenöl
2 Knoblauchzehen, feingewürfelt
30 g gehackte frische Kräuter (Basilikum, Petersilie, Koriander)
4 Tomaten, gehackt
30 g gehackte Walnüsse
30 g frisch geriebener Parmesan sowie zusätzlicher Parmesan zum Servieren

1 Die Semmelbrösel in 1 EL Öl in einer großen Bratpfanne goldbraun braten. Herausnehmen und beiseite stellen.
2 Die Spaghetti in einem großen Topf mit sprudelndem Salzwasser *al dente* kochen und abtropfen.
3 2 EL Olivenöl in der Pfanne erhitzen und den Knoblauch weich dünsten.
4 Das restliche Öl, die Kräuter, die Tomaten, die Walnüsse und den Parmesan zugeben. Die Pasta in die Pfanne geben und alles 1–2 Minuten gut verrühren und erwärmen. Schließlich mit Semmelbrösel und Parmesan garnieren.

PRO PERSON: *Protein 20 g; Fett 25 g; Kohlenhydrate 95 g; Ballaststoffe 9 g; Cholesterol 6 mg; 2825 kJ (620 Kcal)*

ALS BEILAGE

WALDORFSALAT In einer Schüssel 3 entkernte und feingewürfelte saure Äpfel mit 100 g in der Pfanne ohne zusätzliches Fett gerösteten Walnüssen, 2 in Ringe geschnittenen Selleriestangen und 200 g blauen Weintrauben mengen. Ein Brathähnchen von Haut und Knochen befreien, das Fleisch fein schneiden und unter den Salat geben. Dann mit einem Dressing aus 250 g Vollei-Mayonnaise, 60 g Naturjoghurt und 1 TL mildem Currypuder vermengen und sofort servieren.

FETTUCCINE PRIMAVERA

Vorbereitungszeit: 35 Minuten
Kochzeit: 15 Minuten
Für 6 Personen

500 g Fettuccine
150 g grüner Spargel
150 g dicke Bohnen (frisch oder tiefgefroren)
30 g Butter
1 Selleriestange, in Röllchen geschnitten
150 g Tiefkühlerbsen
320 ml Sahne
50 g frisch geriebener Parmesan

1 Die Pasta in einem großen Topf mit sprudelndem Salzwasser *al dente* kochen. Abtropfen und wieder in den Topf geben.
2 Währenddessen den Spargel von den holzigen Enden befreien und klein schneiden. In kochendem Wasser 2 Minuten blanchieren. Mit einem Schaumlöffel aus dem Topf heben und in einer Schüssel mit Eiswasser abschrecken.
3 Die Bohnen ins kochende Wasser geben. Kurz blanchieren und sofort wieder in kaltem Wasser abkühlen. Abtropfen und enthülsen. Frische dicke Bohnen 2–5 Minuten im Wasser weich kochen. Bei jungen Bohnen kann man die Schale mitessen; andere sollten geschält werden.
4 Die Butter in einer gußeisernen Pfanne erhitzen und den Sellerie 2 Minuten unter Rühren andünsten. Die Erbsen und die Sahne zugeben und 3 Minuten köcheln lassen. Den Spargel, die Bohnen, den Parmesan sowie Salz und Pfeffer nach Geschmack zufügen. Die Sauce aufkochen und 1 Minute kochen lassen. An die Pasta geben und gut mengen.
Hinweis: Für dieses klassische Gericht eignet sich jedes Gemüse; Lauch, Zucchini, Bohnen, Zuckererbsen und Zuckermarkerbsen passen besonders gut. Traditionell wird es mit Frühlingsgemüse zubereitet.

PRO PERSON: *Protein 20 g; Fett 10 g; Kohlenhydrate 95 g; Ballaststoffe 10 g; Cholesterol 5 mg; 2295 kJ (545 Kcal)*

ALS BEILAGE

SALAT AUS ROTER BETE UND NEKTARINEN 1 Glas küchenfertige rote Bete in Scheiben schneiden. Dann 4 Nektarinen in Spalten teilen. Die rote Bete und die Nektarinen mit 2 EL pfannengerösteten Sonnenblumenkernen und 2 EL frischem Kerbel mischen. Anschließend mit einem Dressing aus 1 EL grobkörnigem Senf, 2 EL Himbeeressig, 2 EL Honig, 3 EL Naturjoghurt und 3 EL Öl beträufeln und sofort servieren.

WARME BROKKOLIRÖSCHEN MIT MANDELN Brokkoliröschen gar kochen, dann die Röschen kurz in Eiswasser tauchen und anschließend mit gerösteten Mandelflocken bestreuen. Bereiten Sie ein Dressing aus zerlassener Butter und zerdrücktem Knoblauch zu, und träufeln Sie zum Schluß Zitronensaft darüber.

OBEN: Fettuccine Primavera

KICHERERBSEN
Kichererbsen, die in Italien *ceci* heißen, stammen ursprünglich aus der Mittelmeerregion und sind heute besonders in Spanien, Süditalien und Nordafrika sehr beliebt. Ihr nußähnlicher Geschmack verbindet sich hervorragend mit anderen Aromen, und ihre knackig frische Konsistenz paßt vorzüglich zu Salaten. Mit Kichererbsenmehl werden süße und pikante Kuchen gebacken. Getrocknete Kichererbsen müssen vor der Weiterverarbeitung über Nacht eingeweicht werden. Gekochte Kichererbsen in Dosen sind dazu eine zeitsparende Alternative.

GEGENÜBERLIEGENDE SEITE: Penne mit Kürbis in Zimtsauce (oben); Conchiglie mit Kichererbsen

PENNE MIT KÜRBIS IN ZIMTSAUCE

Vorbereitungszeit: 25 Minuten
Kochzeit: 30 Minuten
Für 4 Personen

350 g Garten- oder Winterkürbis
500 g Penne
25 g Butter
1 Zwiebel, feingehackt
2 Knoblauchzehen, zerdrückt
1 TL Zimt
250 ml Sahne
1 EL Honig
40 g frisch geriebenem Parmesan
frische Schnittlauchröllchen als Garnierung

1 Den Kürbis schälen, die Kerne entfernen und das Fleisch fein würfeln. In der Mikrowelle oder in kochendem Wasser bißfest garen. Gut abtropfen.
2 Die Penne in einem großen Topf mit sprudelndem Salzwasser *al dente* kochen. Abtropfen und wieder in den Topf geben.
3 Während die Pasta kocht, die Butter in einer Bratpfanne zerlassen und die Zwiebel bei Mittelhitze goldbraun und weich dünsten. Den Knoblauch und den Zimt beigeben und 1 Minute dünsten.
4 Die Sahne dazugießen und den Kürbis und den Honig unterrühren. 5 Minuten köcheln lassen, bis die gleichmäßig durchgewärmte Sauce reduziert und leicht eindickt.
5 Den Parmesan unterrühren, bis er geschmolzen ist. Mit Salz und schwarzem Pfeffer aus der Mühle abschmecken. Die Sauce über die Penne gießen und gut unterheben. Schließlich mit Schnittlauch bestreuen.
Hinweis: gehobelter Parmesan eignet sich ebenfalls als Garnierung. Hierzu Parmesan am Stück verwenden und mit einem Schälmesser Flocken abhobeln.

PRO PERSON: *Protein 20 g; Fett 35 g; Kohlenhydrate 105 g; Ballaststoffe 10 g; Cholesterol 110 mg; 3465 kJ (830 Kcal)*

CONCHIGLIE MIT KICHERERBSEN

Vorbereitungszeit: 15 Minuten
Kochzeit: 20 Minuten
Für 4 Personen

☆

500 g Conchiglie
2 EL Olivenöl extra vergine
1 rote Gemüsezwiebel, in feine Ringe geschnitten
2–3 Knoblauchzehen, zerdrückt
425 g Kichererbsen aus der Dose
80 g getrocknete Tomaten, abgetropft und in dünne Streifen geschnitten
1 TL geriebene Schale von 1 ungespritzten Zitrone
1 TL frische rote Chillies, feingehackt
2 EL Zitronensaft
1 EL frischer Oregano, feingehackt
1 EL frische glatte Petersilie, feingehackt
frisch gehobelter Parmesan

1 Die Conchiglie in einem großen Topf mit sprudelndem Salzwasser *al dente* kochen. Abtropfen und wieder in den Topf geben.
2 Währenddessen das Öl in einer Bratpfanne erhitzen und die Zwiebel weich und goldbraun dünsten.
3 Den Knoblauch zugeben und 1 Minute dünsten. Die abgebrausten und abgetropften Kichererbsen, die getrockneten Tomaten, die Zitronenschale und die Chillies zugeben und bei hoher Hitze vollständig erwärmen. Den Zitronensaft und die Kräuter einrühren.
4 Die Sauce mit der Pasta mengen und mit Salz und Pfeffer abschmecken. Mit Parmesan bestreuen und sofort servieren.

PRO PERSON: *Protein 40 g; Fett 20 g; Kohlenhydrate 145 g; Ballaststoffe 25 g; Cholesterol 2 mg; 3725 kJ (890 Kcal)*

OLIVEN

Der säuerlich intensive Geschmack dieser kleinen grünen, schwarzen oder braunen Früchte verleiht unzähligen Gerichten der mediterranen und anderen Küchen der Welt einen fruchtig herben Geschmack.

OLIVEN

Der Olivenbaum ist der älteste kultivierte Baum der Welt. Er stammt aus Afrika und Kleinasien und wird seit über 6000 Jahren auch im Mittelmeerraum gepflanzt. Fünf Jahre vergehen, bis ein Olivenbaum erstmals Früchte trägt; seine Lebensdauer erreicht meist über 100 Jahre. Der Olivenbaum kann auch einem rauhen Klima trotzen. Seine Zweige gelten seit langem als Friedenssymbol. Schwarze und grüne Oliven stammen vom gleichen Baum, allerdings werden die grünen Früchte unreif gepflückt. Manchmal erhält man Oliven beim türkischen Gemüsehändler oder auf gutsortierten Wochenmärkten noch unbehandelt. Zum Einlegen wird 1 kg Oliven 6 Wochen in einem Eimer mit kaltem Wasser gewässert. Das Einweichwasser muß alle zwei Tage erneuert und die Oliven dabei abgetropft werden. Dann werden sie mit Hagelsalz bedeckt und marinieren darin zwei Tage. Nun wird das Salz abgespült und die Oliven getrocknet. In sterilisierten Gefäßen werden sie mit konservierten Zitronenscheiben, feingeschnittenem Knoblauch, Koriandersamen und Thymian dekoriert und mit einer Marinade aus einer Hälfte Öl und einer Hälfte Weißweinessig bedeckt. Zwei Wochen müssen die gut verschlossenen Gefäße stehen und halten sich einem kühlen, dunklen Ort bis zu 6 Monaten.

SAUTIERTE SCHWARZE OLIVEN

500 g eingelegte schwarze Oliven mit runzeliger Oberfläche über Nacht in warmem Wasser einweichen. Dann abbrausen und abtropfen. 3 EL Öl in einer großen Bratpfanne erhitzen und 1 in Ringe geschnittene Zwiebel 2 Minuten anbräunen. Nun die Oliven zugeben und 10 Minuten weich dünsten. Zwiebel und Oliven mit einem Schaumlöffel aus der Pfanne heben und abtropfen. Einige Oreganozweige in der Pfanne anbräunen lassen. Vollständig abkühlen lassen. In einem sterilisierten Gefäß bis zu 3 Wochen kühl stellen.

PRO 100 G: *Protein 0 g; Fett 25 g; Kohlenhydrate 1 g; Ballaststoffe 0 g; Cholesterol 0 mg; 770 kJ (185 Kcal)*

OLIVEN MIT CHILLIES UND KNOBLAUCH

500 g in Lake eingelegte Kalamata-Oliven abspülen und abtropfen. An den Seiten leicht einschneiden. Die Oliven abwechselnd mit feinen Streifen abgezogener ungespritzter Orangenschale, 1 TL zerstoßenen Chilischoten, 4 kleinen, halbierten roten Chillies, 2 feingeschnittenen Knoblauchzehen und 4 Rosmarinzweigen in ein sterilisiertes Gefäß schichten. 2 EL Zitronensaft mit 250 ml Olivenöl mischen und zugießen, bei Bedarf mit zusätzlichem Olivenöl versiegeln. Abgedeckt an einem kühlen, dunklen Ort 2 Wochen marinieren.

PRO 100 G: *Protein 0 g; Fett 40 g; Kohlenhydrate 1 g; Ballaststoffe 0 g; Cholesterol 0 mg; 1380 kJ (330 Kcal)*

TAPENADE MIT OLIVEN UND TOMATEN

3 Anchovis 10 Minuten in Milch einweichen, abbrausen und abtropfen. Die Filets, 150 g entsteinte schwarze Nicoise-Oliven, 2 Knoblauchzehen und 2 EL Kapern grob hacken und mit der Schale 1 ungespritzten Zitrone einige Sekunden in der Küchenmaschine pürieren. In einer Schüssel mit 80 g gehackten getrockneten Tomaten, 2 EL Zitronensaft, 1 EL gehackter glatter Petersilie und 2 EL Olivenöl extra vergine mengen. Auf Bruschettabrot servieren.

PRO 100 G: *Protein 2 g; Fett 15; Kohlenhydrate 2 g; Ballaststoffe 1 g; Cholesterol 3 mg; 620 kJ (145 Kcal)*

OBEN, VON LINKS: Eingelegte frische Oliven; Sautierte schwarze Oliven; Oliven mit Chillies und Knoblauch; Tapenade mit Oliven und Tomaten

UNTEN: *Spaghetti aus Siracusa*

SPAGHETTI AUS SIRACUSA

Vorbereitungszeit: 15 Minuten
Kochzeit: 1 Stunde
Für 6 Personen

☆

- 1 große grüne Paprika
- 2 EL Olivenöl
- 2 Knoblauchzehen, zerdrückt
- 850 g Dosentomaten, zerkleinert
- 2 Zucchini, in Scheiben geschnitten
- 2 Anchovis, feingehackt (nach Wunsch)
- 1 EL Kapern, gehackt
- 40 g schwarze Oliven, entsteint und halbiert
- 2 EL frisches Basilikum, feingezupft
- 500 g Spaghetti oder Linguine
- 50 g frisch geriebener Parmesan zum Servieren

1 Die Rippen und Samen der Paprika entfernen und das Fruchtfleisch in dünne Streifen schneiden. Das Öl in einer großen, tiefen Pfanne erhitzen, und den Knoblauch bei Niedrighitze 30 Sekunden unter Rühren dünsten. 120 ml Wasser, die Paprika, die Tomaten, die Zucchini, die Kapern und die Oliven beigeben, ebenso die Anchovis, falls sie verwendet werden. 20 Minuten unter gelegentlichem Rühren köcheln lassen. Das Basilikum unterziehen und mit Salz und Pfeffer abschmecken.

2 Unterdessen die Pasta in einem großen Topf mit sprudelndem Salzwasser *al dente* kochen. Abtropfen. Die Sauce über die Pasta geben und mit Parmesan bestreuen.

PRO PERSON: *Protein 15 g; Fett 10 g; Kohlenhydrate 65 g; Ballaststoffe 10 g; Cholesterol 10 mg; 1790 kJ (430 Kcal)*

ALS BEILAGE

WARMER MÖHRENSALAT MIT INGWER UND SESAM 500 g kleine Möhren putzen, in Scheiben schneiden und in der Mikrowelle oder im Topf bißfest garen. In einer Schüssel mit einer Marinade aus 1 EL Honig, einer Prise geriebenem Ingwer, 50 g zerlassener Butter, 1 TL (Zitronen)Thymian und 1 EL pfannengerösteter Sesamkörner begießen. Vorsichtig unterheben und sofort servieren.

CHAMPIGNONS
Weiße Zuchtchampignons sind heutzutage sicherlich die am häufigsten verwendeten Pilze. Ihr milder Geschmack, die saubere, klare Farbe und Textur und die kompakte Größe paßt zu fast allen Kocharten. Sie verleihen Füllungen und Saucen Geschmack, können aber auch roh verzehrt werden. Reifere Pilze haben einen leicht oder weit geöffneten Hut, sind geschmacksintensiver und haben auffälligere, dunklere Lamellen. Sie eignen sich für herzhafte Gerichte. In Butter sautiert oder in Rotwein gedünstet, ergeben sie wunderbar aromatische Saucen.

FETTUCCINE BOSCAIOLA

Vorbereitungszeit: 20 Minuten
Kochzeit: 25 Minuten
Für 6 Personen

500 g Champignons
1 große Zwiebel
2 EL Olivenöl
2 Knoblauchzehen, feingehackt
850 g Dosentomaten, grob zerteilt
500 g Fettuccine
2 EL frische glatte Petersilie, feingehackt

1 Die Champignons sorgfältig mit einem feuchten Tuch säubern. Hüte und Stiele fein schneiden.
2 Die Zwiebel grob hacken. Das Öl in einer gußeisernen Pfanne erhitzen und die Zwiebel und den Knoblauch bei Mittelhitze unter gelegentlichem Rühren 6 Minuten goldgelb dünsten. Die Tomaten im Saft und die Pilze zugeben, dann aufkochen lassen. Bei Niedrighitze abgedeckt 15 Minuten köcheln lassen.
3 Unterdessen die Fettuccine in einem großen Topf mit sprudelndem Salzwasser *al dente* kochen. Abtropfen und wieder in den Topf geben.
4 Die Petersilie unterrühren, und mit Salz und Pfeffer abschmecken. Die Sauce unter die Pasta heben.
Hinweis: Diese Sauce läßt sich mit Sahne variieren: Einfach 1 Becher Sahne zusammen mit der Petersilie unterrühren. Die Sauce nicht wieder aufkochen, da sie sonst ausflocken könnte.

PRO PERSON: *Protein 15 g; Fett 10 g; Kohlenhydrate 65 g; Ballaststoffe 10 g; Cholesterol 0 mg; 1640 kJ (390 Kcal)*

OBEN: Fettuccine Boscaiola

RIGATONI MIT BLAUSCHIMMELKÄSE UND BROKKOLI

Vorbereitungszeit: 15 Minuten
Kochzeit: 15 Minuten
Für 4 Personen

500 g Rigatoni
500 g Brokkoli
1 EL Pflanzenöl
1 Zwiebel, in Ringe geschnitten
120 ml trockener Weißwein
250 ml Sahne
eine Prise Cayennepfeffer oder Rosenpaprika
150 g Blauschimmelkäse, feingewürfelt
2 EL Mandelblättchen, geröstet

1 Die Rigatoni in einem großen Topf in sprudelndem Salzwasser *al dente* kochen. Abtropfen und wieder in den Topf geben.
2 Den Brokkoli in Röschen teilen und 2–3 Minuten in Wasser oder in der Mikrowelle weich dünsten. Gut abtropfen.
3 Das Öl in einer großen Pfanne erhitzen und die Zwiebel weich dünsten. Den Wein und die Sahne angießen und 4–5 Minuten köcheln lassen, bis die Sauce etwas reduziert und eingedickt ist. Den Cayennepfeffer und den Käse unterrühren und mit Salz und Pfeffer abschmecken.
4 Den Brokkoli und die Sauce an die Pasta geben und bei Niedrighitze vorsichtig durchwärmen und gut mengen. Mit den gerösteten Mandelblättchen bestreuen.
Hinweis: Auch pikantere Blauschimmelkäse wie Gorgonzola eignen sich.

PRO PERSON: *Protein 30 g; Fett 50 g; Kohlenhydrate 95 g; Ballaststoffe 15 g; Cholesterol 120 mg; 4005 kJ (955 Kcal)*

ALS BEILAGE

KROSS GEBACKENE ZUCCHINI-SCHLEIFEN Mit einem scharfen Schälmesser von großen Zucchini längsseits Schleifen abziehen. Diese leicht in geschlagenem Ei und dann in einer Panade aus Semmelbrösel, fein geriebenem Parmesan und etwas gehackten frischen Kräutern wälzen. In heißem Öl goldbraun fritieren und mit pikanter Tomatensalsa aus dem Glas servieren.

TAGLIATELLE MIT KÜRBIS UND PINIENKERNEN

Vorbereitungszeit: 25 Minuten
Kochzeit: 25 Minuten
Für 4 Personen

30 g Butter
1 große Zwiebel, gehackt
2 Knoblauchzehen, zerdrückt
380 ml Gemüsebrühe
750 g Winterkürbis, geschält und feingewürfelt
eine Prise Muskat
schwarzer Pfeffer aus der Mühle
250 ml Sahne
80 g Pinienkerne, geröstet
500 g frische Tagliatelle
2 EL Schnittlauchröllchen
frisch geriebener Parmesan zum Servieren

1 Die Butter in einer großen Pfanne zerlassen. Die Zwiebel 3 Minuten weich und goldgelb dünsten. Den Knoblauch zugeben und 1 Minute dünsten. Die Brühe angießen und den Kürbis beigeben. Aufkochen lassen, die Hitze etwas reduzieren und den Kürbis weich kochen.
2 Die Sauce bei Niedrighitze mit Pfeffer und Muskat abschmecken. Die Sahne einrühren und nur leicht erwärmen, aber nicht aufkochen. Die Sauce in der Küchenmaschine 30 Sekunden glattpürieren.
3 Unterdessen die Pasta in einem großem Topf mit sprudelndem Salzwasser *al dente* kochen. Abtropfen und wieder in den Topf geben.
4 Die Sauce zugießen und vorsichtig erwärmen. Die Pasta und die Pinienkerne unterheben und mit Schnittlauchröllchen bestreuen. Den Parmesan separat reichen. Auf dem Foto wurde das Gericht mit Lorbeerblättern garniert.
Hinweis: Die Pinienkerne bei Niedrighitze in einer beschichteten Pfanne goldgelb rösten.

PRO PERSON: *Protein 25 g; Fett 50 g; Kohlenhydrate 105 g; Ballaststoffe 10 g; Cholesterol 110 mg; 4115 kJ (980 Kcal)*

PINIENKERNE
Pinienkerne sind die cremefarbenen, kleinen, länglichen Kerne der Zapfen der Pinie, einer Kiefernart. Pinien sind typisch für das Erscheinungsbild mediterraner Landschaften, in denen sie auch ursprünglich beheimatet waren. Ihre Kerne sind nur ausgehülst und blanchiert erhältlich. Das Aroma läßt sich durch Rösten in der Pfanne noch verstärken. Pinienkerne finden sowohl in Süßspeisen und Desserts Verwendung als auch in pikanten Gerichten.

GEGENÜBERLIEGENDE SEITE: Rigatoni mit Blauschimmelkäse und Brokkoli (oben); Tagliatelle mit Kürbis und Pinienkernen

KIRSCHTOMATEN
Kirschtomaten werden aus Spanien, Israel, der Türkei und Italien in verschiedenen Größen und Sorten nach Deutschland geliefert. Alle eignen sich bestens für Salate, einige auch für kurze Kochzeiten. Ihr Säuregehalt ist niedrig; einige schmecken sogar sehr süß.

GEGENÜBERLIEGENDE SEITE: Penne in einer würzigen Sauce mit Paprika (oben); Fettuccine mit Zuckererbsen und Walnüssen

PENNE IN EINER WÜRZIGEN SAUCE MIT PAPRIKA

Vorbereitungszeit: 30 Minuten
Kochzeit: 12 Minuten
Für 4 Personen

1 große rote Paprika
1 große grüne Paprika
1 große gelbe Paprika
500 g Penne
80 ml Olivenöl
2 EL süße Chilisauce
1 EL Rotweinessig
20 g frischer Koriander, gehackt
250 g Kirschtomaten, halbiert
frisch geriebener Parmesan zum Servieren

1 Die Paprika in große, flache Stücke teilen und von Samen und Rippen befreien. Mit der Innenseite nach unten unter einem heißen Grill oder im Backofen 8 Minuten rösten, bis die Haut schwarz ist und Blasen wirft. Aus dem Backofen nehmen und mit einem feuchten Küchenhandtuch abdecken. Wenn sie abgekühlt sind, die Haut abziehen und das Fruchtfleisch in dünne Streifen schneiden.
2 Unterdessen die Penne in einem großen Topf mit kochendem Salzwasser *al dente* kochen. Abtropfen und wieder in den Topf geben.
3 Während die Pasta kocht, das Öl, die Chilisauce und den Rotweinessig verquirlen und mit Salz und Pfeffer abschmecken.
4 Die Sauce mit dem frischen Koriander, den Paprika und den Kirschtomaten unter die Pasta mengen. Mit frischem Parmesan bestreut servieren.
Hinweis: Dieses Gericht kann warm als Hauptgericht oder bei Zimmertemperatur als Salat gereicht werden und paßt sehr gut zu Huhn oder Grillfleisch.

PRO PERSON: *Protein 20 g; Fett 25 g; Kohlenhydrate 95 g; Ballaststoffe 10 g; Cholesterol 5 mg; 2795 kJ (665 Kcal)*

FETTUCCINE MIT ZUCKERERBSEN UND WALNÜSSEN

Vorbereitungszeit: 30 Minuten
Kochzeit: 15 Minuten
Für 4 Personen

500 g Fettuccine oder Linguine
60 g gehackte Walnüsse
30 g Butter
1 große Zwiebel, gehackt
4 Scheiben Frühstücksspeck, gehackt (nach Wunsch)
1 Knoblauchzehe, zerdrückt
180 ml trockener Weißwein
250 ml Sahne
250 g Zuckererbsen, in Stücke geschnitten

1 Die Fettuccine in einem großen Topf mit sprudelndem Salzwasser *al dente* kochen. Abtropfen und wieder in den Topf geben.
2 Unterdessen die Walnüsse auf ein mit Alufolie ausgelegtes Backblech streuen und bei Mittelhitze unter dem Grill oder im Backofen 2 Minuten leicht anrösten. Nach 1 Minute wenden; darauf achten, daß sie nicht anbrennen. Aus dem Backofen nehmen und abkühlen lassen.
3 Die Butter in einer großen Pfanne zerlassen. Die Zwiebel und den Speck zugeben, und die Zwiebel weich dünsten und den Speck anbräunen. Den Knoblauch zugeben, und 1 Minute dünsten.
4 Den Weißwein und die Sahne angießen, aufkochen lassen und bei Niedrighitze 4 Minuten köcheln lassen. Die Zuckererbsen zugeben und 1 Minute köcheln lassen. Die Sauce und die Walnüsse unter die Pasta heben und mit Salz und Pfeffer abschmecken.
Hinweis: Zwar nimmt das Rösten der Walnüsse etwas Zeit in Anspruch, doch diese sollte man sich für das Gericht nehmen. Rohe Nüsse können bitter und muffig schmecken, besonders, wenn sie alt sind oder im Kühlschrank aufbewahrt wurden.

PRO PERSON: *Protein 30 g; Fett 45 g; Kohlenhydrate 95 g; Ballaststoffe 10 g; Cholesterol 125 mg; 3930 kJ (940 Kcal)*

WALNÜSSE
Walnüsse sind von einer harten, runden Schale umgeben und bestehen aus zwei gefurchten, cremefarbenen, mild schmeckenden Hälften. Gehackt sind sie Bestandteil vieler Pastasaucen, gehören an Fruchtsalate, gemischte Salate und Kekse. In der Schale halten sie sich im Kühlschrank bis zu 6 Monaten. Walnußkerne sollten luftdicht oder vakuumverpackt gekauft werden. Bewahren Sie sie nach dem Öffnen in einem luftgedichten Glasgefäß im Kühlschrank auf.

OBEN: Tagliatelle mit Tomaten und Walnüssen

TAGLIATELLE MIT TOMATEN UND WALNÜSSEN

Vorbereitungszeit: 20 Minuten
Kochzeit: 45 Minuten
Für 6 Personen

4 reife Tomaten
1 Möhre
2 EL Öl
1 Zwiebel, feingehackt
1 Selleriestange, in feine Röllchen geschnitten
2 EL frische glatte Petersilie, feingehackt
1 TL Rotweinessig
60 ml Weißwein
500 g Tagliatelle oder Fettuccine
90 g Walnüsse, grobgehackt
40 g frisch geriebener Parmesan zum Servieren

1 Die Tomaten am Ansatz einkreuzen. In einer Schüssel mit kochendem Waser 1–2 Minuten ziehen lassen, kalt abschrecken. Die Haut vom Einschnitt weg abziehen. Das Fruchtfleisch grob hacken. Die Möhre schälen und reiben.
2 1 EL Öl in einer großen gußeisernen Pfanne erhitzen und die Zwiebel und die Selleriestange 5 Minuten bei Niedrighitze unter ständigem Rühren weich dünsten. Essig und Wein verrühren und mit den Tomaten, der Möhre und der Petersilie zugeben. Bei Niedrighitze 25 Minuten köcheln lassen. Mit Salz und Pfeffer abschmecken.
3 15 Minuten vor Ende der Kochzeit die Pasta in einem großen Topf mit sprudelndem Salzwasser *al dente* kochen. Abtropfen, wieder in den Topf geben und die Sauce unterheben.
4 Zwischendurch das restliche Öl in der Pfanne erhitzen und die Walnüsse bei Niedrighitze 5 Minuten rösten. Über die Pasta geben und mit Parmesan bestreuen.

PRO PERSON: *Protein 15 g; Fett 20 g; Kohlenhydrate 65 g; Ballaststoffe 10 g; Cholesterol 5 mg; 2105 kJ (500 Kcal)*

TORTELLINI

Ein Gastwirt hatte einmal das sagenhafte Glück, die Göttin Venus bei sich beherbergen zu dürfen. Er konnte seine Neugier nicht bezähmen und suchte durch das Schlüsselloch einen Blick auf sie zu erhaschen. Ein Blick auf ihren Nabel, umkränzt von den Umrissen des Schlüssellochs, genügte ihm. In Windeseile kehrte er in die Küche zurück und ließ sich von diesem Anblick inspirieren. Das war die Geburtsstunde der Tortellini. In dieser Sage kommt auch die Liebe der Bologneser zu einer ihrer berühmtesten Pastasorten zum Ausdruck.

TORTELLINI MIT AUBERGINEN

Vorbereitungszeit: 10 Minuten
Kochzeit: 20 Minuten
Für 4 Personen

500 g frische Tortellini, mit Ricotta und Spinat gefüllt
60 ml Öl
2 Knoblauchzehen, zerdrückt
1 rote Paprika, feingewürfelt
500 g Aubergine, feingewürfelt
425 g Dosentomaten, zerkleinert
250 ml Gemüsebrühe
120 ml frisches Basilikum, feingezupft

1 Die Tortellini in einem großen Topf mit kochendem Salzwasser *al dente* kochen. Abtropfen und wieder in den Topf geben.
2 Unterdessen das Öl in einer großen Pfanne erhitzen und den Knoblauch und die Paprika unter Rühren bei Mittelhitze 1 Minute dünsten.
3 Die Aubergine zugeben und bei Mittelhitze 5 Minuten unter vorsichtigem Rühren leicht anbräunen.
4 Die Tomaten im Saft und die Gemüsebrühe zugießen, umrühren und aufkochen. Bei Niedrighitze abgedeckt 10 Minuten köcheln, bis das Gemüse weich ist. Das Basilikum und die Pasta unterrühren.
Hinweis: Die Auberginen erst direkt vor dem Kochen aufschneiden, da sie sich bei Kontakt mit Luft braun verfärben.

PRO PERSON: *Protein 20 g; Fett 15 g; Kohlenhydrate 100 g; Ballaststoffe 10 g; Cholesterol 0 mg; 2555 kJ (610 Kcal)*

OBEN: Tortellini mit Auberginen

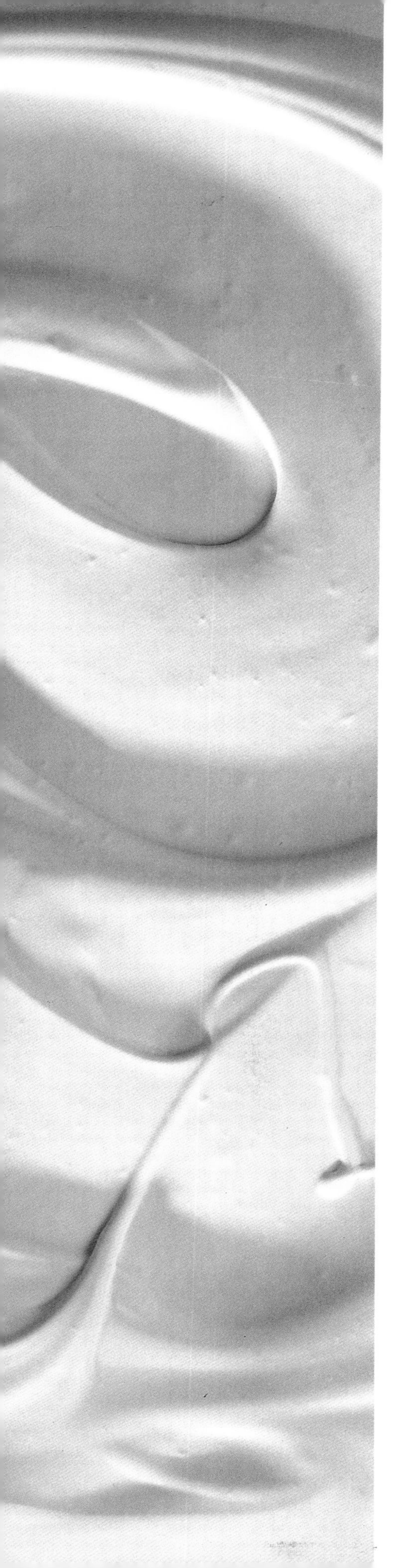

PASTA MIT SAHNESAUCEN

Pasta und Sahne ... eine kulinarische Traumhochzeit, die im Himmel gefeiert wird! Manchmal darf es eben nur das Beste sein. Frische Tagliatelle in einer üppigen Sahnesauce, gekrönt von gehobeltem Parmesan und gewürzt mit Steakpfeffer, könnten den Appetit auf etwas Dekadenz stillen. Traditionell werden Sahnesaucen mit dünnen, langen Pastasorten serviert, doch heutzutage sind die Kombinationsmöglichkeiten unbegrenzt.

FUSILLI MIT DICKEN BOHNEN

Vorbereitungszeit: 30 Minuten
Kochzeit: 25 Minuten
Für 6 Personen

300 g tiefgefrorene dicke Bohnen
4 Scheiben Frühstücksspeck
2 Lauchstangen
2 EL Olivenöl
320 ml Sahne
2 TL geriebene Schale einer ungespritzten Zitrone
500 g Fusilli oder Penne

1 Die Bohnen in kochendem Wasser blanchieren, herausheben, abtropfen und in kaltem Wasser abschrecken. Nochmals abtropfen. Vor dem Enthäuten (siehe Hinweis) auskühlen lassen und die härteren Schalen entfernen.
2 Den Speck vom Rand befreien und fein hacken. Die Lauchstangen sorgfältig waschen, um Schmutz- und Erdrückstände zu entfernen. In feine Röllchen schneiden.
3 Das Öl in einer gußeisernen Pfanne erhitzen. Den Lauch und den Speck bei Mittelhitze unter gelegentlichem Rühren 8 Minuten dünsten, bis der Lauch eine goldgelbe Farbe angenommen hat. Die Sahne zugießen, die Zitronenschale unterheben und aufkochen. Bei Niedrighitze köcheln lassen, bis die Sauce eindickt und an einem Löffelrücken haftet. Die dicken Bohnen zugeben und mit Salz und Pfeffer abschmecken.
4 Unterdessen die Pasta in einem großen Topf mit kochendem Salzwasser *al dente* kochen. Abtropfen und wieder in den Topf geben.
5 Die Sauce und die Pasta gut mengen. Sofort in vorgewärmten Pastaschüsseln servieren.
Hinweis: Dicke Bohnen kann man im voraus kochen und enthäuten und bis zur Weiterverarbeitung in einem luftdichten Gefäß im Kühlschrank aufbewahren. Zum Enthäuten schneidet oder bricht man die Spitze ab und drückt den Kern aus der Hülle heraus. Wenn Bohnen mit ihrer harten Schale verarbeitet werden, beinträchtigt dies den feinen Geschmack und die Konsistenz des Gerichts. Frische dicke Bohnen können anstelle der tiefgefrorenen Bohnen verwendet werden. Sind sie sehr jung, können sie mit Haut gegessen werden. Ältere Bohnen sollten gehäutet werden. 15 Minuten kochen und dann der Sauce beigeben.

PRO PERSON: *Protein 20 g; Fett 30 g; Kohlenhydrate 60 g; Ballaststoffe 10 g; Cholesterol 85 mg; 2575 kJ (615 Kcal)*

OBEN: Fusilli mit dicken Bohnen

ALS BEILAGE

WARMER SALAT AUS FRÜHLINGSGEMÜSE Einige in Scheiben geschnittene Möhren, in Röschen zerteilten Brokkoli, Zuckererbsen, geschnippelte grüne Bohnen, kleinen Zuckermais (vom Asia-Shop) und feingewürfelten Kürbis (nach Wunsch) in kochendem Salzwasser bißfest garen. Abtropfen, mit frischen gehackten Kräutern und etwas zerlassener Butter und Honigsenf vermengen.

GRIECHISCHER SALAT 1 rote Zwiebel fein schneiden, je 1 rote, grüne und gelbe Paprika fein würfeln, 200 g Kirschtomaten halbieren und mit 50 g schwarzen entsteinten Oliven, 2 in dicke Scheiben geschnittenen Salatgurken und 200 g zerbröckelten Fetakäse mischen. Mit einem Dressing aus 2 zerdrückten Knoblauchzehen, 1 EL Rotweinessig und 3 EL Olivenöl würzen.

TAGLIATELLE MIT HÜHNERLEBER IN SAHNESAUCE

Vorbereitungszeit: 20 Minuten
Kochzeit: 15 Minuten
Für 4 Personen

380 g Tagliatelle
300 g Hühnerleber
2 EL Olivenöl
1 Zwiebel, feingehackt
1 Knoblauchzehe, gepreßt
250 ml Sahne
1 EL Schnittlauchröllchen
1 TL zermahlene Senfkörner
2 Eier, verschlagen
frisch geriebener Parmesan und Schnittlauchröllchen zum Servieren

1 Die Tagliatelle in einem großen Topf mit sprudelndem Salzwasser *al dente* kochen. Abtropfen und wieder in den Topf geben.
2 Unterdessen die Hühnerleber von Sehnen befreien und in Scheiben schneiden. Das Öl in einer großen Pfanne erhitzen und die Zwiebel und den Knoblauch bei Niedrighitze unter Rühren dünsten, bis die Zwiebel weich ist.
3 Die Leber zugeben und 2–3 Minuten bei Niedrighitze bräunen. Den Topf vom Herd nehmen und die Sahne, den Schnittlauch, den Senf und Salz und Pfeffer nach Geschmack einrühren. Wieder auf die Herdplatte stellen und aufkochen. Die Eier unterrühren und alles schnell verquirlen. Dann vom Herd nehmen.
4 Die Sauce über die Pasta gießen und gut durchmischen. Mit Parmesan und Schnittlauchröllchen bestreuen und servieren.

PRO PERSON: *Protein 35 g; Fett 50 g; Kohlenhydrate 70 g; Ballaststoffe 5 g; Cholesterol 575 mg; 3675 kJ (880 Kcal)*

SENF
Senf wird aus Senfkörnern (bei einigen Sorten ausgemahlen), Essig oder Wein, Sauermost, Salz und aromatischen Kräutern und Gewürzen hergestellt. Die Samen stammen von verschiedenen Arten der Senfpflanze und haben unterschiedliche Farben, Größen und Schärfegrade. Das eher in England gebräuchliche Senfpulver wird aus gemahlenen Senfkörnern und Weizenmehl hergestellt und meist mit Kurkuma und anderen Gewürzen angereichert.

OBEN: Tagliatelle mit Hühnerleber in Sahnesauce

SCHWARZER PFEFFER
Pfefferkörner sind die Beeren des tropischen Strauchs *piper nigrum*. Im unreifen Zustand sind sie grün und weich, im reifen Zustand rot oder gelb. Schwarze Pfefferkörner werden reif gepflückt und dann in der Sonne getrocknet. So erhalten sie ihre schwarze Farbe und ihr verdorrtes Aussehen. Sie haben den schärfsten Geschmack und das intensivste Aroma. Im gemahlenen Zustand verlieren Pfefferkörner schnell ihre Schärfe. Daher sollte man Pfeffer erst kurz vor der Verwendung mahlen.

GEGENÜBERLIEGENDE SEITE: Penne mit Huhn und Champignons (oben); Rigatoni mit Wurst und Parmesan

PENNE MIT HUHN UND CHAMPIGNONS

Vorbereitungszeit: 30 Minuten
Kochzeit: 25 Minuten
Für 4 Personen

- 30 g Butter
- 1 EL Olivenöl
- 1 Zwiebel, in Ringe geschnitten
- 1 Knoblauchzehe, zerdrückt
- 60 g Prosciutto, feingehackt
- 250 g Hühnerbrustfilet, von Sehnen befreit, in Scheiben geschnitten
- 120 g Champignons, in Scheiben geschnitten
- 1 enthäutete Tomate, halbiert und in Scheiben geschnitten
- 1 EL Tomatenmark, 2fach konzentriert
- 120 ml Weißwein
- 250 ml Sahne
- 500 g Penne
- frisch geriebener Parmesan zum Servieren

1 Die Butter und das Öl in einer großen Pfanne erhitzen und die Zwiebel und den Knoblauch bei Niedrighitze dünsten, bis die Zwiebel weich ist. Den Schinken knusprig braten.
2 Die Hühnerfilets bei Mittelhitze 3 Minuten bräunen. Die Champignons zugeben und 2 Minuten dünsten. Nun die Tomate und das Tomatenmark einrühren. Den Wein angießen und aufkochen. Bei Niedrighitze köcheln lassen, bis die Sauce auf die Hälfte reduziert ist.
3 Die Sahne zugießen und mit Salz und Pfeffer abschmecken. Aufkochen. Bei Niedrighitze köcheln lassen, bis die Sauce eindickt.
4 Unterdessen die Pasta in einem großem Topf mit sprudelndem Salzwasser *al dente* kochen. Abtropfen und wieder in den Topf geben. Die Sauce an die Pasta geben und gut vermischen. Mit Parmesan bestreuen und sofort servieren.

PRO PERSON: *Protein 35 g; Fett 45 g; Kohlenhydrate 95 g; Ballaststoffe 10 g; Cholesterol 145 mg; 3980 kJ (950 Kcal)*

RIGATONI MIT WURST UND PARMESAN

Vorbereitungszeit: 15 Minuten
Kochzeit: 15 Minuten
Für 4 Personen

- 2 EL Olivenöl
- 1 Zwiebel, in Ringe geschnitten
- 1 Knoblauchzehe, zerdrückt
- 500 g italienische Schweinswürstchen oder Salami, in Stücke geschnitten
- 60 g Champignons, in Scheiben geschnitten
- 120 ml trockener Weißwein
- 500 g Rigatoni
- 250 ml Sahne
- 2 Eier
- 50 g frisch geriebener Parmesan
- 2 EL frische glatte Petersilie, feingehackt

1 Das Öl in einer großen Pfanne erhitzen und die Zwiebel und den Knoblauch bei Niedrighitze dünsten, bis die Zwiebel weich ist. Würstchen und Champignons zugeben und die Würstchen durchgaren. Den Wein unterrühren und aufkochen. Bei Niedrighitze köcheln lassen, bis die Flüssigkeit auf die Hälfte reduziert ist.
2 Unterdessen die Pasta in einem großen Topf mit sprudelndem Salzwasser *al dente* kochen. Abtropfen und wieder in den Topf geben.
3 In einer Schüssel die Sahne, die Eier, die Hälfte des Parmesan, die Petersilie und Salz und Pfeffer nach Geschmack sorgfältig verschlagen. Mit der Wurstmischung an die Pasta geben und vermengen. Mit dem restlichen Parmesan bestreuen und servieren.
Hinweis: Weinreste lassen sich einfrieren und eignen sich gut für solche Rezepte.

PRO PERSON: *Protein 40 g; Fett 85 g; Kohlenhydrate 90 g; Ballaststoffe 5 g; Cholesterol 295 mg; 5585 kJ (1335 Kcal)*

BUCATINI IN GORGONZOLASAUCE

Vorbereitungszeit: 10 Minuten
Kochzeit: 20 Minuten
Für 6 Personen

380 g Bucatini oder Spaghetti
200 g Gorgonzola
20 g Butter
1 Selleriestange, in Röllchen geschnitten
320 ml Sahne
250 g frischer Ricottakäse, glatt geschlagen, oder Magerquark, abgetropft

1 Die Pasta in einem großen Topf mit sprudelndem Salzwasser *al dente* kochen. Abtropfen und wieder in den Topf geben.
2 Unterdessen den Gorgonzola fein würfeln.
3 Die Butter in einer mittelgroßen Pfanne zerlassen und den Sellerie 2 Minuten unter Rühren dünsten. Die Sahne, den Ricotta oder Quark, den Gorgonzola zugeben und mit schwarzem Pfeffer aus der Mühle würzen.
4 Bei Niedrighitze unter ständigem Rühren langsam aufkochen. 1 Minute köcheln lassen. Die Sauce an die Pasta geben und gut durchmischen.

PRO PERSON: *Protein 20 g; Fett 40 g; Kohlenhydrate 45 g; Ballaststoffe 5 g; Cholesterol 135 mg; 2690 kJ (640 Kcal)*

ALS BEILAGE

SALAT AUS SÜSSKARTOFFELN MIT JOGHURT UND DILL 1 kg in dicke Scheiben geschnittene Süßkartoffeln in der Mikrowelle oder im Wasser bißfest garen. In einer Schüssel etwas abkühlen lassen und mit 1 in Ringe geschnittenen roten Zwiebel, 200 g Naturjoghurt und viel frischem Dill würzen.

SALAT MIT TOMATEN UND FETAKÄSE Eiertomaten längs halbieren und bei Niedrighitze (150 °C) im Backofen weich dünsten, bis sie einen süßen Geschmack angenommen haben. Auf einer Platte anrichten, und mit zerbröckeltem Fetakäse, feingeschnittenen Anchovis und einigen frischen Oreganoblättern belegen. Olivenöl darübergießen.

GORGONZOLA
Gorgonzola ist ein italienischer Blauschimmelkäse. Im jungen Stadium ist er sahnig und süß, als reifer Käse schmeckt er scharf, intensiv und hat eine etwas krümelige Konsistenz. Er ist nicht nur ein hervorragender Tafelkäse, der ausgezeichnet zu Äpfeln und Birnen paßt, sondern harmoniert auch mit gekochtem Gemüse und mit Fleisch. Beim Erhitzen zerläuft er gut und gibt Sahnesaucen einen angenehmen, üppigen Geschmack. Man kann ihn durch andere, mildere Sorten wie Blue Castello oder Danablu ersetzen.

RECHTS: Bucatini in Gorgonzolasauce

FETTUCCINE MIT CHAMPIGNONS UND BOHNEN IN SAHNESAUCE

Vorbereitungszeit: 20 Minuten
Kochzeit: 20 Minuten
Für 4 Personen

280 g Fettuccine
250 g grüne Bohnen
2 EL Öl
1 Zwiebel, gehackt
2 Knoblauchzehen, zerdrückt
250 g Champignons, in dünnen Scheiben
120 ml Weißwein
320 ml Sahne
120 ml Gemüsebrühe
1 Ei
3 EL frisches Basilikum, feingezupft
100 g Pinienkerne, geröstet
40 g getrocknete Tomaten, in dünnen Streifen
50 g gehobelter Parmesan

1 Die Fettuccine in einem großen Topf mit sprudelndem Salzwasser *al dente* kochen. Abtropfen, wieder in den Topf geben und warm halten.
2 Spitze und Stielansatz der Bohnen entfernen, bei Bedarf fädeln und schnibbeln. Das Öl in einer großen gußeisernen Pfanne erhitzen und die Zwiebel und den Knoblauch bei Mittelhitze 3 Minuten weich dünsten. Die Pilze zugeben und 1 Minute unter Rühren dünsten. Wein, Sahne und Brühe angießen, aufkochen und bei Niedrighitze 10 Minuten köcheln lassen.
3 Das Ei mit etwas Kochflüssigkeit leicht verschlagen, dann langsam in die Pfanne gießen und etwa 30 Sekunden verrühren. Das Verschlagen darf nur bei Niedrighitze geschehen, denn sobald die Sauce kocht, flockt sie aus. Die Bohnen, das Basilikum, die Pinienkerne und die Tomaten zugeben und unter Rühren gleichmäßig erwärmen. Mit Salz und Pfeffer abschmecken. Nun die Sauce über die Pasta geben, mit gehobeltem Parmesan und nach Wunsch mit frischen Kräutern garnieren.

PRO PERSON: *Protein 25 g; Fett 70 g; Kohlenhydrate 55 g; Ballaststoffe 10 g; Cholesterol 165 mg; 3955 kJ (945 Kcal)*

GEMÜSEBRÜHE
Eine gute Gemüsebrühe paßt zu Fleischgerichten und Meeresfrüchten ebenso wie zu Gemüsesaucen, Suppen und Schmorgerichten. Es gibt sie kochfertig als Fond im Glas; man kann sie aber auch selbst aus stärkefreiem Gemüse wie Möhren, Zwiebeln, Lauch, Sellerie oder Steckrüben kochen. Das Gemüse wird dann 30 Minuten mit einem Bouquet garni, 1 Knoblauchzehe und etwas Salz geköchelt; es ergibt eine helle, klare Brühe. Eine einfache Alternative ist die Verwendung von Kochwasser von Möhren oder grünen Bohnen.

OBEN: Fettuccine mit Champignons und Bohnen in Sahnesauce

ANCHOVISFILETS
Am praktischsten sind die in Öl eingelegten und in kleinen Dosen oder Gläsern abgepackten Anchovisfilets. Das Fleisch sollte rosa sein (und nicht grau). Die einzelnen Filets muß man noch klar erkennen können. Wem der Anchovisgeschmack zu intensiv ist, kann sie 30 Minuten in Milch einlegen. Danach abbrausen und mit Küchenkrepp abtupfen. Bevorzugt man nur einen dezenten Anchovisgeschmack, kann man auch nur das Marinieröl verwenden. Anchovisfilets sind auch in Salz eingelegt erhältlich. Sie schmecken milder, müssen allerdings vor dem Kochen 30 Minuten eingeweicht werden.

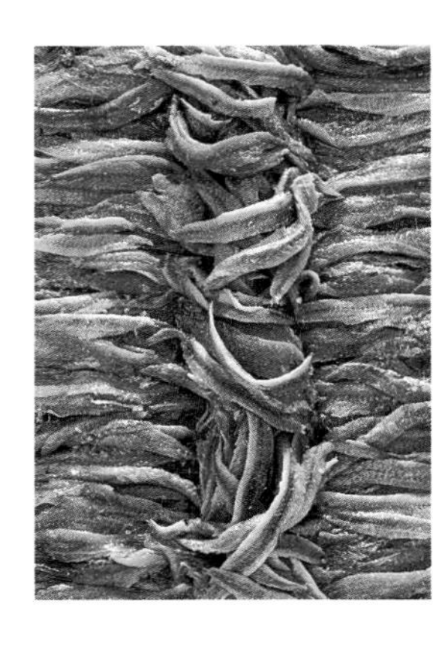

CONCHIGLIE MIT BROKKOLI UND ANCHOVIS

Vorbereitungszeit: 15 Minuten
Kochzeit: 20 Minuten
Für 6 Personen

500 g Conchiglie
450 g Brokkoli
1 EL Öl
1 Zwiebel, gehackt
1 Knoblauchzehe, zerdrückt
3 Anchovisfilets, feingehackt
320 ml Sahne
50 g frisch geriebener Parmesan zum Servieren

1 Die Pasta in einem großen Topf mit sprudelndem Salzwasser *al dente* kochen. Abtropfen und wieder in den Topf geben.
2 Zwischenzeitlich den Brokkoli in kleine Röschen schneiden und in kochendem Wasser 1 Minute blanchieren. Abtropfen, in kaltem Wasser abschrecken, nochmals abtropfen und beiseite stellen.
3 Das Öl in einer gußeisernen Pfanne erhitzen und die Zwiebel, den Knoblauch und die Anchovis bei Niedrighitze unter Rühren 3 Minuten andünsten.
4 Die Sahne angießen und unter ständigem Rühren aufkochen. Bei Niedrighitze 2 Minuten köcheln lassen. Die Brokkoliröschen 1 Minute in der Sauce köcheln lassen. Mit Salz und schwarzem Pfeffer aus der Mühle abschmecken. Die Sauce an die Pasta geben und gut vermengen. Mit Parmesan bestreuen und gleich servieren.
Hinweis: Beim Vermengen darauf achten, daß die Pastamuscheln die Sauce gut aufnehmen und von dieser vollständig bedeckt sind. Conchiglie können auch durch andere Pasta wie Makkaroni oder Farfalle ersetzt werden.

PRO PERSON: *Protein 20 g; Fett 30 g; Kohlenhydrate 60 g; Ballaststoffe 8 g; Cholesterol 85 mg; 2490 kJ (590 Kcal)*

SPINAT-FETTUCCINE IN CHAMPIGNONSAUCE

Vorbereitungszeit: 15 Minuten
Kochzeit: 25 Minuten
Für 6 Personen

500 g Spinat-Fettuccine oder Eier-Fettuccine
300 g junge Champignons
3 Frühlingszwiebeln
50 g geräucherter Schinken oder Pancetta
40 g Butter
320 ml Sahne
4 EL frische glatte Petersilie, feingehackt

1 Die Pasta in einem großen Topf mit sprudelndem Salzwasser *al dente* kochen. Abtropfen und wieder in den Topf geben.
2 Unterdessen die Pilze in feine Scheiben schneiden. Die grünen Enden der Frühlingszwiebeln entfernen, den Rest in feine Röllchen schneiden. Den Schinken oder Pancetta in dünne Streifen schneiden.
3 Die Butter in einer mittelgroßen Pfanne zerlassen, und die Frühlingszwiebeln und den Schinken bei Mittelhitze 3 Minuten dünsten. Die Pilze zugeben und abgedeckt bei Niedrighitze unter mehrmaligem Rühren 5 Minuten dünsten.
4 Die Sahne, die Hälfte der Petersilie und Salz und Pfeffer nach Geschmack zugeben. 2 Minuten köcheln lassen, dann an die Fettuccine geben und gut vermengen. Mit der restlichen Petersilie bestreuen und gleich servieren.
Hinweis: Die Pasta portionsweise in den Topf geben, damit das Wasser zwischendurch wieder aufkochen kann. Wenn Spinat-Fettucine nicht erhältlich sind, kann man sie durch andere Pastasorten ersetzen.

PRO PERSON: *Protein 15 g; Fett 30 g; Kohlenhydrate 60 g; Ballaststoffe 6 g; Cholesterol 100 mg; 2430 kJ (580 Kcal)*

GEGENÜBERLIEGENDE SEITE: Conchiglie mit Brokkoli und Anchovis (oben); Spinat-Fettuccine in Champignonsauce

PRODOTTO
ITALIANO
100% PURO
OLIO D'OLIVA

GRÜNER SPARGEL
Grüner Spargel braucht nur wenig Vorbereitungszeit. Am unteren Ende beginnend, biegt man den Spargelstengel vorsichtig. Der hölzerne Teil bricht ab, sobald man den fleischigen Teil erreicht hat. Geschält werden müssen nur dickere Stangen mit härterer Schale. Dafür eignet sich am besten ein Gemüseschäler oder ein scharfes Küchenmesser, das man zur Spargelspitze hin vorsichtig auslaufen läßt. So vorbereitet, garen die Spargelstangen gleichmäßig durch, und ein Zusammenbinden der Spitzen ist nicht mehr nötig. Die Länge der Kochzeit ist wichtig: Bei zu kurzer Kochzeit ist der Spargel noch hart und hat einen leicht metallischen Nachgeschmack; bei zu langer Kochzeit werden die Spitzen faserig und wäßrig. Bei Spargel von normaler Dicke empfiehlt sich eine Kochzeit von 3 Minuten; dickere Spitzen sollten 30–50 Sekunden länger gekocht werden.

OBEN: Tagliatelle mit grünem Spargel und frischen Kräutern

TAGLIATELLE MIT GRÜNEM SPARGEL UND FRISCHEN KRÄUTERN

Vorbereitungszeit: 15 Minuten
Kochzeit: 15 Minuten
Für 6 Personen

500 g Tagliatelle
160 g grüner Spargel
40 g Butter
1 EL frische, glatte Petersilie, feingehackt
1 EL frisches Basilikum, feingezupft
320 ml Sahne
50 g frisch geriebener Parmesan

1 Die Pasta in einem großen Topf mit sprudelndem Salzwasser *al dente* kochen. Abtropfen und wieder in den Topf geben.

2 Unterdessen die hölzernen Spargelenden abbrechen und die Stiele in kleinere Stücke schneiden. Die Butter in einem mittelgroßem Topf zerlassen und den Spargel 2 Minuten bei Mittelhitze bißfest dünsten. Die Petersilie, das Basilikum, die Sahne und Salz und Pfeffer nach Geschmack zugeben und 2 Minuten köcheln lassen.

3 Den Parmesan sorgfältig unterrühren. Die warme Pasta zugeben und die Zutaten gut vermengen. Als Vorspeise reicht dieses Gericht für 8 Personen.

PRO PERSON: *Protein 15 g; Fett 30 g; Kohlenhydrate 60 g; Ballaststoffe 5 g; Cholesterol 100 mg; 2470 kJ (590 Kcal)*

CARBONARA
Um den Ursprung und den Namen dieser Pastasauce ranken sich Geheimnisse. Die einen halten Carbonara für eine relativ neue Sauce, die während des Zweiten Weltkriegs in Rom entstand, als die amerikanischen GI's ihre Speck- und Eierrationen mit den regionalen Spaghetti kombinierten. Wahrscheinlicher ist hingegen, daß dieses Gericht schon älteren Ursprungs ist. Vielleicht läßt sich der Name von den Kohlenhändlern ableiten, den *carbonaio*, die dieses einfache, schnelle Essen auf der Straße auf ihren Holzöfen zauberten. Vielleicht bezieht sich der Name aber auch auf den grob gemahlenen schwarzen Pfeffer, der sich wie kleine Rußflecken gegen die Sahnesauce abhebt. Doch wie immer dieses Gericht auch entstanden ist: Es zeugt von Einfallsreichtum, eine Sauce aus einfachem Speck mit Sahne mit Ei anzudicken und zu aromatisieren.

SPAGHETTI CARBONARA

Vorbereitungszeit: 10 Minuten
Kochzeit: 20 Minuten
Für 6 Personen

500 g Spaghetti
8 Scheiben Frückstücksspeck
4 Eier
50 g frisch geriebener Parmesan
320 ml Sahne

1 Die Spaghetti in einem großen Topf mit sprudelndem Salzwasser *al dente* kochen. Abtropfen und wieder in den Topf geben.
2 Zwischenzeitlich den Speck vom Rand befreien und in dünne Streifen schneiden. In einer gußeisernen Pfanne bei Mittelhitze knusprig braten. Auf Küchenkrepp abtropfen lassen.
3 Die Eier, den Parmesan und die Sahne in einer Schüssel gut verschlagen. Den Speck zugeben und die Sauce über die warmen Nudeln löffeln. Vorsichtig unterheben, bis die Spaghetti vollständig mit Sauce bedeckt sind.
4 Die Pasta bei Niedrighitze in der Pfanne noch 1 Minute erwärmen, bis die Sauce etwas eindickt. Mit schwarzem Pfeffer aus der Mühle würzen und nach Wunsch mit frischen Kräutern garnieren.

PRO PERSON: *Protein 25 g; Fett 30 g; Kohlenhydrate 60 g; Ballaststoffe 5 g; Cholesterol 225 mg; 2665 kJ (635 Kcal)*

OBEN: Spaghetti carbonara

RAVIOLI MIT MASCARPONE UND PANCETTA

Vorbereitungszeit: 10 Minuten
Kochzeit: 20 Minuten
Für 4 Personen

500 g frische Ravioli, mit Spinat gefüllt
2 TL Pflanzenöl
90 g Pancetta oder milder Räucherschinken, feingehackt
120 ml Hühnerbrühe
180 g Mascarpone
80 g getrocknete Tomaten, in feine Scheiben geschnitten
2 EL frisches Basilikum, feingezupft
eine Prise Steakpfeffer

1 Die Ravioli in einem großen Topf mit sprudelndem Salzwasser *al dente* kochen.
2 Unterdessen das Öl in einer Bratpfanne erhitzen und den Pancetta oder Räucherschinken 2–3 Minuten dünsten. Die Brühe zugießen und den Mascarpone und die getrockneten Tomaten unterrühren.
3 Die Sauce aufkochen, dann bei Niedrighitze 5 Minuten köcheln lassen, bis sie reduziert und eindickt. Nun das Basilikum und den Pfeffer unterziehen.
4 Die Ravioli abtropfen und an die Sauce geben. Vorsichtig mengen und sofort servieren.

PRO PERSON: *Protein 20 g; Fett 35 g; Kohlenhydrate 90 g; Ballaststoffe 5 g; Cholesterol 145 mg; 3220 kJ (770 Kcal),*

ALS BEILAGE

INSALATA CAPRESE 4 große Strauchtomaten und 1 Büffelmozzarella in mitteldicke Scheiben schneiden. Zusammen mit Basilikumblättern auf einer Servierplatte anrichten. Mit etwas Olivenöl extra vergine und Balsamicoessig beträufeln und mit Meersalz und Pfeffer bestreuen.

ANTIPASTO-SALAT Je 200 g getrocknete Tomaten, schwarze Oliven in Kräuterlake, feingehackte eingelegte Auberginen (vom türkischen Gemüsehändler), Artischockenherzen oder -böden und eingelegte Paprika (vom türkischen Gemüsehändler) mengen. Dann 3 EL Basilikum darüberstreuen. Mit etwas Balsamicoessig beträufeln.

FETTUCCINE MIT RÄUCHERKÄSE UND SALAMI

Vorbereitungszeit: 20 Minuten
Kochzeit: 15 Minuten
Für 4 Personen

380 g Fettuccine (falls erhältlich, mit Tomatenmark gefärbt)
200 g getrocknete Tomaten in Öl
3 Scheiben Frühstücksspeck
1 große rote Zwiebel, in Ringe geschnitten
2 große Knoblauchzehen, feingehackt
150 g Salami, nach Geschmack mild oder scharf, dünn aufgeschnitten
2 TL Mehl
1 EL Tomatenmark, 2fach konzentriert
380 ml Kondensmilch
60 g Räucherkäse
eine Prise Cayennepfeffer
2 EL frische, glatte Petersilie, feingehackt
frisch gehobelter Parmesan zum Servieren

1 Die Fettuccine in einem großen Topf mit sprudelndem Salzwasser *al dente* kochen. Abtropfen und wieder in den Topf geben.
2 Unterdessen die Tomaten abtropfen und das Öl auffangen. Die Tomaten in Streifen schneiden und beiseite stellen. Dann den Speck fein schneiden und beiseite stellen.
3 Das Marinieröl in einer Pfanne erhitzen und die Zwiebel 3 Minuten weich und goldgelb dünsten. Den Knoblauch zugeben und 1 Minute dünsten. Die Tomaten, den Speck und die Salami zugeben und 2–3 Minuten dünsten.
4 Das Mehl und das Tomatenmark einrühren und die Sauce 1 Minute köcheln lassen. Langsam unter ständigem Rühren die Kondensmilch angießen. Aufkochen, dann bei Niedrighitze den Räucherkäse den Cayennepfeffer und die Petersilie einrühren, bis der Käse schmilzt. Mit schwarzem Pfeffer aus der Mühle abschmecken.
5 Die Sauce mit der heißen Pasta mengen und sofort mit gehobeltem Parmesan servieren.

PRO PERSON: *Protein 40 g; Fett 35 g; Kohlenhydrate 85 g; Ballaststoffe 5 g; Cholesterol 110 mg; 3495 kJ (835 Kcal)*

CAYENNEPFEFFER
Der appetitlich aussehende, hellrötlich-braune Cayennepfeffer wurde entweder nach der Hauptstadt Französisch-Guyanas benannt, einem wichtigen Umschlaghafen für Gewürze, oder aber dem indianischen Wort *cyinha* entlehnt. Seine Schärfe liegt zwischen gemahlenem Chilipfeffer und schwarzem Pfeffer. Man schätzt die leichte Süße, die sich nach dem ersten Eindruck von scharfem Pfeffer entwikkelt. Cayennepfeffer wird aus den ausgemahlenen, getrockneten und von Samen befreiten Schoten der Chiliarten *capsicum frutescens* und *capsicum minimum* gewonnen. Cayennepfeffer kann den Geschmack lang kochender Gerichte unterstreichen, aber der Geschmack ist genauso intensiv, wenn er dem Gericht erst beim Abschmecken zugegeben wird.

GEGENÜBERLIEGENDE SEITE: Ravioli mit Mascarpone und Pancetta (oben); Fettuccine mit Räucherkäse und Salami

HONIG
Geschmack, Konsistenz, Aroma, Farbe und Süße des Honigs sind abhängig von dem Ort, an dem Bienen den Nektar sammeln. In der Küche werden besonders Kräutersorten wie Rosmarin- oder Thymianhonig geschätzt, die einen zarten Geschmack und ein würziges Aroma haben. Blumenhonige wie Apfelblütenhonig geben ein stark blumiges Aroma, während der Geschmack anderer Sorten eher ins Bittere geht.

OBEN: Linguine in einer Sauce aus Honig, Basilikum und Sahne

LINGUINE IN EINER SAUCE AUS HONIG, BASILIKUM UND SAHNE

Vorbereitungszeit: 15 Minuten
Kochzeit: 20 Minuten
Für 6 Personen

500 g Linguine
250 g frisches Basilikum
1 kleine rote Chilischote, feingehackt
3 Knoblauchzehen, zerdrückt
3 EL Pinienkerne, in der Pfanne geröstet
3 EL frisch geriebener Parmesan
Saft von 1 Zitrone
120 ml Olivenöl
3 EL Honig
380 ml Sahne
120 ml Hühnerbrühe
frisch gehobelter Parmesan zum Servieren

1 Die Linguine in einem großen Topf mit sprudelndem Salzwasser *al dente* kochen. Abtropfen und warm halten.
2 Unterdessen die Basilikumblätter von den Stengeln zupfen und in einer Küchenmaschine mit dem Chili, dem Knoblauch, den Pinienkernen, dem geriebenen Parmesan, dem Zitronensaft, dem Öl und Honig in einer Küchenmaschine glatt pürieren.
3 Die Kräutermasse mit der Sahne und der Brühe in einem großen Topf zum Kochen bringen und 15–20 Minuten köcheln lassen, bis die Sauce eindickt. Mit Steakpfeffer abschmecken.
4 Die Pasta an die Sauce geben und gut vermengen. Mit gehobeltem Parmesan bestreuen.

PRO PERSON: *Protein 15 g; Fett 70 g; Kohlenhydrate 75 g; Ballaststoffe 7 g; Cholesterol 100 mg; 4005 kJ (955 Kcal)*

RISSONI MIT KARAMELISIERTEN ZWIEBELN UND BLAUSCHIMMELKÄSE

Vorbereitungszeit: 20 Minuten
Kochzeit: 35 Minuten
Für 4 Personen

500 g Rissoni
30 g Butter
3 EL Olivenöl
4 Zwiebeln, in Ringe geschnitten
180 g Blauschimmelkäse
100 g Mascarpone
140 g Blattspinat, gehackt

1 Die Rissoni in einem großen Topf mit sprudelndem Salzwasser *al dente* kochen. Gut abtropfen und wieder in den Topf geben.

2 Unterdessen die Butter und das Olivenöl in einer großen gußeisernen Pfanne erhitzen. Die Zwiebeln bei Niedrighitze 20–30 Minuten goldbraun karamelisieren. Mit einem Schaumlöffel aus der Pfanne heben und auf Küchenkrepp abtropfen.

3 Den Blauschimmelkäse mit dem Mascarpone und den Zwiebeln in einer Schüssel verrühren.

4 Die Käsemasse mit dem Spinat an die Pasta geben und vermengen. Mit Salz und schwarzem Pfeffer aus der Mühle würzen und servieren.

PRO PERSON: *Protein 30 g; Fett 45 g; Kohlenhydrate 95 g; Ballaststoffe 9 g; Cholesterol 90 mg; 3755 kJ (895 Kcal)*

OBEN: Rissoni mit karamelisierten Zwiebeln und Blauschimmelkäse

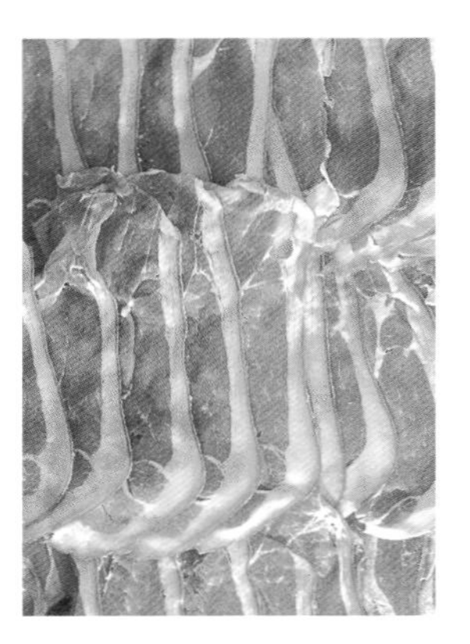

PROSCIUTTO
Prosciutto heißt auf italienisch einfach »Schinken«, den man *cotto*, also »gekocht«, kaufen kann, oder *crudo*, »roh«. Letzterer reift am Knochen durch Salzen und Lufttrocknung. Er wird für die meisten Rezepte verwendet und wegen seiner Vielseitigkeit und seines milden Geschmacks geschätzt, denn er paßt zu Salaten, zu Brot, verleiht Pasta und anderen Saucen Würze und eignet sich für Eintöpfe und Suppen. Im gereiften Zustand hat er eine dunkelrubinrote Farbe und ein cremefarbenes Fett. Sein Geschmack und sein Aroma sind dann intensiver und konzentrierter. Ist er noch nicht ausgereift, ist Prosciutto saftiger, hat zartrosa Fleisch und weißes Fett.

GEGENÜBERLIEGENDE SEITE: Gegrillte Carbonara (oben); Orecchiette in einer Sauce aus Thunfisch, Zitrone und Kapern

GEGRILLTE CARBONARA

Vorbereitungszeit: 10 Minuten
Kochzeit: 15 Minuten
Für 4 Personen

250 g Linguine
4 Eier
180 ml Sahne
6 Scheiben Prosciutto oder Parmaschinken, gehackt
80 g frisch geriebener Parmesan
2 EL frische Schnittlauchröllchen
30 g Butter

1 Eine Pieform (Ø 23 cm) mit etwas weicher Butter oder Öl einfetten. Den Grill auf Mittelhitze vorheizen.
2 Die Linguine in einem großen Topf mit sprudelndem Salzwasser *al dente* kochen. Abtropfen und wieder in den Topf geben.
3 Unterdessen die Eier und die Sahne in einer Schüssel verschlagen, den Prosciutto, die Schnittlauchröllchen und den Parmesan bis auf 3 EL unterrühren und mit Salz und schwarzem Pfeffer aus der Mühle abschmecken.
4 Die Eimasse und die Butter an die heiße Pasta geben und bei Niedrighitze unter ständigem Rühren 1 Minute unterheben, bis die Sauce leicht eindickt. Dabei die Kochzeit nicht überschreiten, andernfalls wird die Sauce schnell zum Rührei. Die Zutaten sollte eine sahnige, noch feuchte Sauce ergeben.
5 Die Pasta in die Ofenform geben und mit dem restlichen Parmesan bestreuen. Einige Minuten unter dem Grill anbräunen, bis die Masse gerade fest ist. Mit Ciabattabrot servieren.

PRO PERSON: *Protein 25 g; Fett 40 g; Kohlenhydrate 45 g; Ballaststoffe 5 g; Cholesterol 300 mg; 2710 kJ (645 Kcal)*

ORECCHIETTE IN EINER SAUCE AUS THUNFISCH, ZITRONE UND KAPERN

Vorbereitungszeit: 10 Minuten
Kochzeit: 20 Minuten
Für 4 Personen

500 g Orecchiette
30 g Butter
1 Knoblauchzehe, zerdrückt
1 Zwiebel, feingehackt
425 g Thunfisch in Lake, abgetropft
2 EL Zitronensaft
250 ml Sahne
2 EL frische, glatte Petersilie, feingehackt
1 EL Kapern, abgetropft und bei Bedarf gehackt
eine Prise Cayennepfeffer (nach Wunsch)

1 Die Orecchiette in einem großen Topf mit sprudelndem Salzwasser *al dente* kochen. Abtropfen und wieder in den Topf geben.
2 Unterdessen die Butter in einer Pfanne zerlassen und die Zwiebel und den Knoblauch 1–2 Minuten dünsten. Den Thunfisch, den Zitronensaft, die Sahne, 1 EL Petersilie und die Kapern zugeben. Mit schwarzem Pfeffer und, falls Sie ihn verwenden, Cayennepfeffer abschmecken. Bei Niedrighitze 5 Minuten köcheln lassen.
3 Die Thunfischsauce zu der Pasta geben und gut mengen. Mit der restlichen Petersilie bestreuen und servieren. Auf dem Foto wurde das Gericht noch mit Kapernäpfeln garniert.
Hinweis: Die Pasta läßt sich gut mit zwei Holzlöffeln vermengen.

PRO PERSON: *Protein 40 g; Fett 35 g; Kohlenhydrate 90 g; Ballaststoffe 5 g; Cholesterol 155 mg; 3570 kJ (850 Kcal)*

ALS BEILAGE

KRAUTSALAT MIT SESAMKÖRNERN Je ein Viertel eines Rotkohls und eines Weißkohls in feine Streifen schneiden. 100 g Zuckerschoten, 2 Selleriestangen, 2 geschälte Möhren und 1 rote Paprika in Juliennestreifen schneiden. Kohl und Gemüse in einer großen Schüssel mit genügend Volleimayonnaise mengen, daß der Rohkostsalat leicht durchzogen ist. Mit feingezupfter frischer Minze und pfannengerösteten Sesamkörnern garnieren.

ALFREDO-SAUCE
Diese üppige Sauce aus Butter, Sahne und Parmesan wurde durch den römischen Gastronomen Alfredo unsterblich. Traditionell wird sie mit Fettuccine gereicht und sofort gegessen, damit Sauce und Pasta nicht zusammenkleben können. Aus diesem Grund gehört dieses Gericht zu den wenigen Pastarezepten, die in Restaurants meistens erst direkt am Tisch vermengt werden.

OBEN: Fettuccine Alfredo

FETTUCCINE ALFREDO

Vorbereitungszeit: 10 Minuten
Kochzeit: 15 Minuten
Für 6 Personen

500 g Fettuccine oder Tagliatelle
90 g Butter
150 g frisch geriebener Parmesan
320 ml Sahne
3 EL frische glatte Petersilie, feingehackt

1 Die Pasta in einem großen Topf mit sprudelndem Salzwasser *al dente* kochen. Abtropfen und wieder in den Topf geben.
2 Zwischenzeitlich die Butter bei Niedrighitze in einer mittelgroßen Pfanne zerlassen. Den Parmesan und die Sahne zugeben und unter ständigem Rühren aufkochen. Auf Niedrighitze schalten und 10 Minuten köcheln lassen, bis die Sauce etwas eindickt. Die Petersilie zugeben und mit Salz und Pfeffer abschmecken. Die Sauce an die warme Pasta geben und gut vermengen. Nach Wunsch mit einem frischen Kräuterzweig garnieren und servieren.

PRO PERSON: *Protein 20 g; Fett 45 g; Kohlenhydrate 60 g; Ballaststoffe 5 g; Cholesterol 135 mg; 2985 kJ (710 Kcal)*

ALS BEILAGE

PILAW MIT GRÜNEN KRÄUTERN
1 feingeschnittene Zwiebel in einer tiefen Pfanne in etwas Butter anbräunen. Je 1 EL frischen Koriander und glatte Petersilie feingehackt dazugeben. 200 g Basmatireis und 380 ml Hühner- oder Gemüsebrühe zugeben und nach Geschmack würzen. Aufkochen. Bei Niedrighitze 20 Minuten köcheln lassen, bis der Reis gar ist. Überschüssige Flüssigkeit abgießen. Je 1 weiteren EL Koriander und glatte Petersilie feingehackt zugeben. Mit Butterflöckchen und schwarzem Steakpfeffer garnieren.

LINGUINE IN SAHNE-ZITRONEN-SAUCE

Vorbereitungszeit: 10 Minuten
Kochzeit: 20 Minuten
Für 4 Personen

400 g frische Linguine oder Spaghetti
eine Prise Safranfäden (nach Wunsch)
320 ml Sahne
250 ml Hühnerbrühe
1 EL geriebene Schale von 1 ungespritzten Zitrone

1 Die Pasta in einem großen Topf mit sprudelndem Wasser *al dente* kochen. Abtropfen und warm halten.
2 Falls Sie für dieses Gericht Safran verwenden, diesen in etwas heißem Wasser 5 Minuten einweichen. Während die Pasta kocht, die Sahne, die Brühe und die Zitronenschale in einer großen Bratpfanne aufkochen. Dabei gelegentlich umrühren.
3 Die Sauce bei Niedrighitze 10 Minuten köcheln lassen und mit Salz und Pfeffer abschmecken. Die gekochte Pasta zugeben und weitere 2–3 Minuten köcheln lassen.
4 Den Safran im Sud angießen und gut vermengen. Nach Wunsch mit feinen Zitronenschalenstreifen garnieren.
Hinweis: Safran bekommen Sie in gut sortierten Lebensmittelgeschäften und Supermärkten. Er kann auch durch eine Prise des weniger intensiven Kurkuma ersetzt werden.

PRO PERSON: *Protein 15 g; Fett 35 g; Kohlenhydrate 75 g; Ballaststoffe 5 g; Cholesterol 105 mg; 2755 kJ (660 Kcal)*

SAFRAN

Safran sind die getrockneten Narben des Safrankrokus. Er ist als Pulver oder in der ursprünglichen Fadenform erhältlich, ist tieforange gefärbt und hat einen leicht scharf-beißenden Geschmack, der beim Kochen milder wird. Man verwendet ihn auch zum Färben von Reis (Paella). In warmem Wasser entfalten die Fäden ihr Aroma. Für einen intensiveren Geschmack kann man die Fäden rösten und abgekühlt zu grobem Pulver zerkrümeln. Der recht hohe Preis resultiert aus der arbeitsintensiven Ernte.

OBEN: Linguine in Sahne-Zitronen-Sauce

GERIEBENER PARMESAN
Eine interessante Variante für Pastagerichte ist eine Mischung von frisch geriebenem Parmesan oder Pecorino mit etwas geriebener Zitronenschale. Sie verleiht den Nudeln eine angenehme Würze, die besonders den Charakter von Sahnesaucen betont, und paßt auch gut zu Ravioli mit Fleischfüllung. Das Mischverhältnis mag von Sauce zu Sauce unterschiedlich sein, doch 1 EL Käse auf 1 TL Zitronenschale ist ein gutes Ausgangsverhältnis.

OBEN: Ravioli gefüllt mit Schweinefleisch und Kalbsfleisch in Käsesauce

RAVIOLI GEFÜLLT MIT SCHWEINEFLEISCH UND KALBSFLEISCH IN KÄSESAUCE

Vorbereitungszeit: 1 Stunde
Kochzeit: 15 Minuten
Für 4 Personen

Teig

250 g Mehl
2 Eier, leicht verschlagen
2 EL Öl

Füllung

1 EL Öl
4 Frühlingszwiebeln, in feinen Röllchen
3 Knoblauchzehen, zerdrückt
250 g Hackfleisch vom Schwein und Kalb
1 Ei, leicht verschlagen

Sauce

60 g Butter
220 g Mascarpone
40 g frisch geriebener Parmesan
2 EL frischer Salbei, feingehackt

1 Für den Teig das Mehl, die Eier und das Öl mit 80 ml Wasser in einer Küchenmaschine 5 Sekunden zu einem Teigball verrühren oder die Zutaten in eine große Schüssel geben und mit den Fingerspitzen zu einem Teig zupfen. Mit Klarsichtfolie abdecken und 15 Minuten im Kühlschrank ruhen lassen.
2 Für die Füllung das Öl in einer gußeisernen Pfanne erhitzen und die Frühlingszwiebeln und den Knoblauch bei Mittelhitze 2 Minuten anbraten. Das Hackfleisch bei hoher Hitze 4 Minuten anbraten, bis der Saft verkocht ist und das Fleisch Farbe angenommen hat. Beim Bräunen das Fleisch mit einer Gabel zerkleinern. Abkühlen lassen. Das Ei unterrühren.
3 Die Hälfte des Teigs auf einer leicht bemehlten Arbeitsfläche sehr dünn ausrollen und mit einem großen, scharfen Messer in Vierecke von 6 cm Kantenlänge schneiden. Die Hälfte der Teigplatten hauchdünn mit Wasser bestreichen und in die Mitte 1 TL Füllung setzen. Mit einem anderen Teigstück bedecken und an den Seiten fest zusammenpressen. Mit allen Teigstücken so verfahren und die fertigen Ravioli in Einzellagen auf gut bemehlte Backbleche legen.
4 Für die Sauce die Butter in einem mittelgroßen Topf zerlassen und den Mascarpone bei Mittelhitze schmelzen. Dann den Parmesan und den Salbei 1 Minute lang unterrühren, dabei vorsichtig erwärmen.
5 Nun die Ravioli in einem großen Topf mit sprudelndem Salzwasser 5 Minuten weich kochen. Abtropfen und anschließend mit der Sauce servieren.

PRO PERSON: *Protein 35 g; Fett 65 g; Kohlenhydrate 50 g; Ballaststoffe 4 g; Cholesterol 270 mg; 3855 kJ (915 Kcal)*

ALS BEILAGE

MÖHREN MIT ORANGE UND DILL
Möhren putzen, klein schneiden und in der Mikrowelle oder in Butter weich garen. Etwas Orangensaft mit einem Schuß Cointreau, 1 Zimtstange und Honig in einem Topf erhitzen, aufkochen und 3 Minuten köcheln lassen. Die Zimtstange entfernen. Die Sauce über die Möhren geben und mit frischen Dillspitzen garnieren.

GESCHMORTER LAUCH MIT PINIENKERNEN Geputzte Lauchröllchen in etwas Öl und Butter goldbraun dünsten. Gemüsebrühe und Weißwein angießen, bis das Gemüse bedeckt ist. Weich köcheln lassen. Frische, feingehackte Kräuter untermengen und mit gerösteten Pinienkernen und geriebenem Parmesan bestreuen.

PASTA MIT JAKOBSMUSCHELN IN LIMETTENSAUCE

Vorbereitungszeit: 20 Minuten
Kochzeit: 15 Minuten
Für 4 Personen

500 g Spaghetti oder Fettuccine (falls erhältlich, mit Chili gewürzt)
1 EL Öl
1 Zwiebel, in Ringe geschnitten
2 EL Zitronengras, hauchdünn geschnitten
500 g Jakobsmuscheln
250 ml Kokosmilch
2 Zitronenblätter, feingeschnitten
10 g frische Korianderblätter, gezupft

1 Die Pasta in sprudelndem Salzwasser *al dente* kochen. Abtropfen.
2 Unterdessen das Öl in einer großen gußeisernen Pfanne erhitzen und die Zwiebel und das Zitronengras bei Mittelhitze 5 Minuten dünsten, bis die Zwiebel weich ist. Die Jakobsmuscheln portionsweise zugeben, garen und leicht anbräunen. Aus der Pfanne nehmen und warm halten.
3 Die Kokosmilch und die Zitronenblätter zugeben und 5 Minuten köcheln lassen, bis die Sauce etwas eindickt.
4 Die Jakobsmuscheln beigeben und alles vorsichtig erhitzen. Die Pasta mit dem Koriander unter die Sauce mengen und mit Salz und Pfeffer abschmekken.

PRO PERSON: *Protein 30 g; Fett 20 g; Kohlenhydrate 90 g; Ballaststoffe 7 g; Cholesterol 40 mg; 2775 kJ (660 Kcal)*

ZITRONENGRAS
Das aromatische Zitronengras hat eine knollige Wurzel mit halmähnlichen Blättern. Sein milder, wohlriechender, zitroniger Geschmack findet überall in der asiatischen Küche Verwendung. Das von den härteren Außenblättern befreite Knolleninnere wird feingehackt und zerstoßen und Brühen, Currypasten und pfannengerührten Gerichten beigegeben. Zitronengras kann frisch im Ganzen an Suppen oder an Currys gegeben werden; getrocknete Blätter, die nach 30 Minuten Einweichzeit in Wasser genauso intensiv schmecken wie frische, eignen sich ebenso. Zitronengras erhält man frisch oder getrocknet in Asia-Shops oder in anderen gut sortierten Lebensmittelgeschäften.

LINKS: Pasta mit Jakobsmuscheln in Limettensauce

KÄSE

Berühmt ist natürlich die Geschmackskombination Pasta und Parmesan, doch es gibt noch viele andere Käsesorten, von sahnigem Weichkäse bis zu Blauschimmelkäse, auf die die Italiener mit Recht stolz sind.

MOZZARELLA

Ein milder Käse mit glatter Konsistenz, der ursprünglich aus Büffelmilch hergestellt wurde, heute aber oft aus Kuhmilch oder einer Mischung aus Kuh- und Büffelmilch besteht. Er wird weltweit in großen Mengen hergestellt und nimmt beim Schmelzen eine zähe Konsistenz an. Man kennt ihn als Pizzabelag, in Kombination mit Tomaten, kann ihn aber auch gewürfelt an Saucen oder in Scheiben zum Schmelzen über Polenta oder Kalbssteaks geben.

BOCCONCINI UND OVOLINI

Diese kleinen Mozzarellasorten sind in Deutschland schwer erhältlich und nicht mit den bereits vorgeschnittenen abgepackten Mozzarellakugeln zu verwechseln. Ihr Geschmack entspricht am ehesten dem des handgefertigten Büffelmozzarella, der meist um die 300 g wiegt und als Tafelkäse verwendet werden sollte, denn sein intensiverer Geschmack verkocht zu stark. Solche Mozzarellakugeln halten sich in Salzlake im Kühlschrank bis zu einer Woche. Büffelmozzarella eignet sich besonders für Insalata caprese oder, mit etwas Olivenöl und Balsamicoessig beträufelt, zu Ciabattabrot.

RICOTTA

Ricotta ist ein aus Molke gewonnener Frischkäse. Meistens wird dabei die Molke, die bei der Mozzarellakäserei anfällt, verwendet. Man kann ihn aus Schaf- oder Kuhmilch herstellen. Eine etwas festere Variante des Ricotta ist der Salat-Ricotta. Der

IM UHRZEIGERSINN, VON LINKS OBEN: Mozzarella, Ricotta, Gorgonzola, Provolone, Mascarpone, Pecorino, Pecorino pepato, frischer Pecorino, Babyricotta, Ovolini, Bocconcini

Frischkäse-Ricotta hält sich nicht sehr lange und muß schnell verarbeitet werden. Beim Kauf sollte man auf Verfärbungen oder Anzeichen von Austrocknung achten. Sein milder Geschmack eignet sich für würzige Gerichte genauso wie für Süßspeisen. Er wird in Kuchen verarbeitet, dient aber auch als Füllung von Cannelloni. Ricotta ist in gutsortierten Lebensmittelläden oder in italienischen und türkischen Läden erhältlich. Er kann durch gut abgetropften Magerquark ersetzt werden.

GORGONZOLA

Gorgonzola wurde ursprünglich in einem kleinen Dorf bei Mailand hergestellt, wird jetzt aber auch international produziert. Man schätzt seine cremige Konsistenz und den milden Blauschimmelgeschmack, der weniger salzig ist als der anderer Sorten. Da er ein sehr intensives Aroma hat, sollte man Gorgonzola nur nach Bedarf kaufen, denn bei Kühlschranklagerung durchzieht er den Geschmack anderer Lebensmittel. Aus Gorgonzola lassen sich köstliche Pasta-Sahnesaucen herstellen, er paßt zu Salaten, zu Feigen oder geschmolzen über Birnen. Gorgonzola sollte bei Zimmertemperatur serviert werden.

PROVOLONE

Provolone wird meist im Wachsmantel und an rotgestreiften Wachsbindfäden hängend verkauft. Je jünger er ist, desto milder sein Geschmack. Provolone wird meist leicht geräuchert. Er eignet sich gut zu Käseplatten, gerieben in Pastasaucen, Fondues oder als Schmelzkäse zu Fleisch. In Klarsichtfolie verpackt hält er sich im Kühlschrank bis zu 2 Wochen.

PECORINO

Pecorino ist ein Hartkäse, der aus gekochter Schafsmilch hergestellt wird. Er ist körnig und erinnert an Parmesan. Wie Parmesan wird auch er gerieben verkocht. Der am längsten gereifte *Pecorino romano* ist härter als jüngere Pecorino und eignet sich am besten zum Reiben. Dem *Pecorino pepato* werden beim Gerinnen Pfefferkörner zugegeben. Mit *Pecorino fresco* wird der junge Frischkäse bezeichnet. Im Kühlschrank hält sich Pecorino über Monate. Er sollte sorgfältig in Klarsichtfolie gewickelt werden.

MASCARPONE

Mascarpone ist ein Doppelrahmkäse. Sein Fettgehalt ist sehr hoch und sein Geschmack leicht säuerlich, jedoch mild. Mascarpone paßt zu den klassischen Vier-Käse-Saucen oder als Zutat von Béchamelsaucen. Als Nachtisch wird er mit Obst gereicht; am bekanntesten ist er in der Tiramisù. Er läßt sich mehrere Tage im Kühlschrank aufbewahren und auch einfrieren.

KÄSE

FONTINA

Fontina ist ein milder, nach Nüssen schmeckender Käse mit weicher, samtiger Konsistenz und einigen winzigen Luftlöchern. Er wird vom Rad verkauft und hat eine goldbraune Rinde. Fontina ist ein halbfester Schnittkäse, der sehr gut schmilzt und daher auch Grundbestandteil der italienischen Version des Käsefondues, der *fonduta*, ist. Nach gesetzlicher Vorschrift bleibt der Name *fontina* den Käsesorten aus dem Aostatal nahe des Fontin vorbehalten. Die vielen im übrigen Italien und in anderen Ländern hergestellten Käsesorten heißen *fontal* und sind meist weicher als der Fontina. Als Schmelzbelag über Polenta oder Gnocchi ist er genauso köstlich wie in Saucen. Fontina hält sich in Klarsichtfolie eingewickelt eine Woche im Kühlschrank.

PARMIGIANO-REGGIANO

Der Parmesan wurde nach seinem Ursprungsort, der norditalienischen Stadt Parma, benannt. Der Hartkäse mit krümeliger Konsistenz wird 2–3 Jahre in großen Holzrädern gelagert. Nur wenn er aus den Provinzen Parma und Reggio stammt, wo er noch nach herkömmlichen Methoden hergestellt wird, darf er das Gütesiegel Parmigiano-Reggiano tragen. Am besten kauft man Parmesan am Stück und reibt ihn je nach Bedarf selbst, denn bereits gerieben gekaufter Parmesan ist oft trocken und wenig aromatisch. Beim Kauf sollte man Stücke mit Rinde wählen, an der keinerlei Anzeichen von weißer Verfärbung zu sehen sind. Parmesan kann als Tafelkäse gereicht werden, er paßt gerieben oder gehobelt zu Pastasaucen, zu Suppen und an Salate. In Wachspapier eingeschlagen hält er sich am besten im Gemüsefach des Kühlschranks.

GRANA

Wie Parmesan ist auch Grana ein harter Reibekäse. Der Name deutet schon auf seine Körnigkeit hin. Die Echtheit des Grana läßt sich leicht am Stempel auf der Rinde ablesen. Grana kann auch als Tafelkäse gereicht werden, denn er schmeckt weniger intensiv als Parmesan. Zur Aufbewahrung im Kühlschrank in Klarsichtfolie einschlagen.

BEL PAESE

Dieser milde, sahnige, leicht süße Käse ist leicht an seiner Verpackung zu erkennen, einer silbergrünen Alufolie, die die Landkarte Italiens zeigt. Er eignet sich Brotbelag, Tafelkäse oder als Belag für Kasse-

rollen und Pizzen. Mit einer Reifezeit von 4–6 Wochen gehört Bel Paese zu den schnell reifenden Käsen. Er sollte stets in seiner Verpackung gelagert werden. Bel Paese kann man am Stück von großen Rädern kaufen oder in kleinen Einzelportionen.

TALEGGIO

Taleggio, benannt nach seinem Ursprungsort, ist in zwei Arten erhältlich: als milder Käse mit dünner, grauer Rinde und strohgelbem Inneren, der aus gekochter, geronnener Milch hergestellt wird; und als ein an der Oberfläche gereifter Käse aus ungekochter, geronnener Milch. Er hat eine dünne, mit rötlichem Schimmel bedeckte Rinde und ein blaßgelbes Inneres, das in der Konsistenz stark an Butter erinnert. Sein Geschmack ist wunderbar zart und süßlich und wird zur Mitte hin etwas säuerlich. Taleggio sollte nicht auf Vorrat gekauft werden. Als Tafelkäse wird er bei Zimmertemperatur serviert.

ASIAGO

Asiago ist, abhängig von Reifezeit und Grad der Pressung, als Tafel- oder Reibekäse zu verwenden. *Asiago d'Allevo* ist ein jüngerer Käse. Seine dünne, goldfarbene Rinde verfärbt sich während der Reifung zu Rostbraun. Sein Inneres ist blaßgelb, die Konsistenz etwas körnig und von kleinen Löchern durchzogen. Der Geschmack nimmt mit dem Alter an Schärfe zu. Der gereifte und gepreßte *Asiago Pressato* hat eine tiefgoldene Rinde und ein sehr helles, strohfarbenes Inneres. Mit seinem angenehmen, milden Geschmack eignet er sich gut als Dessertkäse. Asiago hält sich, in Klarsichtfolie verpackt, gut im Kühlschrank.

ZIEGENKÄSE

Ziegenkäse hat einen unverkennbaren, scharfen Geschmack. Abhängig vom Reifegrad und der Herstellungsmethode kann seine Beschaffenheit weich und krümelig oder fest und von fast kreideähnlicher Konsistenz sein. Junger, krümeliger Ziegenkäse ist streichfähig, kann als Tafelkäse gereicht werden oder zerbröckelt in Salaten oder Pastasaucen Verwendung finden. Festere Käsesorten können in Öl und Kräuter eingelegt werden. Beim Kauf sollte man auf klares Weiß ohne Anzeichen von Austrocknung an den Rändern achten, und ihn – obwohl er sich bis zu 2 Wochen im Kühlschrank hält – nicht auf Vorrat, sondern nach Bedarf kaufen. Je nach Sorte kann die Farbe der Rinde von schwarz bis zu eierschalenfarben variieren. Bei ersterer handelt es sich um Ziegenkäse in Asche; dabei wird der Käse so lange in der Asche von Kräutern, die in der Pfanne geröstet wurden, gewälzt, bis er eine gleichmäßig schwarze Farbe angenommen hat.

IM UHRZEIGERSINN, VON LINKS OBEN: Fontina, Parmigiano-Reggiano, Bel Paese, Ziegenkäse, Ziegenkäse in Asche, Asiago, Grana

PASTA-SALATE

Pastasalate verdanken wir der Weiterentwicklung der klassischen Pastagerichte. Streng genommen sind Pastasalate zwar keine authentische italienische Erfindung, doch die Kombination von frischem Gemüse, dem besten Olivenöl und kalter Pasta *al dente* wirkt unverkennbar mediterran. Nur wenige Nahrungsmittel sind so wandlungsfähig, daß man sie heiß, warm oder kalt servieren kann. Pasta bildet da eine Ausnahme. Die folgenden Salate werden in italienischen Traditionsrestaurants wohl nachdenklich stimmen: »Warum sind wir eigentlich nicht selbst darauf gekommen?«

OREGANO
Italienischer Oregano (auch als »wilder Majoran« bekannt) ist eng mit dem in der griechischen Küche verwendeten Rigani verwandt, ebenso mit Majoran, der in der französischen, norditalienischen und auch in der deutschen Küche Verwendung findet. Es ist milder als Rigani, aber intensiver als Majoran. Oregano paßt sehr gut zu Tomaten, Knoblauch und Zwiebeln. Er wird daher mehr als jedes andere Kraut für Pizzabelag verwendet. Die Pflanzen sind widerstandsfähig, und ihre Blätter trocknen gut; für ausreichenden Nachschub ist also immer gesorgt.

OBEN: Farfallesalat mit getrockneten Tomaten und Spinat

FARFALLESALAT MIT GETROCKNETEN TOMATEN UND SPINAT

Vorbereitungszeit: 20 Minuten
Kochzeit: 12 Minuten
Für 6 Personen

500 g Farfalle oder Fusilli
3 Frühlingszwiebeln
50 g getrocknete Tomaten, in Streifen geschnitten
1 kg Blattspinatblätter ohne Stengel, grobgeschnitten
50 g Pinienkerne, in der Pfanne geröstet
1 EL frischer Oregano, feingehackt
60 ml Olivenöl
1 TL frische Chillies, feingehackt
1 Knoblauchzehe, zerdrückt

1 Die Pasta in einem großen Topf mit sprudelndem Salzwasser *al dente* kochen. Abtropfen, kalt abspülen und nochmals abtropfen. Abkühlen lassen und in eine große Salatschüssel geben.

2 Die Frühlingszwiebeln putzen und diagonal fein aufschneiden. Dann mit den Tomaten, dem Spinat, den Pinienkernen und dem Oregano an die Pasta geben.

3 Für das Dressing das Öl, die Chillies, den Knoblauch und Salz und Pfeffer nach Geschmack in einem Schüttelbecher oder einem verschließbaren Glas vermengen.

4 Das Dressing über den Salat gießen, gut mischen und servieren.

PRO PERSON: *Protein 15 g; Fett 15 g; Kohlenhydrate 60 g; Ballaststoffe 10 g; Cholesterol 0 mg; 1930 kJ (460 Kcal)*

SPAGHETTISALAT MIT TOMATEN

Vorbereitungszeit: 25 Minuten
Kochzeit: 15 Minuten
Für 6 Personen

500 g Spaghetti oder Bucatini
50 g frisches Basilikum, feingezupft
250 g Kirschtomaten, halbiert
1 Knoblauchzehe, zerdrückt
80 g entsteinte schwarze Oliven, gehackt
60 ml Olivenöl
1 EL Balsamicoessig
50 g frisch geriebener Parmesan

1 Die Pasta in einem großen Topf mit sprudelndem Salzwasser *al dente* kochen. Abtropfen, kalt abspülen und nochmals abtropfen.
2 Das Basilikum, die Tomaten, den Knoblauch, die Oliven, das Öl und den Essig in einer Schüssel vermischen. 15 Minuten stehen lassen. Dann die abgekühlte Pasta unterheben.
3 Den Parmesan und Salz und Pfeffer nach Geschmack dazugeben. Gut mengen und sofort servieren.

ALS BEILAGE

KÜRBISBRÖTCHEN MIT SALBEI
250 g Mehl mit einer Prise Salz in eine Schüssel sieben und eine Messerspitze Backpulver zugeben. 250 g gekochten und pürierten Kürbis und 20 g Butter einrühren. Mit 1 EL frisch gehacktem Salbei und etwas Milch vermengen. Auf einem Backblech zu einer Kugel und anschließend zu einer langen Wurst von 3 cm Dicke rollen. Dann in gewünschter Breite einschneiden und bei Mittelhitze (180 °C) 15–20 Minuten backen, bis die Brötchen schön hellbraun durchgebacken sind.

OBEN: Spaghettisalat mit Tomaten

WARME SALATE
Ein Salat, dessen Zutaten teilweise oder alle noch warm sind, kann ein äußerst wohlschmeckender erster Gang sein, er eignet sich aber ebenso als leichte Hauptmahlzeit. Die gekochten Zutaten sind appetitlich frisch und saftig und stecken voller Aroma. Sie kontrastieren wunderbar mit den klassischen Salatgemüsen, die ihm eine knackige Frische verleihen.

OBEN: Warmer Pastasalat mit Huhn
RECHTS: Pastasalat mit Tomaten und Basilikum

WARMER PASTASALAT MIT HUHN

Vorbereitungszeit: 20 Minuten
Kochzeit: 15 Minuten
Für 6 Personen

200 g Penne rigate
60 ml Olivenöl, extra vergine
2 Knoblauchzehen, zerdrückt
Schale von 1 ungespritzten Zitrone, in feinen Streifen abgezogen
1 EL Zitronensaft
3 EL frisches Basilikum, feingezupft
4 mittelgroße Tomaten, ohne Kerne, gehackt
18 schwarze Oliven, entsteint und in Scheiben geschnitten
eine Prise frischer Oregano
400 g Hühnerbrustfilet
1 EL Öl
20 g Rucola

1 Die Pasta in einem großen Topf mit sprudelndem Salzwasser *al dente* kochen. Abtropfen.
2 Zwischenzeitlich das Olivenöl mit Knoblauch, Zitronenschale, Zitronensaft, Basilikum, Tomaten, Oliven und Oregano in einer großen Schüssel verschlagen; mit Salz und Pfeffer abschmecken.
3 Die Filets in dünne Streifen schneiden. Das Öl in einer mittelgroßen gußeisernen Pfanne erhitzen und die Streifen bei Mittelhitze unter gelegentlichem Rühren 4 Minuten weich garen.
4 Die abgetropften Fleischstreifen und die warme Pasta an die Sauce geben und gut vermengen. Mit Rucola garnieren.

PRO PERSON: *Protein 20 g; Fett 15 g; Kohlenhydrate 25 g; Ballaststoffe 5 g; Cholesterol 45 mg; 1330 kJ (320 Kcal)*

PASTASALAT MIT TOMATEN UND BASILIKUM

Vorbereitungszeit: 15 Minuten
Kochzeit: 10 Minuten
Für 6 Personen

500 g gekochte Penne rigate
15 g frisches Basilikum, feingezupft
1–2 Knoblauchzehen, zerdrückt
2 EL Olivenöl
1 EL Balsamicoessig
1 TL Demerara-Zucker (brauner Zucker oder Rohrzucker)
4 Eiertomaten
60 g Prosciutto

1 Die Penne, das Basilikum, den Knoblauch, das Öl, Essig, Zucker sowie Salz und Pfeffer nach Geschmack vermengen.
2 Die Eiertomaten vierteln und unterziehen.
3 Den Prosciutto knusprig grillen oder in der Pfanne ohne Öl knusprig braten. In Stückchen krümeln und vor dem Servieren über den Salat streuen.

PRO PERSON: *Protein 5 g; Fett 5 g; Kohlenhydrate 30 g; Ballaststoffe 5 g; Cholesterol 5 mg; 910 kJ (215 Kcal)*

PASTASALAT MIT THUNFISCH

Vorbereitungszeit: 20 Minuten
Kochzeit: 15 Minuten
Für 6 Personen

500 g Conchiglie oder Fusilli
200 g blanchierte grüne Bohnen, in mundgerechte Stücke geschnitten
2 rote Paprika, in Juliennestreifen geschnitten
2 Frühlingszwiebeln, in Röllchen geschnitten
425 g Dosenthunfisch in Öl
2 EL Öl
60 ml Weißweinessig
1 EL Zitronensaft
1 Knoblauchzehe, zerdrückt
1 TL Zucker
1 große Salatgurke, in dünne Scheiben geschnitten
6 hartgekochte Eier, geviertelt
4 Tomaten, geachtelt
80 g schwarze Oliven
2 EL frisches Basilikum, feingezupft

1 Die Pasta in einem großen Topf mit sprudelndem Salzwasser *al dente* kochen. Abtropfen, kalt abspülen, dann erneut abtropfen.
2 Die Pasta mit den Bohnen, den Paprika und den Frühlingszwiebeln in einer großen Schüssel mischen. Den Thunfisch abtropfen, das Öl auffangen und das Fleisch mit einer Gabel zerpflücken.
3 Das Marinieröl, das Öl, den Essig, den Zitronensaft und den Knoblauch mit dem Zucker in einem Schüttelbecher oder verschließbaren Gefäß 2 Minuten gut mengen.
4 Die Pasta in die Mitte einer großen Servierplatte geben. Die Gurken, Eier und Tomaten entlang des Rands garnieren und mit der Hälfte des Dressings beträufeln. Den Thunfisch, die Oliven und das Basilikum über die Pasta löffeln. Mit dem restlichen Dressing beträufeln und servieren.

PRO PERSON: *Protein 35 g; Fett 25 g; Kohlenhydrate 65 g; Ballaststoffe 10 g; Cholesterol 235 mg; 2650 kJ (630 Kcal)*

ALS BEILAGE

POLENTABROT 50 g geriebenen Parmesan, etwas feingehackte frische Kräuter (Basilikum, glatte Petersilie, Oregano, Salbei), 1 zerdrückte Knoblauchzehe und etwas Sahne mit 250 g gekochter Polenta vermengen. Abschmecken. In einer ofenfesten Form bei Mittelhitze (200 °C) backen, bis die Polenta fest ist und sich eine goldene Kruste gebildet hat. In Scheiben schneiden und warm servieren.

CHIPS AUS SÜSSKARTOFFELN UND PASTINAKEN Süßkartoffeln und Pastinaken schälen und in hauchdünne Scheiben schneiden oder mit einem scharfen Gemüseschäler in dünnen Streifen abziehen. Portionsweise in heißem Öl knusprig fritieren. Abtropfen und in einem auf Mittelhitze (180 °C) vorgeheizten Backofen warm halten, bis alle Chips fritiert sind. Schließlich mit Knoblauchmayonnaise servieren.

OBEN: Pastasalat mit Thunfisch

BRESAOLA
Bresaola ist 2 Monate an der Luft getrocknetes Rindfleisch. Roh wird es dünn wie Bündner Fleisch aufgeschnitten und mit Zitronensaft und Pfeffer gewürzt als Vorspeise serviert, es eignet sich aber auch zum Füllen und für Saucen.

PASTASALAT MIT THUNFISCH, GRÜNEN BOHNEN UND ZWIEBELN

Vorbereitungszeit: 20 Minuten
Kochzeit: 10–15 Minuten
Für 4 Personen

200 g grüne Bohnen, geputzt und mundgerecht zerteilt
300 g Penne rigate
120 ml Olivenöl
250 g frisches Thunfischsteak, in dicke Scheiben geschnitten
1 rote Zwiebel, in feine Ringe geschnitten
1 EL Balsamicoessig

1 Die geputzten Bohnen in einem großen Topf mit sprudelndem Salzwasser 1–2 Minuten blanchieren, bis sie weich, aber noch knackig sind. Mit einem Schaumlöffel herausheben und kalt abschrekken. Abtropfen und in eine Servierschüssel geben.
2 Die Pasta in dem sprudelnden Bohnenwasser *al dente* kochen. Abtropfen, kalt abspülen und wieder abtropfen. Dann zu den Bohnen geben.
3 Die Hälfte des Öls in einer Bratpfanne erhitzen. Den Fisch und die Zwiebel bei leichter Hitze sautieren, bis der Thunfisch gar ist. Den Fisch vorsichtig wenden, damit er nicht zerfällt. Den Essig angießen, die Hitze erhöhen und das Dressing kochen, bis es reduziert ist und den Fisch leicht glasiert hat. Nun den Thunfisch und die Zwiebel in eine Schüssel geben. Pfannenrückstände nicht zugeben.
4 Die Bohnen, die Pasta, den Thunfisch und die Zwiebel vorsichtig vermengen und mit dem restlichen Öl und Salz und Pfeffer nach Geschmack würzen. Auf Zimmertemperatur abkühlen lassen und servieren.

PRO PERSON: *Protein 25 g; Fett 30 g; Kohlenhydrate 55 g; Ballaststoffe 6 g; Cholesterol 45 mg; 2535 kJ (605 Kcal)*

PASTASALAT MIT BRESAOLA, CHAMPIGNONS UND SALATGURKE

Vorbereitungszeit: 20 Minuten
Kochzeit: 5–10 Minuten
Für 4 Personen

200 g Lasagnette, in Viertel gebrochen
250 g Bresaola, in dünne Streifen geschnitten
1 Selleriestange, in Röllchen geschnitten
2 kleine Tomaten, geviertelt
1 Salatgurke, in dünne Scheiben geschnitten
80 g Champignons, in dünne Scheiben geschnitten
1 EL frischer Koriander, feingehackt, zum Garnieren

Dressing
60 ml Olivenöl
2 EL Rotweinessig
eine Messerspitze Dijonsenf
1 Knoblauchzehe, zerdrückt
ein Schuß scharfes Chiliöl

1 Die Pasta in einem großen Topf mit sprudelndem Salzwasser *al dente* kochen. Abtropfen, kalt abspülen und nochmals abtropfen. Abkühlen lassen und in eine große Salatschüssel geben.
2 Den Bresaola, den Sellerie, die Tomaten, die Gurke und die Pilze an die Pasta geben.
3 Für das Dressing alle Zutaten in einem Schüttelbecher oder verschließbarem Glas schütteln, bis alles gut vermengt ist.
4 Das Dressing unter den Salat ziehen. Einige Stunden abgedeckt im Kühlschrank marinieren. Abschmecken und mit frischem Koriander bestreut servieren.

PRO PERSON: *Protein 15 g; Fett 55 g; Kohlenhydrate 35 g; Ballaststoffe 4 g; Cholesterol 280 mg; 3050 kJ (725 Kcal)*

GEGENÜBERLIEGENDE SEITE: Pastasalat mit Thunfisch, grünen Bohnen und Zwiebeln (oben); Pastasalat mit Bresaola, Champignons und Salatgurke

ARTISCHOCKENHERZEN
Die Artischocke ist der eßbare Blütenstand einer Distelart. In der Mitte des Blütenstands befindet sich das Heu, eigentlich die Blüte, die auf einem zarten, becherförmigen Boden sitzt. Die Blüte ist von fleischigen Blättern umgeben. Die harten äußeren Blätter müssen vor dem Kochen entfernt werden. Die zarten inneren Blätter umschließen das Herz und den Boden der Artischocke. Man kann Artischokkenherzen frisch zubereiten, doch in Dosen abgepackte oder marinierte Herzen sind eine gute und zeitsparende Alternative.

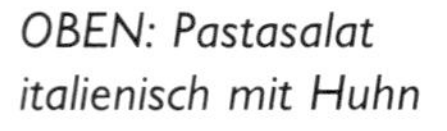

OBEN: Pastasalat italienisch mit Huhn

PASTASALAT ITALIENISCH MIT HUHN

Vorbereitungszeit: 30 Minuten + 3 Stunden Marinierzeit
Kochzeit: 10 Minuten
Für 8 Personen

3 Hühnerbrustfilets
60 ml Zitronensaft
1 Knoblauchzehe, zerdrückt
100 g Prosciutto, dünn aufgeschnitten
1 Salatgurke
2 EL Steakpfeffer
2 EL Olivenöl
150 g Penne, gekocht
80 g getrocknete Tomaten, feingeschnitten
70 g schwarze Oliven, entsteint und halbiert
120 g eingelegte Artischockenherzen, halbiert
50 g frisch gehobelter Parmesan

Sahne-Basilikum-Dressing
80 ml Olivenöl
1 EL Weißweinessig
eine Prise Steakpfeffer
1 TL Dijonsenf
3 TL Mondamin
170 ml Sahne
20 g frisches Basilikum, feingezupft

1 Die Filets von überschüssigem Fett und Sehnen befreien und mit einem Holzhammer oder einem Nudelholz vorsichtig flach drücken.
2 Den Zitronensaft mit dem Knoblauch in einer Schüssel verschlagen und das Fleisch damit an allen Seiten begießen. Mit Klarsichtfolie bedeckt mindestens 3 Stunden oder über Nacht im Saft marinieren. Dabei gelegentlich wenden.
3 Den Prosciutto in dünne Streifen schneiden. Die Gurke längs halbieren und in Scheiben schneiden.
4 Die Filets abtropfen und im Steakpfeffer wälzen. Das Öl in einer großen gußeisernen Pfanne erhitzen und darin das Fleisch 4 Minuten auf jeder Seite leicht anbräunen lassen, bis es gar ist. Vom Herd nehmen, abkühlen lassen und klein schneiden.

5 Für das Sahnedressing das Öl, den Weißweinessig, den Pfeffer und den Senf in einem mittelgroßen Topf mengen. Das Mondamin in 80 ml Wasser auflösen und glatt verschlagen. Bei Mittelhitze 2 Minuten mit dem Schneebesen einrühren, bis die Sauce aufkocht und andickt. Die Sahne angießen, das Basilikum untermischen und mit Salz abschmecken. Die Sauce gleichmäßig erwärmen.
6 Nun die Pasta, das Fleisch, die Gurke, den Prosciutto, die getrockneten Tomaten, die Oliven und die Artischockenherzen in einer großen Salatschüssel mit dem warmen Dressing übergießen und gut unterheben. Der Salat kann warm oder kalt serviert werden. Mit Parmesanhobeln garnieren.

PRO PERSON: *Protein 15 g; Fett 30 g; Kohlenhydrate 15g; Ballaststoffe 2 g; Cholesterol 60 mg; 1555 kJ (370 Kcal)*

PASTASALAT MIT MEERESFRÜCHTEN

Vorbereitungszeit: 30 Minuten
Kochzeit: 5–10 Minuten
Für 8 Personen als Vorspeise, für 4 Personen als Hauptgericht

400 g mittelgroße Conchiglie
250 g Volleimayonnaise
3 EL frischer Estragon, feingehackt, oder 2 EL getrockneter Estragon
1 EL frische, glatte Petersilie, feingehackt
Cayennepfeffer nach Geschmack
1 TL frischer Zitronensaft oder nach Geschmack
1 kg gekochte Schalentiere (Scampi, Hummer, Krebs in beliebiger Kombination), in mundgerechte Stücke zerteilt
4 Radieschen, geputzt und hauchdünn aufgeschnitten
1 kleine rote Paprika, in Juliennestreifen geschnitten

1 Die Pasta in einem großen Topf mit sprudelndem Salzwasser *al dente* kochen. Abtropfen, kalt abspülen und wieder abtropfen. In eine große Schüssel geben und 1–2 EL Mayonnaise unterziehen. Auf Zimmertemperatur abkühlen lassen; gelegentlich umrühren, um ein Zusammenkleben zu verhindern.
2 Getrockneten Estragon in 60 ml Milch 3–4 Minuten köcheln lassen und abtropfen. Den Estragon mit Petersilie, Cayennepfeffer und Zitronensaft in einer Schüssel mit der restlichen Mayonnaise gut verschlagen.
3 Die Meeresfrüchte mit den Radieschen und der Paprika an die Pasta geben und mit Salz und Pfeffer abschmecken. Die Estragonmayonnaise unterrühren. Abdecken und vor dem Servieren kühl stellen. Falls der Salat austrocknet, noch etwas Zitronensaft oder Mayonnaise zugeben.
Hinweis: Mayonnaise kann man selbst aus 2 Eigelb, 1 TL Dijonsenf und 2 TL Zitronensaft herstellen, die 30 Sekunden zu einer hellen, sahnigen Creme verschlagen werden. 250 ml Olivenöl unter ständigem Rühren eßlöffelweise zugeben. Je mehr die Mayonnaise eindickt, desto schneller kann das Öl zugegeben werden. Zum Schluß noch 2 TL Zitronensaft unterziehen und mit Salz und weißem Pfeffer abschmecken. Auch in der Küchenmaschine kann man Mayonnaise zubereiten. Dazu die Eigelbe, den Senf und den Zitronensaft wie im obigen Rezept 10 Sekunden pürieren. Dann bei laufender Maschine das Öl langsam in einem dünnen Strahl dazugießen, bis sich Mayonnaise bildet.

PRO PERSON (BEI 8 PERSONEN): *Protein 35 g; Fett 10 g; Kohlenhydrate 40 g; Ballaststoffe 3 g; Cholesterol 245 mg; 1755 kJ (415 Kcal)*

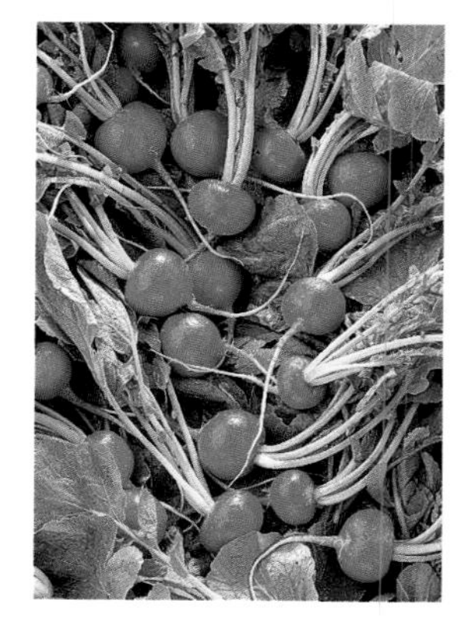

OBEN: Pastasalat mit Meeresfrüchten

PASTASALAT MIT RUCOLA, KIRSCHTOMATEN UND SALAMI

Vorbereitungszeit: 20 Minuten
Kochzeit: 18 Minuten
Für 6 Personen

350 g Orecchiette
6 Scheiben würzige italienische Salami, in Streifen geschnitten
150 g Rucola, grobgezupft
200 g Kirschtomaten, halbiert
4 EL Olivenöl
3 EL Weißweinessig
1 TL Zucker

1 Die Pasta in einem großen Topf mit sprudelndem Salzwasser *al dente* kochen. Abtropfen, kalt abspülen, nochmals abtropfen und abkühlen.
2 Die Salami in einer Pfanne bei Mittelhitze knusprig braten. Auf Küchenkrepp gut abtropfen lassen.
3 Die Salami, die Pasta, den Rucola und die Kirschtomaten in eine große Schüssel geben.
4 Im Schüttelbecher oder einem verschließbaren Glas das Öl, den Essig, den Zucker sowie Salz und Pfeffer nach Geschmack 1 Minute kräftig schütteln. Über den Salat gießen und sofort servieren.

ALS BEILAGE

DAMPER (EINE AUSTRALISCHE BROTSPEZIALITÄT) 500 g Mehl mit 7 g Trockenhefe,1 TL Salz und 1 TL feinem Zucker in eine große Schüssel sieben. Mit einem Messer 380 ml Milch einarbeiten, bis ein relativ fester Teig entsteht, der sich von den Seiten löst. Den Teig 1 Minute auf einer bemehlten Arbeitsfläche kneten und zu einer Kugel formen. Auf ein gefettetes Backblech legen, oben etwas abflachen und kreuzweise einschneiden. Mit Milch bestreichen und bei hoher Hitze (210 °C) 15 Minuten backen. Bei Mittelhitze (180 °C) weitere 20 Minuten backen, bis das Brot eine goldene Farbe angenommen hat und der Boden hohl klingt, wenn man mit den Knöcheln auf die Unterseite klopft.

PASTASALAT MIT HUHN UND BIRNE

Vorbereitungszeit: 35 Minuten
Kochzeit: 30 Minuten
Für 6 Personen

350 g Gemelli oder Fusilli
200 g Hühnerbrustfilet
2 reife Birnen
3 Frühlingszwiebeln, in feine Röllchen geschnitten
2 EL Mandelblättchen, in der Pfanne geröstet
100 g sahniger Blauschimmelkäse
3 EL Schmand
3 EL Eiswasser

1 Die Pasta in einem großen Topf mit sprudelndem Salzwasser *al dente* kochen. Abtropfen, kalt abspülen, nochmals abtropfen und abkühlen lassen.
2 Die Filets in einer Pfanne mit kaltem Wasser bedecken und 8 Minuten gar köcheln lassen. Gelegentlich wenden. Aus der Pfanne nehmen, abkühlen lassen, in feine Streifen schneiden und mit der abgekühlten Pasta in eine Schüssel geben.
3 Die Birnen halbieren und das Gehäuse entfernen. In Streifen von der Größe der Filets schneiden und mit den Frühlingszwiebeln und den Mandeln an die Pasta geben.
4 Den Blauschimmelkäse und den Schmand mit dem Eiswasser in einer Küchenmaschine glatt pürieren und mit Salz und Pfeffer abschmecken. Über die Pasta gießen und gut vermengen. Auf einer Servierplatte anrichten oder in einer Schüssel servieren. Nach Wunsch mit Frühlingszwiebelröllchen garnieren.

PRO PERSON: *Protein 20 g; Fett 15 g; Kohlenhydrate 50 g; Ballaststoffe 5 g; Cholesterol 45 mg; 1655 kJ (395 Kcal)*

BIRNEN
Die vielseitige Birne kann als Frischobst serviert oder in Desserts, Süßspeisen und pikanten Gerichten verarbeitet werden. Ihre knackig feste Beschaffenheit reagiert gut auf Hitze, und ihr Aroma harmoniert mit vielen Nahrungsmitteln: Geflügel, Käse, grüne Salate und erstaunlicherweise auch Olivenöl. Es gibt unzählige Birnensorten, die oft nur regional angebaut werden. Birnen werden in Tafelbirnen und Kochbirnen unterteilt; erstere haben ein süßes, saftiges Fruchtfleisch, letztere festes, meist körniges Fruchtfleisch und einen stärkeren Säuregehalt.

GEGENÜBERLIEGENDE SEITE: Pastasalat mit Rucola, Kirschtomaten und Salami (oben); Pastasalat mit Huhn und Birne

PASTASALAT MIT GEGRILLTEM HUHN

Vorbereitungszeit: 15 Minuten
Kochzeit: 15 Minuten
Für 6 Personen

1 Grillhähnchen
500 g Penne
60 ml Olivenöl
2 EL Weißweinessig
200 g Kirschtomaten, halbiert
20 g frisches Basilikum, feingezupft
80 g schwarze Oliven, entsteint und gehackt
schwarzer Pfeffer aus der Mühle

1 Grillhähnchen entbeinen; Fleisch und Haut fein schneiden.
2 Die Penne in einem großen Topf mit kochendem Salzwasser *al dente* kochen. Abtropfen und in eine Pastaschüssel geben. Öl und Essig verschlagen und noch warm unter die Pasta ziehen.
3. Das Geflügel, die Kirschtomaten, das Basilikum und die Oliven an die Pasta geben und gut mengen. Mit schwarzem Pfeffer aus der Mühle abschmecken. Warm als Hauptgericht servieren oder mit Zimmertemperatur als Teil eines Salatbüffets reichen.
Hinweis: Der Salat kann bis zu 2 Stunden im voraus zubereitet werden. Das Geflügel kalt stellen und erst zum Schluß an den Salat geben. Das Basilikum erst kurz vor dem Servieren unterheben, da es sich an den Schnittflächen schnell verfärbt.

PRO PERSON: *Protein 30 g; Fett 20 g; Kohlenhydrate 60 g; Ballaststoffe 5 g; Cholesterol 70 mg; 2500 kJ (595 Kcal)*

OBEN: Pastasalat mit gegrilltem Huhn

PASTASALAT MIT GEMÜSE UND ZITRONE

Vorbereitungszeit: 20 Minuten
Kochzeit: 15 Minuten
Für 4 Personen

250 g Farfalle
80 ml Olivenöl
250 g Brokkoli, in kleine Röschen zerteilt
120 g Zuckerschoten, die Enden entfernt
150 g Gartenkürbis, geschält und in kleine Stücke geschnitten
2 EL Schmand
1 EL Zitronensaft
2 TL geriebene Schale von 1 ungespritzten Zitrone
1 Selleriestange, in feine Röllchen geschnitten
1 EL frischer Kerbel, feingezupft
zusätzlicher Kerbel zum Servieren

1 Die Farfalle in einem großen Topf mit sprudelndem Salzwasser *al dente* kochen. Gut abtropfen. 1 EL Olivenöl unterrühren und abkühlen lassen.
2 Den Brokkoli, die Zuckererbsen und den Kürbis in einer großen Schüssel mit kochendem Wasser bedecken und 2 Minuten stehen lassen. Abtropfen, mit Eiswasser abschrecken, nochmals abtropfen. Mit Küchenkrepp trocken tupfen.
3 Den Schmand, den Zitronensaft mit Schale und das restliche Öl in einem Schüttelbecher oder einem verschließbaren Glas 30 Sekunden schütteln, bis alles gut vermischt ist. Mit Salz und Pfeffer abschmecken.
4 Die abgekühlte Pasta, den Sellerie und das abgetropfte Gemüse in einer großen Schüssel mit Kerbel bestreuen. Das Dressing über den Salat gießen und gut mengen. Mit Kerbel garniert mit Zimmertemperatur servieren.

PRO PERSON: *Protein 10 g; Fett 25 g; Kohlenhydrate 50 g; Ballaststoffe 5 g; Cholesterol 15 mg; 1910 kJ (455 Kcal)*

KERBEL
Kerbel ist ein Doldengewächs, das als Topfpflanze kultiviert wurde. Er hat einen zarten, leicht an Anis erinnernden Geschmack. An seinen steifen Stengeln hängen zarte, gefiederte Blätter, die man zum Kochen fein hacken kann. Im Ganzen gelassen, erinnern sie an kleine Blumenblätter. Das Kerbelaroma verfliegt rasch, und die Blätter sollten nur frisch und erst kurz vor Ende der Kochzeit an warme Gerichte gegeben werden. Kerbel paßt zu Omelettes, Suppen und eignet sich auch als hübsche Garnierung.

OBEN: Pastasalat mit Gemüse und Zitrone

BROT

Ein duftendes Brot mit frischer Kruste ist in all seinen köstlichen Varianten die perfekte Ergänzung zu einem Essen. Man kann Brot durch Knoblauch, Käse, Basilikum, Petersilie und andere Kräuter zusätzlichen Pfiff geben.

KNOBLAUCHGRISSINI

Den Ofen auf Mittelhitze (180 °C) vorheizen. 2 zerdrückte Knoblauchzehen mit 1 EL Olivenöl verrühren und damit 1 Päckchen ungewürzte Grissini bestreichen. Danach jedes Grissini mit etwas hauchdünn aufgeschnittenem Parmaschinken umrollen. 5 Minuten backen, bis die Enden knusprig sind. Vor dem Servieren abkühlen lassen.

PRO GRISSINI: *Protein 2 g; Fett 2 g; Kohlenhydrate 6 g; Ballaststoffe 0 g; Cholesterol 4 mg; 210 kJ (50 Kcal)*

KÄSEKRÄUTERBRÖTCHEN

Den Backofen auf hohe Hitze (220 °C) vorheizen. 120 g weicher Butter mit je 1 EL feingezupftem frischem Basilikum, glatter Petersilie und Schnittlauchröllchen und 30 g geriebenem Cheddar oder mittelaltem Gouda vermengen. Mit Salz und Pfeffer abschmecken. Dann 4 Ciabattabrötchen horizontal in dünne Scheiben schneiden, aber nicht durchtrennen. Die Butter auf die Innenseiten verstreichen. 15 Minuten goldgelb und knusprig backen.

PRO PERSON (BEI 4 PERSONEN): *Protein 10 g; Fett 30 g; Kohlenhydrate 45 g; Ballaststoffe 3 g; Cholesterol 90 mg; 2055 kJ (490 Kcal)*

KNUSPRIGE PESTO-TOASTS

50 g frisches Basilikum, 2 Knoblauchzehen, 3 EL pfannengeröstete Pinienkerne und 4 EL frisch geriebenen Parmesan in der Küchenmaschine grob hacken. Anschließend bei laufender Maschine langsam 60 ml Olivenöl zugießen, bis eine glatte Creme entsteht. Dann Toastbrot oder Ciabattabrot aufschneiden, auf beiden Seiten mit Olivenöl bestreichen und im Backofen schön goldbraun braten. Abschließend mit dem Pesto bestreichen und in mundgerechte Rechtecke teilen. Ergibt 16–20 Stück.

PRO STÜCK: *Protein 2 g; Fett 6 g; Kohlenhydrate 4 g; Ballaststoffe 0 mg; Cholesterol 3 mg; 340 kJ (80 Kcal)*

BRUSCHETTA MIT GEGRILLTER PAPRIKA

1 rote und 1 gelbe Paprika halbieren und die Samen und Rippen entfernen. Mit der Innenseite nach unten unter einem heißen Grill oder einem vorgeheizten Backofen grillen, bis die Haut schwarz wird und Blasen wirft. Dann mit einem feuchten Küchentuch abdecken und abkühlen lassen. Die Haut abziehen, das Fleisch in dünne Streifen schneiden.
1 Ciabatta in dünne Scheiben schneiden und schön goldgelb toasten. Jede Seite mit halbierten Knoblauchzehen abreiben. Mit Olivenöl extra vergine bestreichen. Schließlich mit den Paprika und frischem Zitronenthymian belegen. Ergibt etwa 30 Stück.

PRO STÜCK: *Protein 2 g; Fett 2 g; Kohlenhydrate 10 g; Ballaststoffe 1 g; Cholesterol 0 mg; 315 kJ (75 Kcal)*

CROSTINI MIT TOMATEN UND ANCHOVIS

1 Baguette diagonal dick aufschneiden. Leicht mit Olivenöl bestreichen und goldbraun toasten. Unterdessen 250 g getrocknete Tomaten feinschneiden und mit 50 g abgetropften Anchovisfilets, 50 g entsteinten, gehackten schwarzen Oliven und frischem Basilikum nach Geschmack mengen. Auf die Crostini streichen. Ergibt etwa 15 Stück.

PRO STÜCK: *Protein 4 g; Fett 5 g; Kohlenhydrate 15 g; Ballaststoffe 1 g; Cholesterol 4 mg; 535 kJ (125 Kcal)*

OBEN, VON LINKS: Knoblauchgrissini; Käsekräuterbrötchen; Knusprige Pestotoasts; Bruschetta mit gegrillter Paprika; Crostini mit Tomaten und Anchovis

FRISCHER BABYMAIS
Frischen Babymais bekommen Sie in gutsortierten Lebensmittelgeschäften und in Asia-Shops. Beim Kauf sollte man auf knackiges Gemüse achten, das nicht feucht ist, auf eine zartgelbe Farbe ohne Flecken und auf eine Länge von maximal 8 cm. Babymais schmeckt wie herkömmlicher Mais, wird allerdings im Ganzen verzehrt. Bekannt wurde er in unseren Breitengraden durch die asiatische Küche; mittlerweile wird er wegen seines zartsüßen Geschmacks und seiner knackigen Konsistenz in den verschiedensten Landesküchen hoch geschätzt.

OBEN: Pastasalat mit Thaigemüse

PASTASALAT MIT THAIGEMÜSE

Vorbereitungszeit: 20 Minuten
Kochzeit: 15 Minuten
Für 6 Personen

- 350 g Fettuccine (falls erhältlich, mit Tomatenmark oder Kräutern gefärbt)
- 100 g frischer Babymais, längs halbiert
- 1 Möhre, in Juliennestreifen geschnitten
- 200 g Brokkoli, in kleine Röschen zerteilt
- 1 rote Paprika, in dünne Streifen geschnitten
- 3 EL süße Chilisauce
- 2 EL Honig
- 2 TL Fischsauce (nuoc mam)
- 3 Frühlingsziebeln, in Juliennestreifen geschnitten
- 2 TL Sesamkörner

1 Die Pasta in einem großen Topf mit sprudelndem Salzwasser *al dente* kochen. Abtropfen, kalt abspülen, nochmals abtropfen und abkühlen lassen.

2 Den Babymais in einem Topf mit kochendem Wasser 1 Minute blanchieren. Mit einem Schaumlöffel herausheben und in einer Schüssel mit Eiswasser abschrecken. Die Möhre, den Brokkoli und die Paprika je 30 Sekunden blanchieren, abtropfen und ins kalte Wasser geben. Sobald die Gemüse abgekühlt sind, abgetropft mit der Pasta in eine Schüssel geben.

3 Die Chilisauce mit dem Honig und der Fischsauce gut verrühren. Über den Salat gießen und sorgfältig mischen. Mit den Frühlingszwiebeln und den Sesamkörnern garnieren.

PRO PERSON: *Protein 10 g; Fett 2 g; Kohlenhydrate 60 g; Ballaststoffe 6 g; Cholesterol 0 mg; 1210 kJ (290 Kcal)*

PASTASALAT MIT MITTELMEERGEMÜSE

Vorbereitungszeit: 30 Minuten
Kochzeit: 15 Minuten
Für 6 Personen

350 g Makkaroni
200 g Auberginenscheiben, gebraten und eingelegt (siehe Hinweis)
100 g getrocknete Tomaten
60 g Kalamata-Oliven, entsteint
200 g gekochter Schinken, hauchdünn aufgeschnitten
2 EL süße Chilisauce
1 EL Weißweinessig
1 EL Olivenöl
2 EL frische, glatte Petersilie, feingehackt

1 Die Pasta in einem großen Topf mit sprudelndem Salzwasser *al dente* kochen. Abtropfen, kalt abspülen und nochmals abtropfen. Abkühlen lassen und in eine Schüssel geben.
2 Die Auberginen, die Tomaten und die Oliven in Streifen schneiden und an die Pasta geben. Den Schinken vorsichtig zerpflücken und zugeben.
3 Die Chilisauce mit dem Essig, dem Öl und Salz und Pfeffer nach Geschmack verquirlen. Das Dressing über den Salat gießen und gut vermengen. Mit frischer Petersilie bestreuen und servieren.
Hinweis: Eingelegtes Gemüse ist in türkischen Lebensmittelgeschäften und auf Wochenmärkten erhältlich. Die Auberginenscheiben können durch rote oder grüne Paprika und durch Zucchini ersetzt werden.

PRO PERSON: *Protein 15 g; Fett 8 g; Kohlenhydrate 45 g; Ballaststoffe 4 g; Cholesterol 15 mg; 1280 kJ (305 Kcal)*

SCHINKEN
Mittlerweile hat sich für viele Schinkensorten, ob gekocht oder geräuchert, auch in Deutschland die Aufschnittdicke italienischer Schinken durchgesetzt. Parma, San Daniele und Rohschinken werden so dünn aufgeschnitten, daß sie zu lockeren Häufchen zusammenfallen. Diese zarte Beschaffenheit intensiviert den Geschmack, macht den Schinken aber gleichzeitig auch leichter verderblich. Hauchdünn aufgeschnittener Schinken sollte bald verzehrt werden.

OBEN: Pastasalat mit Mittelmeergemüse

BALSAMICOESSIG
Balsamicoessig, *aceto balsamico*, ist eine Spezialität der Region um die norditalienische Stadt Modena. Er wird aus dem frisch gepreßten Saft ausgewählter weißer Trauben hergestellt, der langsam bis zu einem Drittel seines Volumens verkocht wird. Der so entstandene Sirup altert jahrelang in Holzfässern, bis er konzentriert ist und einen mild aromatischen Geschmack angenommen hat. Eine dickflüssige, fast schwarze Sauce entsteht, die man nicht wie anderen Essig verwendet, sondern nur als Würze beigibt. Balsamicoessig guter Qualität zeichnet sich durch eine sirupartige Beschaffenheit aus und hat eine angenehme Süße, ohne süß zu schmecken, einen intensiven Geschmack und Duft. Es gibt viele Imitationen dieses Essigs, doch die Billigprodukte haben mit dem echten Balsamico kaum etwas gemein. Hier lohnt es sich wirklich, etwas mehr Geld für das Original auszugeben.

GEGENÜBERLIEGENDE SEITE: Conchigliesalat mit Mozzarella, grünem Spargel und Oregano (oben); Warmer Fettuccinesalat mit Knoblauchscampi

CONCHIGLIESALAT MIT MOZZARELLA, GRÜNEM SPARGEL UND OREGANO

Vorbereitungszeit: 25 Minuten
Kochzeit: 10–15 Minuten
Für 4–6 Personen

350 g Conchiglie
160 g grüner Spargel
200 g Büffelmozzarella, dünn aufgeschnitten
100 g Kirschtomaten, geviertelt
2 EL frischer Oregano
4 EL Walnußöl
1 EL Weißweinessig
1 EL Balsamicoessig
Salz und schwarzer Pfeffer aus der Mühle

1 Die Conchiglie in einem großen Topf mit sprudelndem Salzwasser *al dente* kochen. Abtropfen, kalt abspülen, nochmals abtropfen und abkühlen lassen.
2 Die holzigen Spargelenden abbrechen und den Spargel in mundgerechte Stücke teilen. In einem kleinen Topf mit kochendem Wasser 1 Minute blanchieren. Abtropfen, in Eiswasser abschrecken, dann erneut abtropfen.
3 In einer großen Schüssel die Pasta, den Spargel, den Mozzarella, die Tomaten und den Oregano vermengen. In einem Schüttelbecher das Walnußöl und den Essig mischen und mit Salz und Pfeffer abschmecken.
4 Das Dressing über den Salat geben und sorgfältig unterheben.

PRO PERSON (BEI 6 PERSONEN): *Protein 15 g; Fett 25 g; Kohlenhydrate 40 g; Ballaststoffe 5 g; Cholesterol 35 mg; 1900 kJ (455 Kcal)*

WARMER FETTUCCINESALAT MIT KNOBLAUCHSCAMPI

Vorbereitungszeit: 30 Minuten
Kochzeit: 25 Minuten
Für 4–6 Personen

300 g Fettuccine
2 EL Olivenöl
4 Knoblauchzehen, zerdrückt
300 g rohes Scampifleisch
2 EL Whisky
120 ml Sahne
3 Frühlingszwiebeln, in Röllchen geschnitten

1 Die Fettuccine in einem großen Topf mit sprudelndem Salzwasser *al dente* kochen. Abtropfen, kalt abspülen, nochmals abtropfen. Abkühlen lassen und beiseite stellen.
2 Das Olivenöl in einer Pfanne erhitzen und den Knoblauch 30 Sekunden andünsten. Dann das Scampifleisch bei hoher Hitze anbraten, bis es die Farbe wechselt. Den Whisky dazugießen und verkochen lassen. Die Sahne angießen, die Frühlingszwiebeln zugeben und 2 Minuten köcheln lassen.
3 Die Sauce über die Pasta löffeln. Mit reichlich Salz und Pfeffer abschmecken.

PRO PERSON (BEI 6 PERSONEN): *Protein 15 g; Fett 15 g; Kohlenhydrate 35 g; Ballaststoffe 5 g; Cholesterol 125 mg; 1530 kJ (365 Kcal)*

ALS BEILAGE

PARMESANGEBÄCK 250 g Mehl mit 1 TL Backpulver, 1 Prise Rosenpaprika und einer Prise Salz in eine Schüssel sieben. 60 g Butterflöckchen einkneten. Dann 25 g fein geriebenen frischen Parmesan und 180 ml Milch dazugeben und verkneten. Den Teig auf 2 cm Dicke ausrollen und mit einem Teigroller Rechtecke ausrollen. Mit etwas Parmesan bestreuen, und anschließend bei hoher Hitze (220 °C) 15 Minuten goldgelb backen.

RIGATONI

Durch ihre von winzigen Rillen durchzogene Oberfläche und das hohle Innere passen Rigatoni besonders gut zu Saucen mit Einlagen wie Tomaten oder Fleisch. Bei einem gut gemischten Nudelsalat klebt die Sauce im hohlen Innenraum genauso wie zwischen den feinen Rollen. Die ähnlich geformten Tortiglioni sind in der Mitte leicht gebogen.

OBEN: Rigatonisalat mit Tomate, Mozzarella und Spinat

RIGATONISALAT MIT TOMATEN, MOZZARELLA UND SPINAT

Vorbereitungszeit: 30 Minuten
Kochzeit: 1 Stunde
Für 6 Personen

6 Eiertomaten, halbiert
Zucker zum Bestreuen
4 Knoblauchzehen, gehackt
400 g Rigatoni
60 ml Zitronensaft
60 ml Olivenöl
200 g Büffelmozzarella, feingeschnitten
100 g frischer Spinat

1 Den Backofen auf Mittelhitze (180 °C) vorheizen. Die Tomaten auf Backpapier legen und die Schnittflächen großzügig mit Salz, Zucker, Pfeffer und Knoblauch bestreuen. Mindestens 1 Stunde backen, bis sie zusammengeschrumpft und gut ausgetrocknet sind. Abkühlen lassen, dann nochmals halbieren.
2 Unterdessen die Pasta in einem großen Topf mit sprudelndem Salzwasser *al dente* kochen. Abtropfen, kalt abspülen, nochmals abtropfen und abkühlen lassen.
3 Den Zitronensaft und das Olivenöl verschlagen, und mit Salz und Pfeffer abschmecken. Den Spinat putzen und gut abtropfen lassen.
4 Das Zitronendressing unter die abgekühlte Pasta, die Tomaten, den Mozzarella und die Spinatblätter geben und alles sorgfältig unterheben. Anschließend mit schwarzem Steakpfeffer nach Geschmack garnieren und servieren.

PRO PERSON: *Protein 20 g; Fett 35 g; Kohlenhydrate 50 g; Ballaststoffe 5 g; Cholesterol 25 mg; 2530 kJ (605 Kcal)*

DATTELN
Dattelpalmen sind in Wüstenregionen heimisch und werden schon seit Tausenden von Jahren kultiviert. Frische Datteln haben ein fruchtig saftiges Fleisch. Es sind hervorragende Lieferanten von Eisen, Folsäure und Vitamin B6 und haben außerdem viele Ballaststoffe. Es gibt harte und weiche Datteln; letztere werden gerne als Tafelobst verwendet. Beide Sorten lassen sich gut trocknen, und weiche Datteln behalten dabei ihr saftiges, weiches Fruchtfleisch. Frische und weiche getrocknete Datteln sind in den Rezepten austauschbar, wobei getrocknete Datteln süßer und geschmacklich konzentrierter schmecken.

ZITISALAT MIT ZITRONE UND DATTELN

Vorbereitungszeit: 15–20 Minuten
Kochzeit: 25 Minuten
Für 4–6 Personen

350 g getrocknete Datteln, entsteint und halbiert
380 ml Portwein
380 g Ziti
60 ml Balsamicoessig
150 g Rucola, geputzt
Schale von 3 ungespritzten Zitronen, in feinen Streifen abgezogen
1–2 EL Zitronensaft

1 Die Datteln und den Portwein in einem Topf aufkochen lassen. Bei Niedrighitze 10 Minuten köcheln lassen. Die Datteln abseihen und den Port reservieren. Beiseite stellen und abkühlen lassen.
2 Die Ziti in einem großen Topf mit sprudelndem Salzwasser *al dente* kochen. Abtropfen, kalt abspülen und erneut abtropfen. Abkühlen lassen.
3 Den Balsamicoessig mit dem Port, dem Zitronensaft und dem Olivenöl in einer Schüssel verschlagen und nach Geschmack mit etwas Zucker süßen.
4 Das Dressing über die Pasta, die Datteln und die Zitronenschale gießen und gut unterheben.
Hinweis: Dieser Salat schmeckt auch warm vorzüglich.

PRO PERSON (BEI 6 PERSONEN): *Protein 10 g; Fett 20 g; Kohlenhydrate 95 g; Ballaststoffe 10 g; Cholesterol 0 mg; 2715 kJ (650 Kcal)*

OBEN: Zitisalat mit Zitrone und Datteln

OBEN: Pastasalat mit gegrillten Paprika und Anchovis

PASTASALAT MIT GEGRILLTEN PAPRIKA UND ANCHOVIS

Vorbereitungszeit: 15 Minuten
Kochzeit: 25 Minuten
Für 6 Personen

500 g Penne oder Fusilli
2 große rote Paprika
1 kleine rote Zwiebel, feingehackt
20 g frische, glatte Petersilie, feingehackt
2–3 Anchovis, ganz oder feingehackt
60 ml Olivenöl
2 EL Zitronensaft

1 Die Pasta in einem großen Topf mit sprudelndem Salzwasser *al dente* kochen. Abtropfen, kalt abspülen und erneut abtropfen.
2 Die Paprika halbieren und die Samen und Rippen entfernen. Mit der Innenseite nach unten unter einen heißen Grill oder in einen vorgeheizten Backofen legen und 8 Minuten grillen, bis die Haut schwarz ist und Blasen wirft. Dann aus dem Backofen nehmen und mit einem feuchten Küchenhandtuch abdecken. Sobald sie abgekühlt sind, die Haut abziehen und das Fleisch in dünne Streifen schneiden.
3 In einer großen Salatschüssel die Pasta, die Paprika, die Zwiebel, die Petersilie, die Anchovis, Öl, Zitronensaft und Salz und Pfeffer nach Geschmack gut mischen und sofort servieren.
Hinweis: Um ein Verkleben der Pasta zu vermeiden, kann man nach dem Abschrecken etwas Olivenöl untermischen.

PRO PERSON: *Protein 10 g; Fett 10 g; Kohlenhydrate 65 g; Ballaststoffe 5 g; Cholesterol 0 mg; 1675 kJ (400 Kcal)*

WARMER PASTASALAT MIT KREBSFLEISCH

Vorbereitungszeit: 20 Minuten
Kochzeit: 10 Minuten
Für 6 Personen

200 g Spaghetti
2 EL Olivenöl
30 g Butter
600 g Dosenkrebsfleisch, abgetropft
1 große rote Paprika, in dünne Streifen geschnitten
2 TL fein geriebene Schale einer ungespritzten Zitrone
3 EL frisch geriebener Parmesan
2 EL Schnittlauchröllchen
3 EL frische, glatte Petersilie, feingehackt

1 Die Spaghetti in der Mitte auseinanderbrechen und in einem großen Topf mit sprudelndem Salzwasser *al dente* kochen. Abtropfen.
2 Die Spaghetti in eine große Salatschüssel geben. Das Öl und die in Flöckchen geschnittene Butter sorgfältig unterheben. Die restlichen Zutaten beigeben und vermengen. Mit Pfeffer bestreuen und warm servieren.
Hinweis: Das Dosenkrebsfleisch kann auch durch 500 g frisches Krebsfleisch ersetzt werden.

PRO PERSON: *Protein 20 g; Fett 15 g; Kohlenhydrate 25 g; Ballaststoffe 2 g; Cholesterol 100 mg; 1245 kJ (295 Kcal)*

TOSKANISCHER PASTASALAT

Vorbereitungszeit: 15 Minuten
Kochzeit: 15 Minuten
Für 6 Personen

500 g Rigatoni
80 ml Olivenöl
1 Knoblauchzehe, zerdrückt
1 EL Balsamicoessig
425 g Artischockenherzen aus der Dose oder dem Glas, abgetropft und geviertelt
8 Scheiben Prosciutto, dünn aufgeschnitten und gehackt
80 g getrocknete Tomaten in Öl, abgetropft und in dünne Scheiben geschnitten
15 g frisches Basilikum, feingezupft
70 g Rucola, geputzt und gut abgetropft
40 g Pinienkerne, leicht geröstet
50 g kleine schwarze, italienische Oliven

1 Die Rigatoni in einem großen Topf mit sprudelndem Salzwasser *al dente* kochen. Sorgfältig abtropfen und in eine große Salatschüssel geben.
2 Zwischenzeitlich das Öl, den Knoblauch und den Essig verschlagen.
3 Das Dressing über die warme Pasta gießen, unterheben und etwas abkühlen lassen. Die Artischockenherzen, den Schinken, die Tomaten, das Basilikum, den Rucola, die Pinienkerne und die Oliven zugeben.
4 Alle Zutaten gut mischen und mit Salz und schwarzem Pfeffer aus der Mühle abschmecken.
Hinweis: Die Pinienkerne in einer Pfanne ohne Öl 2–3 Minuten bei Mittelhitze goldgelb rösten. Anschließend etwas abkühlen lassen.

PRO PERSON: *Protein 15 g; Fett 20 g; Kohlenhydrate 60 g; Ballaststoffe 10 g; Cholesterol 15 mg; 2145 kJ (510 Kcal)*

SALZ

Es gibt zwei Salzvorkommen von Natriumchlorid oder Kochsalz: 1. Das unterirdisch gewonnene Salzkristall aus Salzlagern, 2. das dem Meerwasser entzogene Meersalz. Raffiniertes Meersalz ist als grobes Salz in reiner Kristallform erhältlich (es wird vor dem Gebrauch meist gemahlen) sowie als bereits ausgemahlenes Salz. Oft wird dem Salz Calciumkarbonat zur Verbesserung der Rieselfähigkeit beigegeben, ebenso Jod aus gesundheitlichen Gründen. Reines Salz garantiert aber den besten Geschmack.

OBEN: Toskanischer Pastasalat

PASTASALAT MIT RÄUCHERLACHS UND DILL

Vorbereitungszeit: 20 Minuten
Kochzeit: 15 Minuten
Für 4–6 Personen

350 g Farfalle oder Fusilli
2 Eier
200 g Räucherlachs, in dünne Streifen geschnitten
1 EL frische Dillspitzen, feingehackt
3 EL Schmand
2–3 EL Zitronensaft
eine Prise Salz und schwarzer Pfeffer aus der Mühle
1 EL frische glatte Petersilie zum Garnieren

1 Die Pasta in einem großen Topf mit sprudelndem Salzwasser *al dente* kochen. Abtropfen, kalt abspülen, nochmals abtropfen und abkühlen lassen.
2 Unterdessen die Eier 12 Minuten kochen. Abkühlen, schälen, fein hacken und dann beiseite stellen.
3 Die Pasta auf einzelne Schüsseln verteilen und den Lachs und den Dill darüber garnieren.
4 In einem Schüttelbecher Schmand und Zitronensaft gut vermengen und mit Salz und Pfeffer abschmecken. Das Dressing über die Pasta gießen, die Petersilie und die gehackten Eier zugeben und alles gut mischen. Sofort servieren.

PRO PERSON (BEI 6 PERSONEN): *Protein 15 g; Fett 10 g; Kohlenhydrate 40 g; Ballaststoffe 3 g; Cholesterol 90 mg; 1280 kJ (305 Kcal)*

ALS BEILAGE

KNOBLAUCH-PIZZA-BROT Einen Pizzateig aus dem Kühlregal dünn ausrollen, mit Olivenöl begießen und mit frischer gehackter glatter Petersilie, grobem Salz und gehacktem Knoblauch bestreuen. Bei Mittelhitze goldbraun und knusprig braten. Mit einem Pizzamesser in Streifen teilen.

ORANGEN-OLIVEN-SALAT 8 geschälte Orangen in dicke Scheiben schneiden. Auf einer Servierplatte garnieren. Darüber feine Ringe einer roten Zwiebel und frische gehackte Minze streuen. Schwarze Oliven zugeben und mit einem Dressing aus Orangensaft, zerdrücktem Knoblauch und etwas Sesamöl würzen.

LIBANESISCHER PASTASALAT MIT HUMMUS, TOMATEN UND OLIVEN

Vorbereitungszeit: 25 Minuten
Kochzeit: 15 Minuten
Für 6 Personen

350 g kurze Makkaroni oder Conchiglie
200 g Kirschtomaten, geviertelt
1 große Zucchini, gerieben
1 kleine Zwiebel, gerieben
50 g schwarze Oliven, entsteint und gehackt

Hummusdressing

2 EL Hummus (siehe Hinweis)
2 EL Naturjoghurt
1 EL Olivenöl
1 Knoblauchzehe, feingehackt
1 TL geriebene Schale von 1 ungespritzten Zitrone
1 EL frische glatte Petersilie, feingehackt

1 Die Pasta in einem großen Topf mit sprudelndem Salzwasser *al dente* kochen. Abtropfen, kalt abspülen, nochmals abtropfen und abkühlen lassen. Die Pasta mit den Tomaten, der Zucchini, der Zwiebel und den Oliven in eine große Salatschüssel füllen.
2 Für das Dressing den Hummus, den Joghurt, das Olivenöl, den Knoblauch und die Zitronenschale in einer Küchenmaschine pürieren. Mit reichlich Salz und Pfeffer abschmecken.
3 Das Dressing über den Salat löffeln, die Petersilie zugeben und gut mischen.
Hinweis: Hummus erhält man im türkischen Gemüseladen, auf Wochenmärkten oder abgepackt in gut sortierten Lebensmittelläden oder Reformhäusern.

PRO PERSON: *Protein 8 g; Fett 7 g; Kohlenhydrate 45 g; Ballaststoffe 5 g; Cholesterol 1 mg; 1145 kJ (270 Kcal)*

DILL
Das Dillkraut stammt aus dem Mittelmeerraum und wurde seit altersher wegen seiner Heilwirkung und seines Geschmacks hoch geschätzt. Der gesamte obere Teil der Pflanze kann verarbeitet werden, doch die zarten Blätter haben den zartesten Geschmack und das feinste Aroma. Die bittere Süße paßt gut zu Gurkensalat, zu Milchprodukten wie Sahne, Butter und Käse; mit Fisch geht Dill eine besonders gelungene Kombination ein. Da sein ätherisches Öl flüchtig ist, verdunstet es bei Temperaturen über 30 °C schnell und sollte daher Gerichten erst kurz vor dem Servieren beigegeben werden.

GEGENÜBERLIEGENDE SEITE: Pastasalat mit Räucherlachs und Dill (oben); Libanesischer Pastasalat mit Hummus, Tomaten und Oliven

GNOCCHI

Einfach und vielseitig: Diesen beiden Eigenschaften verdanken die Gnocchi ihre Popularität. Wer sich an hausgemachte Spaghetti vielleicht noch nicht herantraut, wird an hausgemachten Gnocchi aber bestimmt nicht scheitern. Und wer das Basisrezept mit Kartoffeln einmal beherrscht, kann mit anderem Gemüse experimentieren, seien es nun Kürbis, Möhre, Spinat oder auch Pastinaken. Gnocchi paßt zu allen auf Butter, Sahne oder Tomaten basierenden Saucen. In welcher Kombination auch immer – diese kleinen Klößchen sind schlichtweg himmlisch.

GNOCCHI ALLA ROMANA

Vorbereitungszeit: 20 Minuten + 1 Stunde Kühlzeit
Kochzeit: 40 Minuten
Für 4 Personen

☆☆

750 ml Milch
eine Prise Muskat
90 g Semolina-Weizengrieß
1 Ei, verschlagen
150 g frisch geriebener Parmesan
60 Butter, zerlassen
120 ml Sahne
80 g Mozzarella, feingeschnitten

1 Die Milch mit Muskat, Salz und Pfeffer in einem beschichteten mittelgroßen Topf aufkochen. Bei Niedrighitze langsam den Weizengries einrieseln lassen. 5–10 Minuten bei mehrmaligem Rühren köcheln lassen, bis die Masse fest ist und sich vom Seitenrand löst.
2 Den Topf vom Feuer nehmen, und das Ei und 100 g Parmesan unterrühren. Die Masse fingerdick auf einem Backblech verstreichen und 1 Stunde im Kühlschrank ruhen lassen, bis sie fest ist.
3 Den Backofen auf Mittelhitze (180 °C) vorheizen. Mit einem Teigstecher (Ø 4 cm) oder einem angefeuchteten Glasrand Kreise aus dem Teig stechen und überlappend in einer Einzellage in eine Pie-Form schichten. Mit dem restlichen Parmesan und dem Mozzarella bestreuen. Im Backofen 20–25 Minuten goldbraun backen. Zur Garnierung eignen sich frische Kräuter.
Hinweis: Einige Experten wollen dieses traditionelle Gericht bis in die Zeiten des Römischen Imperiums zurückdatieren. Ein frischer, knackiger Gartensalat paßt gut zu diesem recht üppigen Gericht.

PRO PERSON: *Protein 30 g; Fett 50 g; Kohlenhydrate 25 g; Ballaststoffe 1 g; Cholesterol 200 mg; 2790 kJ (670 Kcal)*

SEMOLINA
Semolina wird aus Durum-Weizen und Weichweizen hergestellt. Er ist grobkörniger als normales Mehl, das fein und pudrig ist, und hat noch erkennbare einzelne Körner. Semolina hat einen höheren Proteingehalt als Mehl und eine festere Konsistenz, die Pasta und anderen Gerichten »Biß« verleiht. Semolina wird verschieden stark ausgemahlen; die feinste Stufe wird für Gnocchi verwendet, gröbere Ausmahlungen für gebackene Nachspeisen und auch für Puddings.

OBEN: Gnocchi alla Romana

ALS BEILAGE

PASTINAKEN MIT TOMATEN, KNOBLAUCH UND ROTWEIN Etwas Olivenöl in einer Bratpfanne erhitzen und darin bei Niedrighitze etwas gehackten Knoblauch, Zwiebel und Chillies goldgelb dünsten. Eine kleine Dose Tomaten zerkleinert mit Saft zugeben, Rotwein nach Geschmack angießen, aufkochen und dann bei Niedrighitze köcheln lassen. Pastinaken schälen und in dicke Scheiben schneiden. In der Sauce garen, bis sie gerade weich sind und die Sauce andickt. Bei zu langem Kochen zerfallen die Pastinaken. Etwas Basilikum unterziehen und servieren.

KARTOFFELGNOCCHI IN BASILIKUM-TOMATEN-SAUCE

Vorbereitungszeit: 1 Stunde
Kochzeit: 45–50 Minuten
Für 4–6 Personen

Tomatensauce

1 EL Öl
1 Zwiebel, gehackt
1 Selleriestange, gehackt
2 Möhren, gehackt
850 g Dosentomaten, zerkleinert
1 TL Zucker
30 g frisches Basilikum, feingezupft

Kartoffelgnocchi

1 kg alte mehlige Kartoffeln
30 g Butter
250 g Mehl
2 Eier, verschlagen
frisch geriebener Parmesan zum Servieren

1 Für die Tomatensauce das Öl in einer großen Bratpfanne erhitzen und die Zwiebel, den Sellerie und die Möhren bei Mittelhitze unter regelmäßigem Rühren 5 Minuten dünsten. Tomaten und Zucker zugeben und mit Salz und Pfeffer abschmekken. Aufkochen. Bei kleinster Stufe 20 Minuten köcheln lassen. Etwas abkühlen und portionsweise in der Küchenmaschine glatt pürieren. Das Basilikum unterziehen und beiseite stellen.

2 Für die Gnocchi die Kartoffeln schälen, in große Stücke schneiden und weich kochen oder dünsten. Sorgfältig abtropfen und mit einem Stampfer zu einer glatten Masse zerdrücken. Mit einem Holzlöffel die Butter und das Mehl einrühren, danach die Eier verschlagen. Abkühlen lassen.

3 Den Teig auf einer bemehlten Arbeitsfläche ausrollen und halbieren. Jede Hälfte zu einer langem Wurst ausrollen, dann in kleine Stücke schneiden. Kugeln daraus formen und mit einem Gabelrücken über die Gnocchi fahren.

4 Die Gnocchi portionsweise in einem großen Topf mit sprudelndem Salzwasser 2 Minuten kochen, bis sie an die Oberfläche steigen. Mit einem Schaumlöffel herausheben und in Portionsschüsseln geben. Mit der Tomatensauce und frisch geriebenem Parmesan servieren. Mit frischen Kräutern garnieren.

PRO PERSON (BEI 6 PERSONEN): *Protein 15 g; Fett 10 g; Kohlenhydrate 60 g; Ballaststoffe 5 g; Cholesterol 75 mg; 1680 kJ (400 Kcal)*

KARTOFFELN
Am besten eignen sich für Gnocchi alte weichkochende Kartoffeln mit hohen Stärkegehalt. Ihr mehligkochendes Fleisch ergibt zarte und leichte Gnocchi, während Kartoffeln, die viel Feuchtigkeit enthalten, auch mehr Mehl aufsaugen, und die Gnocchi dann schnell gummiartig werden. Kartoffeln kann man in der Schale backen, dünsten oder kochen. Eine Küchenmaschine empfiehlt sich nicht, denn das entstehende Kartoffelpüree wird dann zu klebrig für einen Kartoffelteig.

LINKS: Kartoffelgnocchi in Basilikum-Tomaten-Sauce

GNOCCHI MIT TOMATEN UND BASILIKUM

Vorbereitungszeit: 10 Minuten
Kochzeit: 15 Minuten
Für 4 Personen

1 EL Olivenöl
1 Zwiebel, feingehackt
2 Knoblauchzehen, zerdrückt
425 g Dosentomaten
2 EL Tomatenmark, 2fach konzentriert
250 ml Sahne
40 g getrocknete Tomaten, gehackt
380 g frische Kartoffelgnocchi
1 EL frisches Basilikum, feingezupft
60 g Pecorino pepato, gerieben

1 Das Öl in einer Pfanne erhitzen und die Zwiebel 2 Minuten weich dünsten. Den Knoblauch 1 Minute dünsten. Die Tomaten und das Tomatenmark einrühren und bei stärkerer Hitze 5 Minuten köcheln lassen.
2 Bei Niedrighitze die Sahne angießen und die getrockneten Tomaten beigeben. Alles verrühren und 3 Minuten köcheln lassen.
3 Zwischenzeitlich die Gnocchi portionsweise in einem großen Topf mit sprudelndem Salzwasser 2 Minuten garen, bis sie an die Oberfläche schwimmen. Mit einem Schaumlöffel herausheben und mit dem Basilikum in die Sauce geben. Dann mit Salz und schwarzem Pfeffer aus der Mühle abschmecken. Die Gnocchi mit der Sauce in eine ofenfeste Form füllen und mit dem Käse bestreuen. Unter einem heißen Grill 5 Minuten bräunen, bis der Käse Blasen wirft. Nach Wunsch mit frischen Kräutern garnieren.
Hinweis: Pecorino pepato ist ein verhältnismäßig scharfer Käse. Er kann auch durch einen milderen Käse ersetzt werden.

PRO PERSON: *Protein 10 g; Fett 40 g; Kohlenhydrate 30 g; Ballaststoffe 5 g; Cholestero 130 mg; 2160 kJ (515 Kcal)*

GNOCCHI
Gnocchi sind kleine Klößchen, manchmal winzig wie Erbsen und nie größer als mundgerechte Happen. Traditionell basieren sie auf Semolinamehl, Ricottakäse oder Kartoffeln, doch heutzutage werden auch andere Getreide wie Buchweizen und andere Gemüsesorten wie Kürbis oder Artischocken verwendet. Klassisch werden sie mit einer Sauce als Vorspeise oder als erster Gang gereicht, doch eignen sich auch gut als Beilage. Gnocchi sollten bald nach der Zubereitung verzehrt werden.

OBEN: Käseauflauf mit Gnocchi

KÄSEAUFLAUF MIT GNOCCHI

Vorbereitungszeit: 10 Minuten
Kochzeit: 15 Minuten
Für 4 Personen

500 g frische Kartoffelgnocchi
30 g Butterflöckchen
1 EL frische glatte Petersilie, feingehackt
100 g Fontinakäse, in Scheiben geschnitten
100 g Provolone, in Scheiben geschnitten

1 Den Backofen auf mittelhohe Hitze (200 °C) vorheizen. Die Gnocchi portionsweise in sprudelndem Salzwasser 2 Minuten kochen, bis sie an die Oberfläche schwimmen. Mit einem Schaumlöffel herausheben und gut abtropfen.
2 Die Gnocchi in eine leicht eingefettete, ofenfeste Form legen. Dann die Käsescheiben darüber schichten. Mit Meersalz und schwarzem Pfeffer aus der Mühle würzen. 10 Minuten backen, bis der Käse geschmolzen ist.

PRO PERSON: *Protein 25 g; Fett 30 g; Kohlenhydrate 10 g; Ballaststoffe 1 g; Cholesterol 115 mg; 1755 kJ (420 Kcal)*

KÜRBISGNOCCHI MIT SALBEIBUTTER

Vorbereitungszeit: 45 Minuten
Kochzeit: 1 Stunde 30 Minuten
Für 4 Personen

- 500 g Kürbis
- 180 g Mehl
- 50 g frisch geriebener Parmesan
- 1 Ei, verschlagen
- 100 g Butter
- 2 EL frischer Salbei, feingehackt

1 Den Backofen auf leichte Mittelhitze (160 °C) vorheizen. Ein Backblech mit Öl oder flüssiger Butter bestreichen. Den Kürbis in größere Teile zerschneiden und mit der Haut 1 Stunde 15 Minuten auf dem Blech backen, bis er völlig durchgegart ist. Etwas abkühlen. Mit einem Löffel das Fleisch aus dem Kürbis schaben und dabei harte oder zu knusprige Stellen aussparen. Das Fruchtfleisch in eine große Schüssel geben. Das Mehl in die Schüssel sieben, die Hälfte des Parmesans, das Ei und etwas schwarzen Pfeffer untermengen. Auf einer leicht bemehlten Arbeitsfläche 2 Minuten zu einem glatten Teig kneten.

2 Den Teig halbieren. Mit bemehlten Händen jede Hälfte zu einer ungefähr 40 cm langen Wurst rollen und diese in 16 gleich große Stücke teilen. Jedes Gnocchi etwas oval formen, dann über einen bemehlten Gabelrücken rollen, so daß in der Mitte eine Mulde entsteht.

3 Die Gnocchi portionsweise in einem großen Topf mit sprudelndem Salzwasser 2 Minuten garen, bis sie an die Oberfläche steigen. Mit einem Schaumlöffel herausheben und warm stellen.

4 Für die Salbeibutter die Butter in einem Pfännchen zerlassen. Vom Herd nehmen und den Salbei einrühren.

5 Zum Servieren die Gnocchi auf 4 Schüsseln verteilen mit der Salbeibutter begießen und dem restlichen Parmesan bestreuen.

PRO PERSON: *Protein 20 g; Fett 35 g; Kohlenhydrate 55 g; Ballaststoffe 5 g; Cholesterol 115 mg; 2465 kJ (590 Kcal)*

KÜRBIS FÜR GNOCCHI

Winterkürbis oder französischer Kürbis eignen sich in Deutschland am besten, wo Kürbis nicht so häufig angebaut wird wie in Italien und anderen Ländern. Das intensive Orange ergibt ein reizvolles Farbspiel, und der Geschmack überträgt sich auf die Gnocchi. Der Teig sollte rasch und möglichst mit wenig Mehl geknetet werden, damit er nicht ledrig oder zäh wird. Wenn möglich, sollte der Kürbis nicht gekocht, sondern gebakken oder gedämpft und mit einer Gabel oder einem Stampfer zerdrückt werden. Man sollte ihn nicht in der Küchenmaschine pürieren.

OBEN: Kürbisgnocchi mit Salbeibutter

GNOCCHI SELBSTGEMACHT

Gnocchi werden meist aus Kartoffeln gemacht, doch auch anderes Gemüse wie Kürbis oder Pastinaken eignet sich, auch Semolina-Weizengrieß oder Käse.

Gnocchi sind kleine Klößchen. Sie sollten leicht und weich in der Konsistenz sein. Daher dürfen die für die Gnocchi verwendeten Gemüsesorten nicht zu weich gekocht werden, denn das würde in der Weiterverarbeitung mit einem Mehr an Mehl ausgeglichen werden und den Teig zu schwer machen. Die Verarbeitung des Gnocchiteigs muß schnell erfolgen, damit er nicht klebrig oder zu weich wird. Gnocchi schmecken am besten ganz frisch, und die dazu passende Sauce sollte schon fertig sein, wenn die Gnocchi zubereitet werden.

TRADITIONELLE KARTOFFELGNOCCHI

Für Kartoffelgnocchi verwendet man alte mehlige Kartoffeln mit möglichst geringem Feuchtigkeitsgehalt. Nach der traditionellen Methode werden die Kartoffeln in der Schale gedünstet, um den Feuchtigkeitsgehalt gering zu halten. Da dieses jedoch recht zeitaufwendig ist, ist man mittlerweile zum Dämpfen oder Kochen übergangen, man sollte aber in jedem Fall die Kartoffeln nicht zu weich kochen, denn sonst zerfallen sie und nehmen zuviel Feuchtigkeit auf. Vor der Weiterverarbeitung müssen die Kartoffeln deshalb auch gut abgetropft werden. Viele Rezepte für Kartoffelgnocchi sehen Eier vor, die den Teig zwar geschmei-

diger machen, doch auch feuchter. Diese Feuchtigkeit muß durch mehr Mehl ausgeglichen werden, was zu einem zähen Teig führt. Am besten sollte man selbst ausprobieren, welches Rezept einem am ehesten zusagt. Als Grundrezept benötigt man für 4–6 Personen 1 kg ungeschälte, mehlige alte, Kartoffeln und etwa 200 g Mehl.

1 Die ungeschälten Kartoffeln gleichmäßig mit einer Gabel einstechen und bei mittelhoher Hitze (200 °C) im Backofen 1 Stunde weich backen. (Nicht einwickeln.) Etwas abkühlen lassen, schälen und mit einem Stampfer zerdrücken.

2 Mit den Händen drei Viertel des Mehls unterkneten. Sobald ein lockerer Teig entstanden ist, diesen auf eine leicht bemehlte Arbeitsfläche legen und mit dem restlichen Mehl verkneten. Der Teig muß weich, leicht und feucht in der Konsistenz sein, ohne an den Händen oder der Arbeitsfläche zu kleben. Die Arbeitsfläche und einen Gabelrücken leicht bemehlen. Etwa ein Fünftel des Teigs zu einer langen, glatten, fingerdicken Wurst rollen und sie in Stücke von 2 cm Durchmesser zerteilen.

3 Nun den Gabelrücken mit leichtem Druck über jedes Gnocchi rollen, so daß sich eine nach innen gerollte Muschel bildet, die außen leichte Rillen hat. Durch die Vertiefung im Inneren garen die Gnocchi gleichmäßig und nehmen auch Sauce besser auf.

4 Die Gnocchi portionsweise in einen großen Topf mit sprudelndem Salzwasser tauchen. Wenn sie gar sind, steigen sie an die Oberfläche und können mit einem Schaumlöffel abgeschöpft werden. Die fertigen Gnocchi warm halten, mit warmer Sauce begießen und servieren. Kartoffelgnocchi können vorgeformt roh bis zu 2 Monate eingefroren werden. Damit sie nicht zusammenkleben, müssen sie erst in Einzellagen angefroren werden, bevor man sie in eine große, luftdichte Gefrierdose gibt. Vor dem Kochen sollte man sie aber nicht auftauen, sondern direkt aus der Tiefkühltruhe in kochendes Wasser geben.

FONTINAKÄSE
Der halbfeste Fontinakäse stammt aus den italienischen Alpen. Er hat eine sahnige Konsistenz und einen nussigen, leicht süßen Geschmack. Er eignet sich sowohl als Tafel- als auch als Kochkäse, denn beim Schmelzen wird er zu einer dickflüssigen, reichhaltigen, sahnigen Creme. Fontina verfeinert Pasta- und Gemüsesaucen, und ist die wichtigste Zutat der berühmten *Fonduta*, der Piemonteser Version des Fondues.

OBEN: Gnocchi mit Fontinakäsesauce

GNOCCHI MIT FONTINA-KÄSESAUCE

Vorbereitungszeit: 10 Minuten
Kochzeit: 15 Minuten
Für 4 Personen

200 g Fontinakäse, feingewürfelt
120 ml Sahne
80 g Butter
2 EL frisch geriebener Parmesan
400 g frische Kartoffelgnocchi

1 Den Käse, die Sahne, die Butter und den Parmesan unter gelegentlichem Rühren in einem Wasserbad 6–8 Minuten erhitzen, bis der Käse geschmolzen und die Sauce glatt und heiß ist.

2 Unterdessen in einem großen Topf Wasser aufsetzen und nach dem Aufkochen salzen. Die Gnocchi portionsweise 2 Minuten kochen, bis sie an die Oberfläche steigen.

3 Die Gnocchi mit einem Schaumlöffel abtropfen. Die Sauce über die Gnocchi löffeln. Das Gericht kann mit Oreganoblättern oder anderen frischen Kräutern garniert werden.

PRO PERSON: *Protein 25 g; Fett 60 g; Kohlenhydrate 10 g; Ballaststoffe 0 g; Cholesterol 185 mg; 2790 kJ (670 Kcal)*

KARTOFFEL-KRÄUTER-GNOCCHI MIT TOMATEN-SAUCE

Vorbereitungszeit: 1 Stunde
Kochzeit: 30 Minuten
Für 4 Personen

500 g mehlige Kartoffeln, geschält und in Stücke geschnitten
1 Eigelb
3 EL geriebener Parmesan
3 EL frische Kräuter, feingehackt (glatte Petersilie, Basilikum, Schnittlauch)
120 g Mehl, oder etwas weniger
2 Knoblauchzehen, zerdrückt
1 Zwiebel, gehackt
4 Scheiben Frühstücksspeck, grobgehackt
150 g getrocknete Tomaten, grobgehackt
425 g Dosentomaten, grobgehackt
1 TL weicher brauner Zucker (Demerara- oder Rohrzucker)
1 EL Balsamicoessig
1 EL frisches Basilikum, feingezupft
frisch gehobelter Parmesan zum Servieren

1 Für die Gnocchi die Kartoffeln dünsten oder kochen, bis sie gerade gar sind. Gut abtropfen, abkühlen lassen und zerdrücken. Die Kartoffeln in eine große Schüssel geben, das Eigelb, den Parmesan und die Kräuter unterheben und gut vermengen. Langsam ausreichend Mehl zugeben, bis sich ein etwas klebriger Teig formt. 5 Minuten zu einem glatten Teig kneten; bei Bedarf Mehl zugeben.
2 Den Teig vierteln und jedes Stück auf einer bemehlten Fläche zu einer 2 cm dicken Wurst rollen. Gnocchi in Fingerbreite abtrennen. Jedes Gnocchi in eine leicht ovale Form drücken und über die bemehlten Zinken eines Gabelrückens rollen, so daß sich in der Mitte eine Mulde bildet. Nebeneinander auf ein mit Backpapier ausgelegtes Blech legen, mit einem Küchenhandtuch abdecken.
3 Für die Sauce 1 EL Olivenöl in einer großen Pfanne erhitzen und den Knoblauch und die Zwiebel bei Mittelhitze 5 Minuten dünsten, bis die Zwiebel weich und goldgelb ist.
4 Den Speck unter gelegentlichem Rühren 5 Minuten bräunen.
5 Die getrockneten Tomaten, die Tomaten, Zucker und Essig unterrühren und die Sauce bei Niedrighitze 15 Minuten köcheln lassen, bis sie eindickt. Kurz vor dem Servieren das Basilikum unterziehen.
6 Die Gnocchi portionsweise in einem großen Topf mit sprudelndem Salzwasser 2 Minuten kochen, bis sie an die Oberfläche steigen. Gut abtropfen und mit der Tomatensauce und dem gehobelten Parmesan servieren.

PRO PERSON: *Protein 20 g; Fett 6 g; Kohlenhydrate 45 g; Ballaststoffe 6 g; Cholesterol 70 mg; 1340 kJ (320 Kcal)*

UNTEN: Kartoffel-Kräuter-Gnocchi mit Tomatensauce

FETAKÄSE

Fetakäse stammt aus Griechenland und wurde dort in den Bergen aus Ziegenmilch gewonnen. Feta ist ein halbfester, schneeweißer Käse mit krümeliger Konsistenz, der nicht reift, sondern in einer Flüssigkeit aus Molke und Lake eingelegt wird. Er hat einen frischen, leicht salzigen Geschmack, der bei zunehmendem Alter noch intensiver wird. Feta ist ein wichtiger Bestandteil der klassischen griechischen Salate, er wird als Füllung für Gemüse verwendet und in pikanten Kuchen und Aufläufen verarbeitet.

GEGENÜBERLIEGENDE SEITE: Pikante Möhrengnocchi mit Fetakäse (oben); Gnocchi aus Spinat und Ricotta

PIKANTE MÖHRENGNOCCHI MIT FETAKÄSE

Vorbereitungszeit: 45 Minuten
Kochzeit: 40 Minuten
Für 6–8 Personen

1 kg Möhren, in größere Stücke geschnitten
200 g zerbröckelten Fetakäse
280 g Mehl
eine Prise Muskat
eine Prise Garam Masala (indische Gewürzmischung)
1 Ei, leicht verschlagen

Sahne-Minze-Sauce

30 g Butter
2 Knoblauchzehen, zerdrückt
2 Frühlingszwiebeln, in Röllchen geschnitten
250 ml Sahne
2 EL frische Minze, feingehackt

1 Die Möhren in der Mikrowelle garen oder weich kochen. Abtropfen und etwas abkühlen lassen.
2 In der Küchenmaschine mit dem Fetakäse zu einer glatten Masse pürieren. In einer großen Schüssel mit dem gesiebten Mehl, den Gewürzen und dem Ei zu einem weichen Teig kneten.
3 Teigstücke von der Größe eines Teelöffels ausstechen und mit leicht bemehlten Fingerspitzen zu flachen Kreisen drücken.
4 Für die Sahne-Minze-Sauce die Butter in einem Topf zerlassen und den Knoblauch und die Frühlingszwiebeln bei Mittelhitze 3 Minuten dünsten, bis der Knoblauch weich und goldgelb ist. Die Sahne zugießen, aufkochen und bei Niedrighitze 3 Minuten köcheln lassen, bis die Sahne etwas eingedickt ist. Vom Herd nehmen und die Minze unterziehen.
5 Zwischenzeitlich die Gnocchi in einem großen Topf mit sprudelndem Salzwasser 2 Minuten kochen, bis sie an die Oberfläche steigen. Mit einem Schaumlöffel herausheben und auf vorgewärmte Teller geben. Mit der Sauce begießen und sofort servieren.
Hinweis: Dieser Gnocchiteig ist nicht ganz so fest wie in anderen Rezepten. Damit er nicht klebt, sollte er auf einer leicht bemehlten Arbeitsfläche und mit leicht bemehlten Fingerspitzen verarbeitet werden.

PRO PERSON (BEI 8 PERSONEN): *Protein 10 g; Fett 25 g; Kohlenhydrate 35 g; Ballaststoffe 5 g; Cholesterol 90 mg; 1615 kJ (385 Kcal)*

GNOCCHI AUS SPINAT UND RICOTTA

Vorbereitungszeit: 45 Minuten + 1 Stunde Kühlzeit
Kochzeit: 30 Minuten
Für 4–6 Personen

4 Scheiben Kastenweißbrot
120 ml Milch
500 g tiefgefrorener Blattspinat, aufgetaut
250 g Ricottakäse oder Magerquark, gut abgetropft
2 Eier
50 g frisch geriebener Parmesan, zusätzlich frisch gehobelter Parmesan zum Servieren

1 Das Brot von der Kruste befreien und in einer flachen Schüssel 10 Minuten in Milch einweichen. Überschüssige Flüssigkeit ausdrücken. Blattspinat ebenfalls sorgfältig ausdrücken.
2 Das Brot in einer Schüssel mit dem Spinat, dem Ricotta, den Eiern und dem Parmesan mit einer Gabel mengen und mit Salz und Pfeffer abschmekken. Abgedeckt 1 Stunde im Kühlschrank durchziehen lassen.
3 Die Gnocchimasse mit leicht bemehlten Fingerspitzen teelöffelweise zu kleinen, flachen Klößchen formen. In einem großen Topf mit sprudelndem Salzwasser 2 Minuten kochen, bis die Gnocchi an die Oberfläche steigen. Mit einem Schaumlöffel aus dem Topf auf Teller heben und schäumende Butter und Parmesan darübergeben.

PRO PERSON (BEI 6 PERSONEN): *Protein 15 g; Fett 10 g; Kohlenhydrate 10 g; Ballaststoffe 3 g; Cholesterol 95 mg; 905 kJ (215 Kcal)*

ALS BEILAGE

MUFFINS MIT EI

250 g Mehl mit 4 Eiern in einer Küchenmaschine zu einem krümeligen Teig verarbeiten. Bei laufender Maschine 120 ml Sahne, 250 ml Milch und 50 g zerlassene Butter dazugießen. Den Teig in eine gebutterte Muffin-Backform geben. Bei mittelhoher Hitze (200 °C) 35 Minuten goldgelb backen, bis die Muffins aufgegangen sind.

PASTINAKEN
Obwohl Pastinaken ein Wurzelgemüse sind, gehören sie zur Petersilie, der *Umbelliferae*-Familie. Die Wurzeln sind entweder schlank und nach unten hin schmal auslaufend oder rundlich. Pastinaken haben einen leicht süßlichen, nussigen Geschmack. Ihr stärkehaltiges Fruchtfleisch eignet sich gut zum Pürieren; ganze Pastinaken hingegen bilden eine geschmackliche Ergänzung für Eintöpfe und Kasserollen. Verholzte Teile des Gemüses müssen vor dem Kochen entfernt werden.

OBEN: Pastinakengnocchi

PASTINAKENGNOCCHI

Vorbereitungszeit: 1 Stunde 30 Minuten
Kochzeit: 45 Minuten
Für 4 Personen

☆☆

500 g Pastinaken
180 g Mehl
50 g frisch geriebener Parmesan

Knoblauch-Kräuter-Butter

100 g Butter
2 Knoblauchzehen, zerdrückt
3 EL frischer Zitronenthymian, feingehackt
1 EL frische Limettenschale, gerieben

1 Die Pastinaken schälen und in größere Stücke schneiden. In einem großen Topf mit sprudelndem Salzwasser weich kochen. Sorgfältig abtropfen und leicht abkühlen lassen.
2 Die Pastinaken mit der Gabel in einer Schüssel zu einer glatten Masse zerdrücken. Das Mehl in die Schüssel sieben, die Hälfte des Parmesans zugeben, mit Salz und Pfeffer abschmecken und zu einem weichen Teig kneten.
3 Den Teig halbieren und die Hälften mit bemehlten Händen auf einer leicht bemehlten Arbeitsfläche zu fingerdicken Würsten ausrollen. Die Würste in kleine Gnocchi teilen und diese mit den Fingern zu ovalen Formen drücken. Vorsichtig einen bemehlten Gabelrücken über die einzelnen Gnocchi ziehen, so daß in der Mitte eine Vertiefung entsteht.
4 Die Gnocchi portionsweise in einem großen Topf mit sprudelndem Salzwasser 2 Minuten kochen, bis sie an die Oberfläche schwimmen. Mit einem Schaumlöffel herausheben und auf einzelne Teller geben.
5 Für die Knoblauch-Kräuter-Butter die Zutaten in einem kleine Topf bei Mittelhitze 3 Minuten anwärmen, bis die Butter goldbraun ist. Über die Gnocchi gießen und mit dem restlichen Parmesan bestreuen.

PRO PERSON: *Protein 10 g; Fett 20 g; Kohlenhydrate 30 g; Ballaststoffe 4 g; Cholesterol 60 mg; 1450 kJ (345 Kcal)*

GNOCCHI AUS ROTEN PAPRIKA MIT ZIEGENKÄSE

Vorbereitungszeit: 1 Stunde
Kochzeit: 40 Minuten
Für 6–8 Personen

1 große rote Paprika
500 g Süßkartoffeln, geschält und in Stücke geschnitten
500 g alte mehlige Kartoffeln, geschält und in Stücke geschnitten
1 EL Sambal Oelek
1 EL geriebene Schale von 1 ungespritzten Orange
350 g Mehl
2 Eier, leicht verschlagen
500 ml Tomatenpastasauce aus dem Glas
100 g Ziegenkäse
2 EL frisches Basilikum, feingezupft

1 Die Paprika halbieren und die Samen und Rippen entfernen. Mit der Innenseite nach unten unter einen heißen Grill oder in den Backofen legen und 8 Minuten backen, bis die Haut schwarz ist und Blasen wirft. Aus dem Herd nehmen und mit einem feuchten Küchenhandtuch abdecken. Wenn sie abgekühlt ist, die Haut abziehen und das Fleisch in einer Küchenmaschine zu einem glatten Püree verarbeiten.
2 Die Süßkartoffeln und die Kartoffeln in einem großen Topf weich kochen. Gut abtropfen und in einer großen Schüssel zu einer glatten Masse verrühren. Dann etwas abkühlen lassen.
3 Das Paprikapüree, den Sambal Oelek, die Orangenschale, das Mehl und die Eier zugeben und zu einem weichen Teig verkneten. Gehäufte Teelöffel des Teigs mit bemehlten Händen zu ovalen Gnocchi formen. Über einen leicht bemehlten Gabelrücken ziehen, so daß sich in der Mitte eine Vertiefung bildet.
4 Die Gnocchi portionsweise in einem großen Topf mit sprudelndem Salzwasser 2 Minuten kochen, bis sie an die Oberfläche steigen. Mit einem Schaumlöffel herausheben und auf vorgewärmte Teller geben. Die angewärmte Pastasauce darüber löffeln. Mit dem zerbröckeltem Ziegenkäse und dem feingezupften Basilikum garnieren und servieren.

PRO PERSON (BEI 8 PERSONEN): *Protein 15 g; Fett 7 g; Kohlenhydrate 75 g; Ballaststoffe 7 g; Cholesterol 70 mg; 1830 kJ (435 Kcal)*

ALS BEILAGE

SALAT AUS KAPUZINERKRESSE UND BRUNNENKRESSE 100 g Brunnenkresse, 10 Kapuzinerkresseblüten und 20 Kapuzinerkresseblättchen oder Kressestiele mit einem geputzten Kopf Endiviensalat mengen. Mit einem Caesar-Salad-Dressing aus der Flasche oder einer milden Vinaigrette beträufeln. Mit gehackten Pekan- oder Walnüssen servieren.

WARMER SÜSSKARTOFFELSALAT MIT RUCOLA UND KNUSPRIGEM SPECK Süßkartoffeln in große Stücke teilen und weich garen oder im Backofen weich rösten. Mit Rucola, knusprig ausgebratenem Speck und zerbröckeltem Ziegenkäse mengen. Mit einem Dressing aus Rotweinessig, Olivenöl und grobkörnigem Senf würzen.

ZIEGENKÄSE
Ziegenkäse, französisch »Chèvre« genannt, rangiert geschmacklich je nach Alter zwischen weich, frisch und mild bis zu gereift und geschmacksintensiv. Zum Kochen sollte man einen Käse wählen, der zwischen diesen Extremen liegt: sahnig in der Konsistenz und mild-pikant im Geschmack. Ziegenkäse ist empfindlich und bröckelt leicht. Man erhält ihn in Form von kleinen Pyramiden oder Rollen.

OBEN: Gnocchi aus roten Paprika mit Ziegenkäse

GEFÜLLTE PASTA

Aus selbstgemachtem Pastateig lassen sich zarte, kleine Raviolikissen formen und hufeisenförmige Tortellini um den Finger wikkeln. Oder Sie rollen daraus Cannelloni. Pastapäckchen kann man mit fast allem füllen, was einem schmeckt, sei es püriertes Gemüse, Spinat und Ricotta oder eine herzhafte Fleischsauce. In einigen Regionen Italiens gehört es zur Tradition, die Reste einer Mahlzeit in Pasta eingewickelt zu genießen. – Der Phantasie sind keine Grenzen gesetzt. Natürlich ist es zeitsparender, frische Pasta zu kaufen und mit einer hausgemachten Sauce zu servieren... aber das macht auch nicht so viel Spaß.

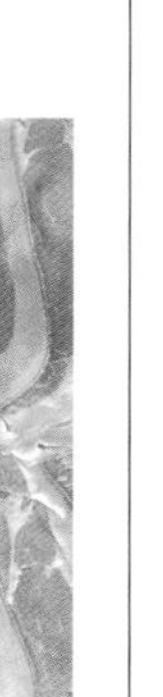

OBEN: Ravioli mit Huhnfüllung

RAVIOLI MIT HUHNFÜLLUNG

Vorbereitungszeit: 1 Stunde + 30 Minuten Ruhezeit
Kochzeit: 35 Minuten
Für 4 Personen

☆☆

Pasta

250 g Mehl
3 Eier
1 EL Olivenöl
1 Eigelb, zusätzlich

Füllung

120 g Hühnerbrustfilet, feingeschnitten oder durch den Fleischwolf gedreht
80 g Ricottakäse oder Magerquark, gut abgetropft
60 g Hühnerleber, von Sehnen befreit, feingeschnitten
30 g Prosciutto, feingehackt
1 dicke Scheibe Salami, feingehackt
2 EL frisch geriebener Parmesan
1 Ei, verschlagen
1 EL frische glatte Petersilie, feingehackt
1 Knoblauchzehe, zerdrückt
eine Prise Piment

Tomatensauce

2 EL Olivenöl
1 Zwiebel, feingehackt
2 Knoblauchzehen, zerdrückt
850 g Dosentomaten, zerkleinert
3 EL frisches Basilikum, feingezupft
1 TL getrocknete Kräuter der Provence
frische Kräuterzweige zum Garnieren (nach Wunsch)

1 Für die Pasta das Mehl und eine Prise Salz in eine große Schüssel sieben und in der Mitte eine Vertiefung bilden. Die Eier, das Öl und 1 EL Wasser verquirlen und langsam mit dem Mehl verkneten, bis sich ein Teigballen formt. Den Teig auf einer bemehlten Arbeitsfläche 5 Minuten weich und elastisch kneten. Den Ballen dann in eine mit Öl ausgestrichene Schüssel geben, mit Klarsichtfolie abdecken und 30 Minuten ruhen lassen.

2 Für die Füllung alle Zutaten in einer Küchenmaschine fein hacken und mit Salz und Pfeffer abschmecken.

3 Für die Tomatensauce das Öl in einer Pfanne erhitzen und die Zwiebel und den Knoblauch bei Niedrighitze dünsten, bis die Zwiebel weich ist. Bei Mittelhitze die Tomaten, das Basilikum, die Kräuter sowie Salz und Pfeffer nach Geschmack unterrühren. Die Sauce aufkochen lassen. Dann bei Niedrighitze 15 Minuten köcheln lassen und vom Herd nehmen.

4 Den Pastateig auf 1 mm Dicke ausrollen und mit einem Messer oder einem Teigrädchen in 10 cm breite Streifen schneiden. In Abständen von 5 cm auf die Teigstreifen je 1 TL Füllung setzen. Das zusätzliche Eigelb mit 3 EL Wasser verquirlen und die Flüssigkeit entlang der Teigränder und Zwischenräume verstreichen. Den Teig über der Füllung zusammenfalten und paßgenau Rand auf Rand setzen. Die angefeuchteten Seiten fest zusammendrücken. Mit einem Teigrädchen oder Messer zwischen die Hügel mit Füllung schneiden und die Ravioliplatten in einzelne Päckchen trennen. Die Ravioli portionsweise in einem großen Topf mit sprudelndem Salzwasser 10 Minuten kochen. Die Sauce in einem großen Topf erhitzen. Die Ravioli unterziehen und erwärmen. Anschließend garnieren und servieren.

PRO PERSON: *Protein 35 g; Fett 35 g; Kohlenhydrate 60 g; Ballaststoffe 7 g; Cholesterol 315 mg; 2850 kJ (680 Kcal)*

MEZZELUNE MIT HUHN IN SAHNESAUCE

Vorbereitungszeit: 45 Minuten
Kochzeit: 15 Minuten
Für 4–6 Personen als Vorspeise

250 g Reispapier für Dim Sums (erhältlich in Asia-Shops), kurz in Wasser eingelegt

Huhn-Schinken-Füllung

250 g Hühnerbrust
1 Ei, verschlagen
90 g Schinken oder Prosciutto
2 TL frische Schnittlauchröllchen
2 EL frischer Majoran, feingehackt

Sahnesauce

30 g Butter
2 Frühlingszwiebeln, in Röllchen geschnitten
2 EL Weißwein
380 ml Sahne

1 Die Hühnerbrüste von Sehnen und Membranen befreien. Das Fleisch klein schneiden und in einer Küchenmaschine hacken. Das Ei und eine Prise Salz und Pfeffer zugeben, dann in der Küchenmaschine fein pürieren. Die Fleischmasse in eine Schüssel geben. Den Schinken oder Prosciutto fein hacken und mit den Kräutern unter das Fleisch ziehen.
2 Das Reispapier auf eine Arbeitsfläche legen und je nach Größe des Papiers mit 1 TL bis 1–2 EL Fleischfarce füllen. Die Ränder der Teigtaschen mit kaltem Wasser bestreichen und die Ravioli zu Halbmonden (mezzelune) falten. Die mit kaltem Wasser bestrichenen Ränder fest zusammendrükken, um sie zu versiegeln. Die fertig gefüllten Täschchen auf ein Küchentuch legen.
3 Wenn man statt dessen selbstgemachte Pasta verwendet, den Teig hauchdünn auf einer leicht bemehlten Arbeitsfläche ausrollen oder fünf- bis sechsmal durch die engste Öffnung einer Pastamaschine treiben. Mit einem Teigstecher Kreise von 8 cm Durchmesser ausstechen und die Ravioli wie in Schritt 2 beschrieben füllen, falten und versiegeln.
4 Für die Sahnesauce Butter in einem Topf zerlassen und die Frühlingszwiebeln 2–3 Minuten darin bräunen. Mit Wein und Sahne aufgießen. Köcheln lassen, bis die Sauce reduziert. Abschmecken.
5 Die Mezzelune in kleinen Portionen in einem großen Topf mit sprudelndem Salzwasser 2–3 Minuten kochen, bis die Fleischfüllung gar ist. (Die Mezzelune nicht zu lange garen, denn sonst trocknet die Fleischfüllung aus.) Abtropfen, die Sauce über die Mezzelune geben und sofort servieren.

PRO PERSON: *Protein 10 g; Fett 30 g; Kohlenhydrate 30 g; Ballaststoffe 2 g; Cholesterol 120 mg; 1810 kJ (430 Kcal)*

UNTEN: Mezzelune mit Huhn in Sahnesauce

RICOTTAKÄSE
Der ungesalzene, ungereifte Ricotta wird aus der Molke von Schafs- oder Kuhmilch zubereitet. Er hält sich nur einige Tage, danach entwickelt er einen säuerlichen Geschmack und kann nicht mehr verarbeitet werden. Wenn er frisch ist, hat er einen zart sahnigen Geschmack und eine leichte, etwas krümelige Konsistenz, die sich gut mit anderen Zutaten, besonders mit Milchprodukten, verbindet. Der Name bedeutet wörtlich »wiedergekocht« und beschreibt die Herstellungsmethode des Ricotta: Heiße Molke, die bei der Käserei anfällt, wird wiedererhitzt. Die festen Käseteile werden abgeschöpft und abgetropft. Ricotta ist in gutsortierten Supermärkten und in italienischen oder türkischen Lebensmittelgeschäften erhältlich. Gut abgetropfter Magerquark ist eine akzeptable Alternative.

OBEN: Pastamuscheln mit Spinat und Ricotta

PASTAMUSCHELN MIT SPINAT UND RICOTTA

Vorbereitungszeit: 20 Minuten
Kochzeit: 15 Minuten
Für 4 Personen

20 große Conchiglie
1 EL Öl
2 Scheiben Frühstücksspeck, feingehackt
1 Zwiebel, feingehackt
500 g Blattspinat, gehackt
750 g Ricottakäse oder Magerquark, abgetropft
50 g frisch geriebener Parmesan
250 g Tomatenpastasauce aus dem Glas

1 Die Conchiglie in einem großen Topf mit sprudelndem Salzwasser *al dente* kochen. Abtropfen.
2 Das Öl in einer Pfanne erhitzen und den Speck und die Zwiebel bei Mittelhitze 3 Minuten anbräunen. Den Spinat zugeben und bei Niedrighitze zerfallen lassen. Nun den Ricotta oder Quark unter die Spinatmasse ziehen.
3 Die Pastamuscheln mit dem gewürzten Spinat füllen und mit Parmesan bestreuen. Die Conchiglie auf ein leicht gefettetes kaltes Grillblech oder auf ein mit Backpapier ausgelegtes Blech legen und im Backofen bei mittelhoher Temperatur 3 Minuten erhitzen, bis der Käse leicht gebräunt ist.
4 Die Pastasauce in einem kleinen Topf bei hoher Hitze 1 Minute gleichmäßig erhitzen. Die Sauce auf Teller verteilen und darauf die gefüllten Pastamuscheln setzen.

PRO PERSON: *Protein 45 g; Fett 40 g; Kohlenhydrate 80 g; Ballaststoffe 10 g; Cholesterol 110 mg; 3470 kJ (830 Kcal)*

TORTELLONI MIT GARNELENFÜLLUNG

Vorbereitungszeit: 40 Minuten
Kochzeit: 20–30 Minuten
Für 4 Personen

300 g rohe Garnelen
20 g Butter
1 Knoblauchzehe, zerdrückt
2 Frühlingszwiebeln, in Röllchen geschnitten
120 g Ricottakäse oder Magerquark, gut abgetropft
1 EL frisches Basilikum, feingezupft
200 g Reispapier für Dim Sums (in Asia-Shops erhältlich), kurz in Wasser eingelegt

Sauce

5 EL Olivenöl
Garnelenschalen und -köpfe
1 Knoblauchzehe, zerdrückt
2 Frühlingszwiebeln mit Grün, in Röllchen geschnitten
1 getrocknete Chilischote, zerstoßen
1 feste Tomate, feingewürfelt, oder 1 EL getrocknete Tomaten, gewürfelt

1 Die Garnelen schälen und die Köpfe und die Schalen für die Sauce aufbewahren. Mit einem scharfen Messer die Garnelenrücken einritzen und den Darm entfernen. Das Garnelenfleisch grob hacken.
2 Die Butter zerlassen und den Knoblauch und die Frühlingszwiebeln darin goldgelb und weich dünsten. Abkühlen lassen und dann mit den Garnelen, dem Ricotta, dem Basilikum und dem Salz und Pfeffer nach Geschmack vermengen. Das Reispapier je nach Größe mit 1 TL bis 1–2 EL der Füllung belegen. Für kleinere Tortelloni die Enden mit Wasser bestreichen, das gefüllte Reispapier an den Enden übereinander schlagen, fest zusammendrücken und die Ecken aufeinanderlegen, so daß eine Tortelloniform entsteht. Für größere Tortelloni ein bereits gefülltes Reispapier mit einer zweiten Schicht Reispapier bedecken und wie oben verfahren.
3 Für die Sauce 3 EL des Olivenöls in einer großen Pfanne erhitzen. Die Garnelenköpfe und -schalen im heißen Öl bei hoher Hitze anbraten, bis sie die Farbe wechseln. Köpfe und Schalen bei Niedrighitze einige Minuten köcheln lassen und dabei die Köpfe mit einem Löffel an den Pfannenboden drücken, um ihnen zusätzlichen Geschmack zu entziehen. 120 ml Wasser zugießen und den Fond abgedeckt bei Niedrighitze 5 Minuten köcheln lassen. Dann die sorgfältig ausgedrückten Schalen und Köpfe mit einem Schaumlöffel herausheben.
4 In einer anderen Pfanne 2 EL Olivenöl erhitzen und den Knoblauch, die Frühlingszwiebeln und den Chili bei Niedrighitze dünsten, bis der Knoblauch hellgelb ist. Den Garnelenfond dazugießen, die Tomatenstückchen unterrühren und alles gleichmäßig erhitzen.
5 Die Tortelloni in einem großen Topf mit sprudelndem Salzwasser 3–4 Minuten garen. Abtropfen, an die Sauce geben und gut mischen, bis die Pasta gleichmäßig mit Sauce bedeckt ist.
Hinweis: Tortelloni sind große Tortellini.

PRO PERSON: *Protein 25 g; Fett 35 g; Kohlenhydrate 35 g; Ballaststoffe 4 g; Cholesterol 140 mg; 2260 kJ (540 Kcal)*

OBEN: Tortelloni mit Garnelenfüllung

LASAGNESCHLEIFEN

Vorbereitungszeit: 20 Minuten
Kochzeit: 20 Minuten
Für 6 Personen

12 Lasagneplatten
400 g Ricottakäse oder Magerquark, gut abgetropft
1 Ei, leicht verschlagen
eine Prise Muskat
50 g frische Kräuter, feingehackt
30 g Butter, in Flöckchen
300 g Tomatenpastasauce im Glas
frisch geriebener Parmesan, zum Servieren
frisches Basilikum, feingezupft, zum Garnieren

1 Den Backofen auf mittelhohe Hitze (200 °C) vorheizen. Die Lasagne in einem großen Topf mit sprudelndem Salzwasser *al dente* kochen. Dabei öfter umrühren, um ein Zusammenkleben der Platten zu vermeiden.
2 Unterdessen den Ricotta oder Quark mit dem Ei, dem Muskat und den Kräutern in einer Schüssel mischen. Die Pasta abtropfen, die einzelnen Blätter halbieren und auf eine flache Oberfläche legen. In die Mitte jeder Lasagneplatte 2 EL der Füllung häufen und die Platten zu breiten Schleifen drehen. Die Enden der gefüllten Schleifen fest zusammendrücken und versiegeln.
3 Eine rechteckige, ofenfeste Form mit weicher Butter oder Öl einfetten. Die Pastaschleifen nebeneinander legen und mit Butterflöckchen belegen. Die Pastasauce über den gefüllten Mittelteil der Lasagne gießen und die Lasagne-Enden frei lassen. Die Pasta abgedeckt 5 Minuten backen, bis sie gut durchgewärmt ist. Großzügig mit frisch geriebenem Parmesan und Basilikum bestreuen und sofort servieren.

PRO PERSON: *Protein 10 g; Fett 15 g; Kohlenhydrate 15 g; Ballaststoffe 2 g; Cholesterol 80 mg; 1015 kJ (250 Kcal)*

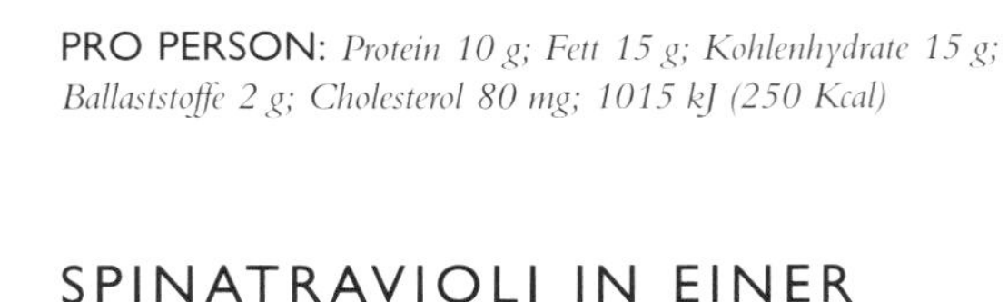

OBEN: Lasagneschleifen
RECHTS: Spinatravioli in einer Sauce aus getrockneten Tomaten

SPINATRAVIOLI IN EINER SAUCE AUS GETROCKNETEN TOMATEN

Vorbereitungszeit: 20 Minuten
Kochzeit: 15 Minuten
Für 4 Personen

160 g gekochter Blattspinat, feingehackt und gut abgetropft
250 g Ricottakäse oder Magerquark, gut abgetropft
2 EL frisch geriebener Parmesan
1 EL frische Schnittlauchröllchen
1 Ei, leicht verschlagen
200 g Reispapier für Dim Sum (in Asia-Shops erhältlich), kurz in Wasser eingeweicht

Sauce

80 ml Olivenöl extra vergine
3 EL Pinienkerne
100 g getrocknete Tomaten, in Scheiben

1 Den Spinat, den Ricotta oder Quark, den Parmesan und die Hälfte des verschlagenen Eis in einer mittelgroßen Schüssel sorgfältig mengen und mit Salz und Pfeffer abschmecken. Das Reispapier in der Mitte je nach Größe mit 1 TL bis zu 1–2 EL der Füllung belegen und die Raviolirãnder mit dem restlichen Ei bestreichen. Nun die Pasta entweder zu kleineren Ravioli falten und die Enden fest zusammendrücken oder die einzelnen gefüllten Reispapierravioli mit einer zweiten Lage Reispapier belegen, dann die Ränder fest zusammendrücken. Mit einem Teigrädchen zu Kreisen teilen.
2 Die Ravioli in kleinen Portionen in einem großen Topf mit sprudelndem Salzwasser 4 Minuten *al dente* kochen. Die fertigen Ravioli gut abtropfen und warm halten.
3 Für die Sauce alle Zutaten in einem großen Topf langsam und gleichmäßig erwärmen. Die Ravioli vorsichtig unter die fertige Sauce heben und anschließend servieren.

PRO PERSON: *Protein 20 g; Fett 40 g; Kohlenhydrate 35 g; Ballaststoffe 5 g; Cholesterol 80 mg; 2440 kJ (580 Kcal)*

RAVIOLI, GEFÜLLT MIT KÜRBIS UND KRÄUTERN

Vorbereitungszeit: 40 Minuten + 30 Minuten Ruhezeit
Kochzeit: 1 Stunde 15 Minuten
Für 6 Personen

500 g Garten- oder Winterkürbis, in große Stücke zerteilt
220 g Mehl
3 Eier, leicht verschlagen
eine Prise Muskat
15 Salbeiblätter
15 große Blätter glatte frische Petersilie
120 g zerlassene Butter
60 g frisch geriebener Parmesan

1 Den Backofen auf Mittelhitze (180 °C) vorheizen, anschließend den Kürbis auf einem Backblech 1 Stunde weich garen. Abkühlen lassen und das Fruchtfleisch mit einem Löffel aus der Schale schaben.
2 Das Mehl und die Eier in einer Küchenmaschine 30 Sekunden verarbeiten, bis sich ein Teig bildet. Den Teig auf einer leicht bemehlten Arbeitsfläche 3 Minuten sehr glatt und elastisch kneten. Den Teig mit einem Küchenhandtuch bedecken und 30 Minuten ruhen lassen.
3 Das Kürbisfleisch mit dem Muskat mit einer Gabel in einer Schüssel zerdrücken. Die Hälfte des Teigs auf 1 mm Dicke zu einem Rechteck ausrollen. Die zweite Hälfte des Teigs zu einem etwas größeren Rechteck ausrollen.
4 Auf das kleinere Rechteck in regelmäßigen Abständen von ungefähr 5 cm gehäufte Teelöffel der Füllung setzen. Die Füllung mit einem Löffel leicht flach drücken und auf jeden dieser Hügel 1 Salbei- oder Petersilienblatt setzen.
5 Die Zwischenräume und Ränder der Teigplatte leicht mit Wasser bestreichen. Die zweite Teigplatte über die erste legen und die Ränder der Platten durch Zusammendrücken der befeuchteten Teigstellen fest versiegeln. Die so gefüllte Raviolíplatte mit einem Teigrädchen oder Messer in einzelne Teigpäckchen teilen. Die Ravioli in kleinen Portionen in einem großen Topf mit sprudelndem Salzwasser 4 Minuten *al dente* kochen. Gut abtropfen, mit Salz und Pfeffer abschmecken, mit der geschmolzenen Butter begießen und mit Parmesan bestreuen.

PRO PERSON: *Protein 15 g; Fett 25 g; Kohlenhydrate 35 g; Ballaststoffe 5 g; Cholesterol 155 mg; 1645 kJ (390 Kcal)*

OBEN: Ravioli, gefüllt mit Kürbis und Kräutern

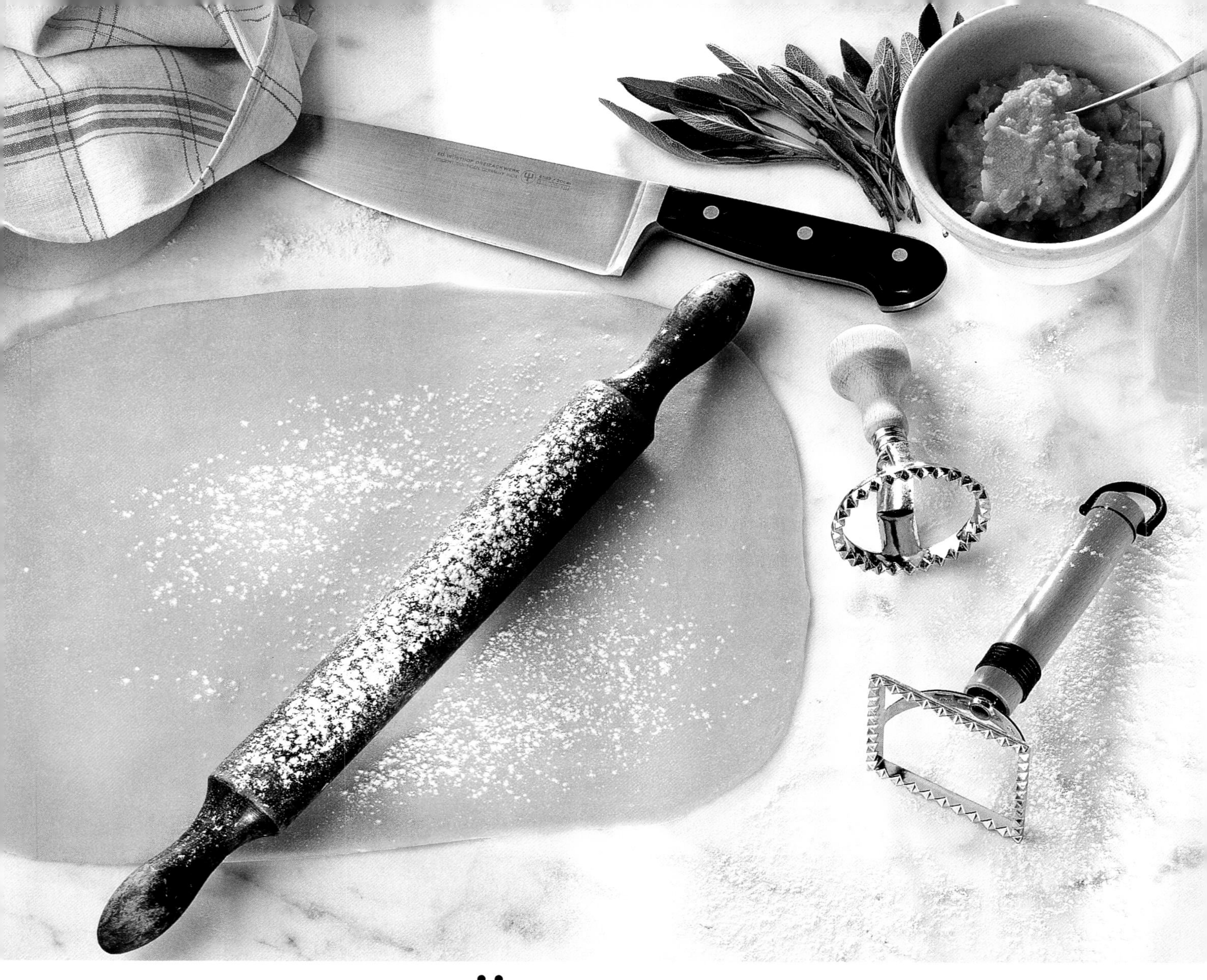

PASTA FÜLLEN

Die Vorteile selbstgemachter gefüllter Pasta liegen auf der Hand: Größe, Geschmack, Form und Zutaten der Nudeln kann man selbst bestimmen.

FÜLLUNG

Verarbeitet werden frische, abwechslungsreiche Zutaten. Einige Füllungen, wie Käse oder zerdrückter Kürbis, ergeben eine glatte Paste. Andere Zutaten, wie Meerestiere, eignen sich sich als Füllung besser in kleinen, übersichtlichen Stückchen.
Als Faustregel gilt: Je feiner die Füllung, desto kleiner die Größe der Pasta. Im Normalfall muß die Füllung durch eine weitere Zutat gebunden werden; das kann je nach Rezept Ricottakäse sein, aber auch Sahne, eine glatte Sauce oder Bratensaft. Der Feuchtigkeitsgehalt kann durch frisch geriebenen Parmesan, Semmelbrösel, sogar durch Kartoffelpüree reguliert werden, und diese Balance ist notwendig, denn Feuchtigkeit in der Füllung würde die Pasta binnen kurzem aufweichen und zu klebrigen Nudeln führen. Die Füllung muß also eher trocken als feucht sein, besonders wenn die Pasta nach dem Füllen nicht sofort gekocht wird. Doch selbstgemachte gefüllte Pasta sollte in jedem Fall schnell verzehrt werden.

WAS SIE BRAUCHEN

Ein langes, scharfes Messer, ein Backpinsel und ein Teigrad zum Versiegeln der Ränder gehören zur Grundausstattung. Aus Italien kann man sich Ravioliausstecher in rechteckiger oder runder Form mitbringen. Ravioliplatten, mit denen man, wenn

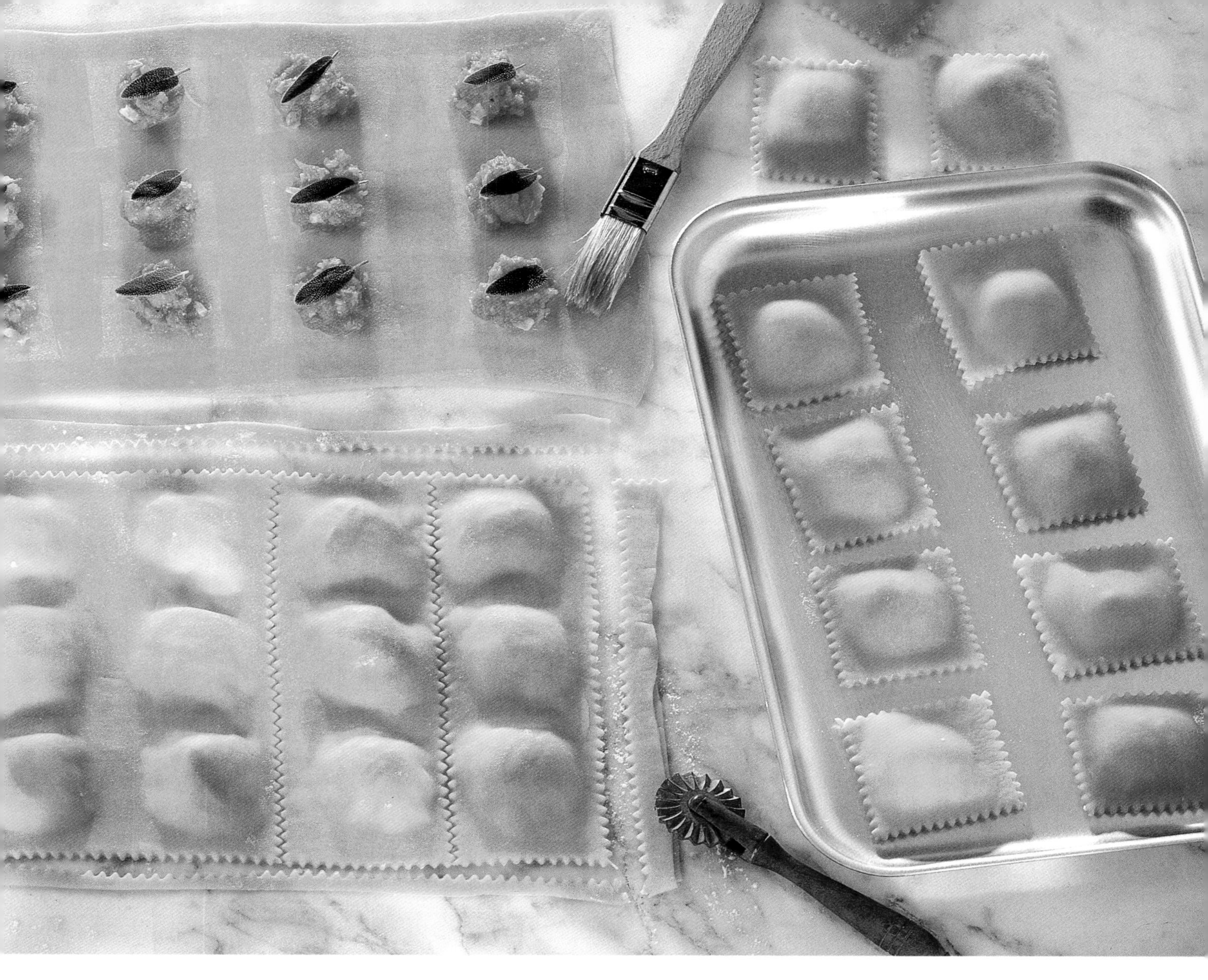

man die Technik etwas geübt hat, schnell eine große Zahl Ravioli per Hand herstellen kann, sind mittlerweile im gutsortierten Fachhandel auch in Deutschland erhältlich.

RAVIOLI

Für 4–6 Personen benötigt man 1 Pastagrundteig, ca. 350 g Füllung und zum Versiegeln der Raviolirränder 1 verschlagenes Ei. Ravioli lassen sich auf zweierlei Art von Hand herstellen: Man schneidet aus dem Teig einzelne Ravioli aus, die dann übereinandergeklappt oder zusammengedrückt werden, oder man belegt eine Teigplatte mit Füllung und bedeckt diese mit einer zweiten Teigplatte. Aus der Doppelschicht werden dann die einzelnen Ravioli geschnitten. Die Faltmethode ist sehr einfach und verschließt die einzelnen Ravioli zuverlässig, da es nur 3 statt 4 Schnittflächen gibt. Die Methode, die Ravioli übereinander zu legen, anstatt sie einzeln zu verschließen, ist zwar schneller, verschließt die Teigtäschchen evtl. aber nicht sorgfältig genug, um ein Aufplatzen einiger Ravioli zu verhindern.

DIE TEIGPLATTEN-METHODE

1 Eine große Arbeitsfläche leicht mit Mehl bestäuben. Den Teig vierteln. Zwei Stücke mit einer Pastamaschine oder einem Nudelholz hauchdünn (etwa 2,5 mm) ausrollen. Die eine Teigplatte sollte etwas größer sein als die andere. Sie wird anfangs mit einem Küchenhandtuch abgedeckt.

2 Die kleinere Platte auf die Arbeitsfläche legen und in einer Ecke 2 oder 3 Ravioliquadrate ausmessen, füllen, und die Füllung mit einem Löffelrücken etwas flach drükken. So sieht man am besten, wieviel Füllung benötigt wird und wie groß der Abstand zwischen den Hügelchen mit Füllung sein sollte. Nun werden die Platten in gleichmäßigem Abstand mit der gleichen Menge Füllung belegt und diese dann mit einem Löffelrücken etwas flach gedrückt.

3 Das verschlagene Ei wird als Kleber entlang der Schnittstellen zwischen die Hügelchen mit Füllung verstrichen. Nun die zweite Teigplatte an einem Ende über die erste legen. Die Seite fest andrücken. Die Teigplatte nun ohne Ziehen über die untere Teigplatte mit der Füllung legen und auch am anderen Ende festdrücken.

4 Ränder und Zwischenräume ohne Füllung werden durch Fingerdruck oder mit der Schmalseite eines Lineals verschlossen. Entlang dieser Ränder schneidet man nun mit einem scharfen Messer oder Teigrad die fertig gefüllten Ravioli aus.

5 Fertige Ravioli in Einzellagen auf ein bemehltes Blech legen und kühl stellen, während die restlichen Ravioli ausgerollt und gefüllt werden. Die Ravioli dürfen nicht aufeinander gestapelt werden, weil sie sonst zusammenkleben. Die fertigen Ravioli können je nach Feuchtigkeitsgrad der Füllung bis zu 3 Stunden im Kühlschrank aufbewahrt werden.

PASTA FÜLLEN

TORTELLINI

Diese kleinen Pastakugeln lassen sich mit gekochtem Fleisch ebenso füllen wie mit Huhn, Fisch, Gemüse und Weichkäse. Danach werden sie verschlossen und zu Ringen geformt. Für 4–6 Personen benötigt man ein Grundrezept für Pastateig, 350 g glatte Füllung und ein verschlagenes Ei zum Versiegeln.

1 Eine große Arbeitsfläche leicht mit Mehl bestäuben. Den Teig vierteln und die Einzelstücke bis zum Gebrauch abgedeckt lassen. Die Teigstücke mit einer Pastamaschine oder einem Nudelholz hauchdünn ausrollen (etwa 2,5 mm oder weniger).

2 Die Pasta auf einer leicht bemehlten Arbeitsfläche auslegen. Die Arbeitsfläche nun nicht mehr bemehlen. Mit einem Glasrand oder einem runden Ausstecher (Ø 6 cm) Kreise ausstechen.

3 Den Kreisrand mit etwas verschlagenem Ei oder Wasser leicht bepinseln. Einen halben Teelöffel Füllung in die Kreismitte setzen.

4 Dann die Kreise nacheinander zusammenklappen und zu Halbmonden formen. Dabei den Teig an einer Seite etwas überstehen lassen. Die Enden fest aufeinander drücken und versiegeln. Dabei die Füllung von außen vorsichtig zu den Enden hin verstreichen. Den Rand von der überstehenden Seite etwas nach oben drücken, das Tortellini mit dem Faltrand nach außen um den Ringfinger legen und die beiden Enden möglichst fest zusammendrücken. Gegebenenfalls müssen Sie es mit etwas Wasser einfeuchten, um den Klebeeffekt zu verstärken.

5 Die fertigen Tortellini auf einem leicht bemehlten Backblech oder auf einer großen Platte kühl stellen, bis alle Tortellini fertig sind. Je nach Trockenheit der Füllung halten sie sich bis zu 6 Stunden im Kühlschrank.

CANNELLONI

Es ist überhaupt nicht schwer, diese gefüllten Pastaröhren selbst herzustellen. Als Füllung eignen sich gekochtes Fleisch mit Käse, Spinat mit Ricotta oder zerdrückter Kürbis mit Pinienkernen. Je nach Cannellonigröße und Füllmenge ergibt ein Grundteig (siehe S. 17) 20 Rollen von je 10 cm Länge. Beim Schneiden der Pasta muß darauf geachtet werden, daß sie breit genug

ist, um sie leicht füllen und mit einen ungefähr 2,5 cm überlappenden Rand bei größeren und einem halb so großen Rand bei kleineren Cannelloni versiegeln zu können. Ist der Rand zu schmal, dann dehnen sich die Cannelloni während des Backens unter Umständen aus und platzen auf, was das Servieren sehr erschwert; ist der Rand dagegen zu breit, wird die Pasta zu teigig. Am besten hat man zur Sicherheit ein oder zwei Platten in Reserve, um Risse, die später beim Kochen entstehen, wie mit einem Flicken abzudecken. Für 20 Cannelloni braucht man ungefähr 850 g Füllung.

1 Die Pastaplatten mit einer Pastamaschine oder einem Nudelholz auf etwa 2,5 mm Dicke ausrollen.
2 Zum Kochen der Pasta einen großen Topf mit Wasser aufsetzen; zum späteren Backen der Nudeln eine flache, ofenfeste Form leicht einfetten.
3 Die Pasta auf die gewünschte Größe zuschneiden und dabei bedenken, daß sie sich während des Kochvorgangs noch etwas ausdehnt. Die Pastaplatten sollten, entlang der Struktur des Pastateigs verlaufend, geschnitten werden.
4 Die noch nicht gekochten Pastaplatten abdecken und je nach Größe 3–4 Platten 1–2 Minuten in sprudelndem Wasser kochen. Mit einem Schaumlöffel herausheben und auf trockenen Küchentüchern abtropfen lassen, während nun die restlichen Platten gekocht werden. Die gekochten Platten während des Antrocknens einmal wenden. Sie dürfen nicht zu sehr austrocknen, denn sonst könnten sie beim Aufrollen an den Rändern brechen. Mit einer Papierschablone lassen sich die Platten leicht auf die gewünschte, gleiche Größe zurechtschneiden.
5 Auf jede Pastaplatte, verlaufend mit der Struktur des Nudelteigs, etwas Füllung legen und die Pasta eng um die Füllung zu einer Rolle wickeln. Die fertigen Cannelloni nebeneinander mit der Klebestelle nach unten in die Form legen und dabei die überstehenden Teigreste aneinanderreihen. Sauce und Käse werden meist vor dem Backen über die Pasta gegeben.

EINFRIEREN

Gefüllte Pasta läßt sich gut einfrieren. Sie wird vor dem Kochen nicht aufgetaut, sondern im tiefgefrorenen Zustand in kochendes Wasser gegeben. Gefüllte Pasta muß in Einzellagen, gegebenenfalls zwischen Lagen von Backpapier, eingefroren werden. Im tiefgefrorenen Zustand kann sie dann in einem luftdichten Container aufbewahrt werden.

CANNELLONI
Cannelloni sind rechteckige Teigplatten, die um eine Füllung zu Rollen gewickelt werden. Man kann entweder frischen Teig mit Ei verwenden, getrocknete Lasagneplatten oder Cannellonirollen, die vor dem Füllen blanchiert werden müssen. Einige Hersteller bieten auch Cannelloni an, die ungekocht gebacken werden können. Nach dem Füllen kann man die Sauce an die Cannelloni geben und diese dann, mit Käse bestreut, backen.

OBEN: Cannelloni mit Spinat-Ricotta-Füllung

CANNELLONI MIT SPINAT-RICOTTA-FÜLLUNG

Vorbereitungszeit: 1 Stunde
Kochzeit: 1 Stunde 15 Minuten
Für 6 Personen

☆☆☆

380 g frische Lasagneplatten
2 EL Olivenöl
1 große Zwiebel, feingehackt
1–2 Knoblauchzehen, zerdrückt
1 kg Blattspinat, feingehackt
650 g frischer Ricotta (oder Magerquark, gut abgetropft), zerdrückt
2 Eier, verschlagen
eine Prise Muskat

Tomatensauce

1 EL Olivenöl
1 mittelgroße Zwiebel, feingehackt
2 Knoblauchzehen, feingehackt
500 g reife Tomaten, gehackt
2 EL Tomatenmark, 2fach konzentriert
1 TL weicher brauner Zucker (Demerara- oder Rohrzucker)
150 g geriebener Mozzarella

1 Die Lasagne in 15 gleiche Teile schneiden und in der Länge auf die Form einer tiefen, rechteckigen, ofenfesten Backform zuschneiden. In einem großen Topf mit sprudelndem Wasser je 1–2 Streifen etwa 2 Minuten kochen (die Kochzeit hängt von der Art und Beschaffenheit der Pasta ab), bis sie gerade weich sind. Die Streifen vorsichtig mit einem Schaumlöffel herausheben und auf einem feuchten Küchenhandtuch flach legen. Das Wasser gegebenenfalls erneut zum Kochen bringen und die anderen Streifen im sprudelnden Wasser kochen.

2 Das Öl in einer großen, gußeisernen Pfanne erhitzen und die Zwiebel und den Knoblauch unter ständigem Umrühren goldgelb dünsten. Den gewaschenen Spinat im Öl 2 Minuten dünsten, dann den Topf mit einem festsitzenden Deckel abdecken und den Spinat 5 Minuten garen. Danach abtropfen und dabei die Flüssigkeit sorgfältig ausdrücken, da sonst die Pasta klebrig würde. Den Spinat mit dem Ricotta, den Eiern, dem Muskat sowie Salz und Pfeffer nach Geschmack gut mengen und beiseite stellen.

3 Für die Tomatensauce das Öl in einer Pfanne erhitzen und die Zwiebel und den Knoblauch 10 Minuten bei Niedrighitze unter gelegentlichem Rühren dünsten. Die gehackten Tomaten mit ihrem Saft und den Zucker zugeben, 120 ml Wasser angießen und mit Salz und Pfeffer abschmecken. Die Sauce aufkochen, dann bei Niedrighitze 10 Minuten köcheln lassen. Für eine glattere Konsistenz kann die Sauce auch in der Küchenmaschine püriert werden.

4 Den Backofen auf Mittelhitze (180 °C) vorheizen. Die ofenfeste Form leicht mit zerlassener Butter oder mit Öl bestreichen. Ein Drittel der Tomatensauce auf den Boden der Form geben. Die Lasagnestreifen in der Mitte mit je 2–3 EL der Spinatfüllung belegen und an beiden Teigenden einen Rand lassen. Nun die Platten zusammenrollen und mit der Klebestelle nach unten nebeneinander in die Form schichten. Die restliche Sauce darüberlöffeln und mit Mozzarella bestreuen.

5 Die Lasagne 30–35 Minuten goldbraun backen, bis der Käse Blasen wirft. 10 Minuten ruhen lassen und nach Wunsch mit frischen Kräutern garnieren und servieren.

Hinweis: Für dieses Gericht können auch getrocknete Cannelloni verwendet werden, die etwas fester in der Konsistenz sind, doch den Geschmack dieses vorzüglichen Gerichts nicht beeinträchtigen.

PRO PERSON: *Protein 35 g; Fett 30 g; Kohlenhydrate 50 g; Ballaststoffe 10 g; Cholesterol 130 mg; 2555 kJ (610 Kcal)*

CONCHIGLIE MIT HUHN-PESTO-FÜLLUNG

Vorbereitungszeit: 45 Minuten
Kochzeit: 30 Minuten
Für 4 Personen

20 große Conchiglie (etwa 5 cm lang)
2 EL Öl
2 Lauchstangen, in feine Röllchen geschnitten
500 g Hühnerfilet, durch den Fleischwolf gedreht oder in der Küchenmaschine püriert
1 EL Mehl
250 ml Hühnerbrühe
4 EL eingelegte Paprika aus dem Glas, feingehackt
50 g frisch geriebener Parmesan

Pesto

50 g frisches Basilikum
3 EL Pinienkerne
2 Knoblauchzehen, zerdrückt
60 ml Olivenöl

1 Den Backofen auf Mittelhitze (180 °C) vorheizen. Eine flache, ofenfeste Form mit zerlassener Butter oder Öl bestreichen. Die Conchiglie in einem großen Topf mit sprudelndem Salzwasser *al dente* kochen und gut abtropfen lassen.
2 Das Öl in einer gußeisernen Pfanne erhitzen und den Lauch bei Mittelhitze 2 Minuten anbraten. Nun das Hühnerfleisch zugeben und bräunen, bis alle Flüssigkeit verkocht ist. Dabei mit der Gabel das Fleisch ständig durchrühren, um eine Klümpchenbildung zu vermeiden. Das Mehl bei hoher Hitze 1 Minute unterrühren. Die Brühe und die Paprika zugeben und bei Mittelhitze einrühren, bis die Sauce aufkocht. Auf Niedrighitze schalten und 1 Minute köcheln, bis die Sauce reduziert ist und eindickt.
3 Für das Pesto das Basilikum, die Pinienkerne, den Knoblauch und das Öl in einer Küchenmaschine 30 Sekunden glatt pürieren. In eine Schüssel löffeln und Klarsichtfolie fest an die Saucenoberfläche drücken, damit die Luft entweichen kann.
4 Die Huhnfüllung in die abgekühlte Muschel-Pasta löffeln und diese in die Backform legen. Die Conchiglie mit Alufolie abgedeckt 15 Minuten backen, bis die Pasta gut durchgewärmt ist. Das Pesto darüberlöffeln und den Parmesan darüberstreuen.

PRO PERSON: *Protein 45 g; Fett 55 g; Kohlenhydrate 75 g; Ballaststoffe 10 g; Cholesterol 110 mg; 4090 kJ (975 Kcal)*

ALS BEILAGE

WILDREIS MIT GEGRILLTEN PAPRIKA
2 rote Paprika vierteln, die Samen und Rippen entfernen und weich grillen oder backen. In dünne Streifen geschnitten mit etwas gekochtem Wildreis und Langkornreis vermengen. In einer großen Schüssel 2 EL Olivenöl, 2 EL Balsamicoessig und 1 zerdrückte Knoblauchzehe verquirlen, dann 2 in Röllchen geschnittene Frühlingszwiebeln und 2 feingehackte Tomaten zugeben. Den Reis und die Paprika unterziehen, mit Salz und Pfeffer abschmecken und mit einer Handvoll Korianderblättern garnieren.

KARAMELISIERTER LAUCH MIT KNUSPRIGEM SPECK Lauchstangen längs halbieren und in lange Stücke schneiden, ohne die Stangen dabei zu Blättern zu zerpflücken. Bei Niedrighitze unter gelegentlichem Rühren in Butter und etwas braunem Zucker dünsten, bis sie weich und karamelisiert sind. Den Garpunkt nicht überschreiten, da der Lauch sonst zerfallen würde. Mit in der Pfanne knusprig ausgebratenem Speck und grobgehackter glatter Petersilie garnieren.

OBEN: Conchiglie mit Huhn-Pesto-Füllung

OBEN: Ravioli mit Huhnfüllung in Salbeibutter

RAVIOLI MIT HUHNFÜLLUNG IN SALBEIBUTTER

Vorbereitungszeit: 15 Minuten
Kochzeit: 10 Minuten
Für 4 Personen

☆

500 g frische oder getrocknete Ravioli oder Agnolotti mit Huhnfüllung
60 g Butter
4 Frühlingszwiebeln, in Röllchen geschnitten
2 EL frischer Salbei, feingehackt
50 g frisch geriebener Parmesan zum Servieren
frische Salbeiblätter zum Garnieren

1 Die Pasta in einem großen Topf mit sprudelndem Salzwasser *al dente* kochen. Abtropfen und wieder in den Topf geben.
2 Unterdessen die Butter in einer gußeisernen Pfanne zerlassen und die Frühlingszwiebeln und den Salbei 2 Minuten darin dünsten. Das Gemüse mit Salz und Pfeffer abschmecken.
3 Die Sauce an die Pasta geben und gut mengen. Die fertige Pasta in vorgewärmte Pastaschüsseln löffeln, mit Parmesan bestreuen und mit Salbeiblättern garnieren und gleich servieren.

PRO PERSON: *Protein 20 g; Fett 25 g; Kohlenhydrate 20 g; Ballaststoffe 2 g; Cholesterol 120 mg; 1590 kJ (380 Kcal)*

TORTELLINI MIT PILZ-SAHNE-SAUCE

Vorbereitungszeit: 15 Minuten
Kochzeit: 10 Minuten
Für 4 Personen

500 g Tortellini
180 g Champignons
1 kleine ungespritzte Zitrone
60 g Butter
1 Knoblauchzehe, zerdrückt
320 ml Sahne
eine Prise Muskat
3 EL frisch geriebener Parmesan

1 Die Tortellini in einem großen Topf mit sprudelndem Salzwasser *al dente* kochen. Abtropfen, wieder in den Topf geben und warm halten. Die Pilze putzen und in feine Scheiben schneiden. Die Zitronenschale abreiben.
2 Die Butter in einem Topf zerlassen und die Pilze 2 Minuten bei Mittelhitze dünsten. Den Knoblauch, die Sahne, die geriebene Zitrone und den Muskat zugeben, dann mit schwarzem Pfeffer aus der Mühle abschmecken. Den Parmesan unterrühren und die Sauce 3 Minuten köcheln lassen.
3 Die Sauce an die Pasta gießen und vorsichtig vermengen. Die Pasta auf Teller geben und mit etwas schwarzen Pfeffer aus der Mühle bestreuen.

PRO PERSON: *Protein 10 g; Fett 50 g; Kohlenhydrate 35 g; Ballaststoffe 5 g; Cholesterol 155 mg; 2570 kJ (610 Kcal)*

SAHNE
Sahne ist der Rahm, der nach oben treibt und abgeschöpft wird, wenn sich die Milch setzt. Der Fettgehalt von Sahne kann zwischen 10–35% liegen. Crème double hat einen Fettgehalt zwischen 40% und 48%. Bei dieser Sahne erfolgt die Trennung zwischen Milch und Sahne auf mechanische Weise, um so eine Creme zu gewinnen, die man noch löffeln kann. Andere Sahnesorten mit bis zu 60% Fettgehalt sind fest und dick in der Konsistenz.

OBEN: Tortellini mit Pilz-Sahne-Sauce

FRISCHE CHILLLIES
Es gibt viele verschiedenen Chilisorten – von klein und scharf bis zu plump und von milder Schärfe. Die Samen und Rippen sind am schärfsten und werden meist nur bei den kleinsten Chilisorten nicht entfernt. Verlangt ein Gericht frische Chillies, sollte man unter den Sorten ausprobieren, die in Deutschland erhältlich sind (einige auch über Spezialimporteure und asiatische Supermärkte). Die kleinsten, roten oder grünen Chillies sind auch die schärfsten; die mittelgroßen Serrano-Chillies sind ebenfalls sehr scharf. Die größeren Jalapeños sind rundlich in der Form und scharf. Milder im Geschmack sind die länglichen, hellgrünen Chillies, die es beim türkischen Gemüsehändler und in anderen Lebensmittelläden gibt.

RECHTS: Tortellini in einer Speck-Sahne-Sauce

TORTELLINI IN EINER SPECK-SAHNE-SAUCE

Vorbereitungszeit: 15 Minuten
Kochzeit: 25 Minuten
Für 4 Personen

500 g frische oder getrocknete Tortellini, mit Ricotta und Kräutern gefüllt
1 EL Olivenöl
4 Scheiben Frühstücksspeck, feingehackt
2 Knoblauchzehen, zerdrückt
1 mittelgroße Zwiebel, gehackt
1 TL frische Chillies, feingehackt
425 g Dosentomaten, zerkleinert
120 ml Sahne
2 EL frisches Basilikum, feingezupft

1 Die Pasta in einem großen Topf mit sprudelndem Salzwasser *al dente* kochen. Abtropfen und wieder in den Topf geben.
2 Unterdessen das Öl in einer mittelgroßen gußeisernen Pfanne erhitzen und den Speck, den Knoblauch und die Zwiebel bei Mittelhitze unter regelmäßigem Rühren 5 Minuten bräunen.
3 Die Chillies und die Tomaten im Saft in den Topf geben. Die Sauce bei Niedrighitze 10 Minuten köcheln lassen. Die Sahne zugießen, das Basilikum unterziehen und die Sauce noch 1 Minute köcheln lassen. Die Sauce über die Pasta gießen und gut wenden. Gleich servieren.

PRO PERSON: *Protein 25 g; Fett 25 g; Kohlenhydrate 95 g; Ballaststoffe 9 g; Cholesterol 60 mg; 2990 kJ (710 Kcal)*

ALS BEILAGE

GRÜNE BOHNEN MIT KNOBLAUCH UND KREUZKÜMMEL 1 in Ringe geschnittene Zwiebel und 1 zerdrückte Knoblauchzehe in etwas Olivenöl dünsten und 425 g zerkleinerte Dosentomaten und eine Prise Kreuzkümmel dazugeben. Bei Mittelhitze auf die Hälfte reduzieren. 300 g geschnippelte grüne Bohnen zugeben und in der Sauce kochen, bis die Bohnen weich sind, aber ihre Farbe noch nicht verloren haben. Mit etwas gerösteten Kreuzkümmelsamen bestreuen und servieren.

PILZRAVIOLI

Vorbereitungszeit: 30 Minuten
Kochzeit: 15 Minuten
Für 4 Personen

70 g Haselnüsse, geröstet
90 g Butter
150 g Champignons
1 EL Olivenöl
200 g Reispapier für Dim Sum (in Asia-Shops erhältlich)

1 Die Haselnüsse im Backofen bei Mittelhitze ungefähr 10 Minuten rösten. Danach läßt sich die Haut mit einem Küchenhandtuch abreiben. Die enthäuteten Haselnüsse in der Küchenmaschine grob hacken. Die Butter in einer Pfanne über Mittelhitze goldbraun aufschäumen. Vom Herd nehmen, die Haselnüsse unterrühren und mit Salz und Pfeffer abschmecken.

2 Die Champignons mit angefeuchtetem Küchenkrepp reinigen und die Köpfe und Stiele fein hakken. Das Öl in einer Pfanne erhitzen und die Pilze darin weich garen. Mit Salz und Pfeffer abschmecken und köcheln lassen, bis die gesamte Kochflüssigkeit verdampft ist. Abkühlen lassen.

3 Die Reispapiere kurz durch Wasser ziehen und auf einer Arbeitsfläche zurechtlegen. Je nach Größe mit 1 TL bis 1–2 EL der Pilzfüllung belegen. Zu einzelnen Ravioli falten oder mit einem weiteren Reispapierblatt belegen. Die Ravioli-Enden gut zusammendrücken und nach Wunsch mit einem Teigrad versiegeln. Die fertigen Ravioli auf ein Küchenhandtuch legen und mit einem Küchenhandtuch abdecken, denn die Teigtäschchen dürfen nicht austrocknen.

4 Wenn alle Ravioli gefüllt sind, diese in kleinen Portionen in einem großen Topf mit sprudelndem Salzwasser kochen. Der Gargrad hängt dabei von der Größe der Ravioli und der Dicke des Reispapiers ab (dünne Ravioli sind in 2 Minuten gar). Die fertigen Ravioli mit einem Schaumlöffel herausheben und warm halten. Das Wasser erneut zum Kochen bringen, bevor die nächste Portion gekocht wird. Die fertigen Ravioli mit der Haselnußsauce begießen und servieren.

PRO PERSON: *Protein 10 g; Fett 35 g; Kohlenhydrate 35 g; Ballaststoffe 5 g; Cholesterol 60 mg; 2070 kJ (490 Kcal)*

RAVIOLI

Man nimmt an, daß der Ursprung der Ravioli in der Hafenstadt Genua liegt. Dort umwickelten sparsame Hausfrauen Essensreste löffelweise mit Pasta, um so ihren Inhalt zu verbergen. Die Matrosen waren zufrieden und nahmen die *Rabiole* mit auf See, ohne etwas über ihre Füllung zu wissen. Heutzutage nimmt man es da genauer und füllt die Ravioli mit fein aufeinander abgestimmten Farcen aus Fleisch, Käse oder Gemüse.

OBEN: Pilzravioli

PASTA AUS DEM OFEN

Pastaplatten, durchdrungen von köstlichem *ragu* und reichhaltigen Tomatensaucen im Wechsel mit sahniger Béchamelsauce, gekrönt von geriebenem Parmesan, der im Backofen zu einer knusprig braunen Kruste schmilzt, bis sich ein unwiderstehlicher Duft verbreitet... Lasagne ist sicher das berühmteste aller Pastagerichte aus dem Backofen. Doch wie steht es mit Pasticcio, Cannelloni und Makkaroni mit Käse? Vielleicht haben Sie Ihre Lasagne schon zu einem solchen Grad der Perfektion geführt, daß es an der Zeit ist, etwas Neues auszuprobieren!

MAKKARONI-AUBERGINEN-TORTE

Vorbereitungszeit: 1 Stunde
Kochzeit: 1 Stunde
Für 6 Personen

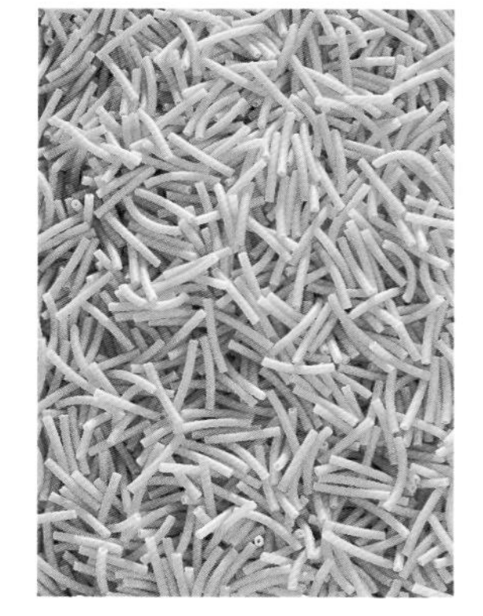

120 g Makkaroni
2–3 Auberginen, längsseits in dünne Scheiben geschnitten
1 Zwiebel, gehackt
1 Knoblauchzehe, zerdrückt
500 Rinder- oder Schweinehack (oder Huhnfilet, durch den Fleischwolf gedreht oder in der Küchenmaschine püriert)
425 g Dosentomaten, zerkleinert
2 EL Tomatenmark, 2fach konzentriert
80 g tiefgefrorene Erbsen
150 g frisch geriebener Mozzarella
60 g frisch geriebener Cheddar oder mittelalter Gouda
1 Ei, verschlagen
50 g frisch geriebener Parmesan

OBEN: Makkaroni-Auberginen-Torte

1 Eine Springform (Ø 23 cm) leicht mit Öl oder Butter einfetten und mit Backpapier auslegen. Die Makkaroni in einem großen Topf mit sprudelndem Salzwasser *al dente* kochen. Die Pasta abtropfen lassen und beiseite stellen.
2 Die Auberginen auf ein Tablett legen, mit Salz bestreuen und 20 Minuten stehen lassen. Das Gemüse sorgfältig mit Wasser abbrausen und mit Küchenkrepp trockentupfen. 2 EL Öl in einer Pfanne erhitzen und die Auberginen portionsweise in Einzellagen auf jeder Seite goldbraun backen. Je nach Bedarf noch weiteres Öl zugießen. Die fertig ausgebratenen Auberginen auf Küchenkrepp abtropfen lassen.
3 Die Zwiebel und den Knoblauch in der Pfanne bei Niedrighitze dünsten, bis die Zwiebel weich ist. Das Hack zugeben und gut anbräunen. Dabei das Fleisch mit einer Gabel ständig glatt rühren, um Klümpchenbildung zu vermeiden. Die Tomaten, das Tomatenmark sowie Salz und Pfeffer nach Geschmack zugeben und gut unterrühren. Die Sauce aufkochen und dann bei Niedrighitze 15–20 Minuten köcheln lassen. Die fertige Sauce beiseite stellen.
4 In einer Schüssel die Erbsen, die Makkaroni, den Mozzarella, den Cheddar oder Gouda, das Ei und die Hälfte des Parmesans verrühren. Beiseite stellen.
5 Den Backofen auf Mittelhitze (180 °C) vorheizen. 4–5 Auberginenscheiben für den Deckel der Torte zurückbehalten. Den Boden und die Seiten der Form paßgenau mit den Auberginenscheiben auskleiden und mit der Hälfte des restlichen Parmesans bestreuen.
6 Das Hackfleisch mit der Pasta mengen, die Füllung in die Form löffeln und die Füllung mit einem Löffel am Boden und an den Seiten festdrücken. Die restlichen Auberginenscheiben als Abschluß der Torte darüber legen und mit dem restlichen Parmesan bestreuen.
7 Die Torte 25–30 Minuten ohne Deckel goldgelb backen. 5 Minuten stehen lassen, dann die Form auf einem Servierteller öffnen. Nach Wunsch mit Salat servieren.

Hinweis: Statt Hackfleisch kann auch feingehackte Salami oder gekochtes, gehacktes Hühnerfleisch an die Tomatensauce gegeben werden. Nach Wunsch kann man noch zusätzlich Tomatensauce reichen: Dafür einfach zerkleinerte Dosentomaten mit etwas Knoblauch, Pfeffer Basilikum bei Mittelhitze köcheln lassen, bis die Sauce andickt.

PRO PERSON: *Protein 35 g; Fett 20 g; Kohlenhydrate 20 g; Ballaststoffe 5 g; Cholesterol 115 mg; 1780 kJ (425 Kcal)*

LASAGNE MIT RICOTTAFÜLLUNG

Vorbereitungszeit: 1 Stunde
Kochzeit: 1 Stunde 30 Minuten
Für 8 Personen

500 g frische Spinatlasagneplatten
30 g frisches Basilikum, feingezupft
2 EL frische Semmelbrösel
3 EL Pinienkerne
2 TL Paprika
1 EL frisch geriebener Parmesan

Ricottafüllung

750 g frischer Ricotta oder Magerquark, gut abgetropft
50 g frisch geriebener Parmesan
eine Prise Muskat

Tomatensauce

1 EL Olivenöl
2 Zwiebeln, feingehackt
2 Knoblauchzehen, zerdrückt
850 g Dosentomaten, zerkleinert
1 EL Tomatenmark, 2fach konzentriert

Béchamelsauce

60 g Butter
60 g Mehl
500 ml Milch
2 Eier, leicht verschlagen
40 g frisch geriebener Parmesan

1 Eine Backform von der Größe 25 x 32 cm leicht mit zerlassener Butter oder Öl einstreichen. Die Lasagne gegebenenfalls in handlichere Stücke schneiden und portionsweise in sprudelndem Wasser 3 Minuten kochen. Die Pasta abtropfen und auf einem feuchten Küchenhandtuch auslegen.
2 Für die Füllung den Ricotta mit dem Parmesan, dem Muskat und etwas schwarzem Pfeffer aus der Mühle in einer Schüssel mengen und beiseite stellen.
3 Für die Tomatensauce das Öl in einer Pfanne erhitzen und die Zwiebel unter gelegentlichem Rühren 10 Minuten dünsten, bis sie ganz weich ist. Den Knoblauch zugeben und 1 Minute mit der Zwiebel dünsten. Die Tomaten und das Tomatenmark zufügen und gut verrühren. Die Sauce aufkochen, dann bei Niedrighitze 15 Minuten ohne Deckel unter gelegentlichem Rühren köcheln lassen, bis die Tomatensauce eindickt.

4 Für die Béchamelsauce die Butter in einem kleinen Topf zerlassen. Das Mehl 1 Minute unter ständigem Rühren unterschlagen, bis die Masse glatt ist und und einen goldfarbenen Ton angenommen hat. Die Sauce vom Herd nehmen und langsam die Milch einrühren. Aufkochen, bis die Sauce eindickt und Blasen wirft. Wieder vom Herd nehmen und nun die Eier unterrühren. Bei Mittelhitze unter Rühren fast zum Kochen bringen. Den Käse unterrühren und nach Geschmack würzen. Abkühlen lassen und Klarsichtfolie direkt an die Oberfläche drücken, damit sich keine Haut bildet. Den Backofen auf mittelhohe Hitze (200 °C) bringen.
5 Mit einer Lage Lasagne paßgenau den Boden auslegen. Darauf ein Drittel des Ricotta geben, die Lage mit Basilikum bestreuen und darauf ein Drittel der Tomatensauce gießen. Die Lagen wiederholen und mit einer einer Lage Lasagne beenden.
6 Die Béchamelsauce über die Lasagne gießen und an der Oberfläche glatt verstreichen. Die Semmelbrösel, den Parmesan, die Pinienkerne und den Paprika mengen und auf die Béchamelsauce streuen. Die Pasta 45 Minuten goldbraun backen. Vor dem Servieren 10 Minuten ruhen lassen.
Hinweis: Die Ruhezeit vor dem Servieren erleichtert das Aufschneiden der Lasagne.

PRO PERSON: *Protein 30 g; Fett 30 g; Kohlenhydrate 60 g; Ballaststoffe 5 g; Cholesterol 130 mg; 2670 kJ (635 Kcal)*

PAPRIKA
Gemahlener Paprika wird aus dem getrockneten süßen roten Paprika gewonnen, dem *capsicum annuum*. Er ist intensiv rotorange gefärbt und verleiht Gerichten schon in kleinster Menge eine zart rötliche Farbe. Sein mild-scharfer Geschmack verleiht auch Gulasch seinen unverwechselbaren Geschmack. Bei längerer Kochzeit entfaltet sich der Geschmack von Paprika noch besser. Paprika wird vor allem in Ungarn in verschiedenen Schärfegraden angebaut. Er kann mild schmecken, allerdings auch sehr scharf und intensiv.

OBEN: Lasagne mit Ricottafüllung

CHEDDAR
Cheddar ist der Lieblingskäse der Engländer und stammt aus dem Dörfchen Cheddar in Somerset. Dieser Hartkäse aus Kuhmilch muß reifen, um den fein ausbalancierten Geschmack mit dem sehr milden Nachgeschmack zu erlangen.

OBEN: Meeresfrüchte mit Pasta

ALS BEILAGE

KARTOFFELSALAT MIT SÜSSER CHILISAUCE UND FRISCHEM KORIANDER

1 kg Désirée-Kartoffeln in dicke Scheiben schneiden, mit Olivenöl beträufeln und mit Meersalz bestreuen. Die Kartoffeln im heißen Backofen knusprig und goldgelb rösten. In eine Schale geben und großzügig mit süßer Chilisauce begießen. 3 EL frischen Koriander sorgfältig untermengen.

MEERESFRÜCHTE MIT PASTA

Vorbereitungszeit: 30 Minuten
Kochzeit: 45 Minuten
Für 6 Personen

250 g Lasagneplatten
500 g Fischfilet
120 g Jakobsmuscheln, gesäubert
500 g rohe Garnelen, entdarmt, ohne Schale
120 g Butter
1 Lauchstange, in Röllchen geschnitten
90 g Mehl
500 ml Milch
500 ml trockener Weißwein
120 g frisch geriebener Cheddar oder mittelalter Gouda
120 ml Sahne
50 g frisch geriebener Parmesan
2 EL frische glatte Petersilie, feingehackt

1 Den Backofen auf Mittelhitze (180 °C) vorheizen. Eine tiefe Lasagneform von 30 x 30 cm leicht einfetten und den Boden paßgenau mit Lasagneplatten auslegen. Zum Auslegen gegebenenfalls eine Platte in Reserve halten und in kleine Stücke brechen. Die Form beiseite stellen.
2 Den Fisch und die Jakobsmuscheln in gleich große Stücke teilen. Dann die Garnelen in mundgerechte Stücke teilen.
3 Die Butter in einem großen Topf zerlassen. Den Lauch unter Rühren 1 Minute dünsten. Das Mehl 1 Minute einrühren. Langsam die Milch und den Wein unterrühren, bis die Schwitze zu einer glatten Sauce wird. Die Sauce nun unter ständigem Rühren bei Mittelhitze aufkochen, bis sie andickt. Bei Niedrighitze 3 Minuten köcheln lassen. Dann vom Herd nehmen, den Cheddar oder Gouda einrühren und mit Salz und Pfeffer abschmecken. Wieder auf den Herd stellen und die Meeresfrüchte 1 Minute in der Sauce köcheln lassen. Vom Herd nehmen.
4 Die Hälfte der Füllung über den mit Lasagneplatten ausgelegten Boden löffeln. Die Füllung mit einer Lasagnelage abdecken, die zweite Hälfte der Füllung darüberlöffeln und diese wieder mit einer weiteren Lasagnelage paßgenau bedecken.
5 Die Sahne über die Lasagne gießen. Den Parmesan und die Petersilie mengen und darüberstreuen. Die Pasta ohne Deckel 30 Minuten goldgelb backen, bis der Käse Blasen wirft. Vor dem Servieren noch etwas stehen lassen.

PRO PERSON: *Protein 50 g; Fett 45 g; Kohlenhydrate 45 g; Ballaststoffe 5 g; Cholesterol 290 mg; 3460 kJ (825 Kcal)*

PASTATORTE

Vorbereitungszeit: 20 Minuten
Kochzeit: 1 Stunde
Für 4 Personen

250 g Makkaroni
1 EL Olivenöl
1 Zwiebel, in Ringe geschnitten
120 g Pancetta oder Räucherschinken, gehackt
120 g gekochter Schinken, gehackt
4 Eier
250 ml Milch
250 ml Sahne
2 EL frische Schnittlauchröllchen
120 g geriebener Cheddar oder mittelalter Gouda
120 g Büffelmozzarella, in Scheiben

1 Den Backofen auf Mittelhitze (180 °C) vorheizen. Die Pasta in einem großen Topf mit sprudelndem Salzwasser *al dente* kochen. Abtropfen. Die Makkaroni gleichmäßig auf dem Boden einer 5 cm tiefen Kasserolle verteilen.
2 Das Öl in einer großen Pfanne erhitzen und die Zwiebel bei Niedrighitze weich dünsten. Den Pancetta oder Schinken unterrühren und 2 Minuten dünsten. Die Füllung vom Herd nehmen und abkühlen lassen.
3 In einer Schüssel die Eier, die Milch, die Sahne, den Schnittlauch sowie Salz und Pfeffer nach Geschmack verschlagen. Nun den Cheddar oder Gouda, den Mozzarella und den gedünsteten Schinken oder Pancetta sorgfältig unter die Masse rühren. Die Füllung gleichmäßig über die Makkaroni löffeln. Die Torte 35–40 Minuten backen, bis sie fest ist.

PRO PERSON: *Protein 40 g; Fett 75 g; Kohlenhydrate 50 g; Ballaststoffe 5 g; Cholesterol 470 mg; 4335 kJ (1035 Kcal)*

OBEN: Pastatorte

DURUM-WEIZEN
Durum-Weizen ist ein Hartweizenprodukt mit einem hohen Proteingehalt und hat deshalb auch mehr Gluten. Er gilt als ideal für die Herstellung von Pasta; in Italien ist per Gesetz verfügt, daß getrocknete Pasta aus 100% reinem Semolina, dem Mehl des Hartweizens, bestehen muß: Die sogenannte *pasta di semola di grano duro*. Vom Nährwert abgesehen färbt Semolina die Pasta von zartem Zitronengelb bis zu Goldgelb und gibt zusätzlichen Geschmack. Durum-Weizen ist unabdingbar für die Elastizität von Qualitätspasta, die sich leicht *al dente* (bißfest) kochen läßt.

PASTASOUFFLÉ

Vorbereitungszeit: 35 Minuten
Kochzeit: 55 Minuten
Für 4 Personen

- 2 EL frisch geriebener Parmesan
- 60 g Butter
- 1 kleine Zwiebel, feingehackt
- 1 EL Mehl
- 500 ml Milch
- 120 ml Hühnerbrühe
- 3 Eier, getrennt
- 120 g kleine Makkaroni, gekocht
- 220 g Dosenlachs natur, abgetropft und mit der Gabel zerpflückt
- 1 EL frische glatte Petersilie, feingehackt
- geriebene Schale von 1 ungespritzten Zitrone

1 Den Backofen auf hohe Hitze (210 °C) bringen. Eine Souffléform (Ø 18 cm) mit Öl ausstreichen. Den Boden und die Seiten der Form mit Parmesan bestreuen und den überschüssigen Käse aus der Form herausschütteln.

UNTEN: Pastasoufflé

2 Für die Soufflémanschette Alufolie oder Backpapier zurechtschneiden. Dafür 5 cm Länge auf den Umfang der Souffléform zugeben. Das Papier oder die Alufolie längs in der Mitte falten, um den Formenrand legen und mit einem Bindfaden befestigen.

3 Die Butter in einer großen Pfanne zerlassen und die Zwiebel bei Niedrighitze weich dünsten. Das Mehl einstäuben und 2 Minuten einrühren, bis die Masse leicht gebräunt ist. Die Schwitze vom Herd nehmen und langsam Milch und Brühe einrühren, bis sie eine glatte Konsistenz angenommen hat. Wieder auf den Herd stellen und bei Mittelhitze unter ständigem Rühren erhitzen, bis die Sauce eindickt und aufkocht. Bei Niedrighitze 3 Minuten köcheln lassen, dann die Eigelbe in der Sauce unterschlagen. Die Makkaroni, den Lachs, die Petersilie, die Zitronenschale sowie Salz und Pfeffer nach Geschmack zugeben und alle Zutaten gut vermengen. Die Soufflémasse in eine große Schüssel gießen.

4 Die Eiweiß in einer Schüssel steif schlagen, bis Spitzen stehenbleiben. Das geschlagene Eiweiß mit einem Metallöffel vorsichtig unter die Lachsmasse heben. Die Soufflémasse in die Form löffeln und 40–45 Minuten backen, bis das Soufflé gut aufgegangen und braun ist. Dann sofort servieren.

Hinweis: Heiße Soufflés fallen schnell zusammen, wenn sie aus dem Backofen genommen werden; sie sollten deshalb sofort serviert werden können. Die Zutaten können einschließlich Schritt 3 einige Zeit im voraus zubereitet werden. Die Eiweiß sollten erst erst direkt vor dem Backen untergehoben werden. Wenn man die Füllung etwas auflokkert, lassen sich die Eiweiß leichter unterheben.

PRO PERSON: *Protein 25 g; Fett 25 g; Kohlenhydrate 20 g; Ballaststoffe 1 g; Cholesterol 200 mg; 1690 kJ (405 Kcal)*

KLASSISCHE LASAGNE

Vorbereitungszeit: 40 Minuten
Kochzeit: 1 Stunde 40 Minuten
Für 8 Personen

- 2 EL Öl
- 30 g Butter
- 1 große Zwiebel, feingehackt
- 1 Möhre, feingehackt
- 1 Selleriestange, in feine Röllchen geschnitten
- 500 g Rinderhack
- 150 g Hühnerleber, feingehackt
- 250 ml Tomatenmark
- 250 ml Rotwein
- 2 EL frische glatte Petersilie, feingehackt
- 380 g frische Lasagneplatten

Béchamelsauce

60 g Butter
40 g Mehl
560 ml Milch
eine Prise Muskat
100 g frisch geriebener Parmesan

1 Öl und Butter in einer gußeisernen Pfanne erhitzen. Darin die Zwiebel, die Möhre und die Selleriestange bei Mittelhitze unter Rühren weich dünsten. Mehr Hitze zugeben. Das Hackfleisch gut anbräunen und dabei mit einer Gabel ständig rühren, um Klümpchenbildung zu vermeiden. Nun die Hühnerleber zugeben und anbräunen lassen, bis sie die Farbe wechselt. Tomatenmark unterrühren, den Wein zugießen, die Petersilie unterziehen und die Füllung nach Geschmack salzen und pfeffern. Die Fleischfüllung aufkochen lassen und bei Niedrighitze 45 Minuten köcheln lassen. Beiseite stellen.
2 Für die Béchamelsauce die Butter in einem mittelgroßen Topf bei Niedrighitze zerlassen. Das Mehl einstäuben und 1 Minute unterrühren. Den Topf vom Herd nehmen und langsam die Milch einrühren. Wieder auf die Kochplatte geben und so lange rühren, bis die Sauce aufkocht und eindickt. Die Sauce nun noch 1 Minute köcheln lassen, dann mit Muskat und Salz und Pfeffer nach Geschmack würzen. Die Béchamelsauce mit Klarsichtfolie abdecken und dabei die Folie direkt an die Oberfläche drücken, damit sich keine Haut bilden kann.
3 Die Lasagneplatten bei Bedarf direkt auf die feuerfeste Form zuschneiden. Einige Lasagnesorten müssen vor dem Backen vorgekocht werden. Hier verfährt man nach den Kochtips auf der Packungsbeilage. Vorgekochte Lasagneplatten müssen gut abgetropft sein, bevor man sie in die Form schichtet.
4 Den Backofen auf Mittelhitze (180 °C) vorheizen. Die feuerfeste Form mit zerlassener Butter oder Öl einstreichen. Den Formenboden mit einer dünnen Schicht Fleischsauce auskleiden, darauf eine dünne Schicht Béchamelsauce gießen. Nun eine Lage Lasagne paßgenau in die Form schichten und die Platten dabei leicht an die Sauce drücken, damit etwaige Luft entweichen kann. Abwechselnd Fleischsauce, Béchamelsauce und Pasta in die Form schichten; mit einer Lage Béchamelsauce abschließen. Die Lasagne mit dem Parmesan bestreuen und 35–40 Minuten goldbraun backen. Vor dem Anschneiden 15 Minuten ruhen lassen.
Hinweis: Statt frischer kann auch getrocknete Lasagne verwendet werden. Als Variante kann man die Hühnerleber durch die entsprechende Menge Rinderhack ersetzen.

PRO PERSON: *Protein 30 g; Fett 30 g; Kohlenhydrate 45 g; Ballaststoffe 5 g; Cholesterol 160 mg; 2415 kJ (575 Kcal)*

BÉCHAMELSAUCE
Heute versteht man unter einer Béchamel eine weiße Sauce, die entsteht, wenn Milch in eine Roux gerührt wird. Ursprünglich jedoch wurde Béchamel aus einer dicken Velouté hergestellt, in die man Sahne rührte. Die Sahne verdankt ihren Namen einem Marquis Louis de Béchameil, einem reichen, attraktiven Gourmet und Oberverwalter unter Ludwig XIV. Daß er die Sauce kreierte, ist jedoch eher unwahrscheinlich. Wahrscheinlicher ist, daß einer der Köche des Königs sie nach ihm benannte, um ihm auf diese Weise zu schmeicheln.

OBEN: Klassische Lasagne

ZIMT
Die hochwertigste Qualität liefert Ceylon-Zimt aus Sri Lanka vom Zimtbaum *cinnamomum zeylanicum*, der den intensivsten Duft und den feinsten, frischesten Geschmack hat. Die Stangen werden aus der getrockneten Innenrinde junger Schößlinge gewonnen. Die dünnen Schichten rollen sich beim Trocknen zu Zylindern auf. Diese Rollen werden zu zehnt ineinandergesteckt und dann auf gleiche Länge gestutzt. Der Ceylon-Zimt ist teurer als die aus China stammende *cassia*, die in den USA meist als Zimt verkauft wird. Bei *cassia* handelt es sich um ältere Außenrinde, die zum Trocknen gesammelt wird. Zimt wird in Stangenform, in kleinen Stücken und gemahlen verwendet und an Süßspeisen und gebackene Gerichte gegeben. Zimt ist auch ein Bestandteil von Currypuder und Garam Masala.

OBEN: Makkaroni mit Käse

MAKKARONI MIT KÄSE

Vorbereitungszeit: 20 Minuten
Kochzeit: 35 Minuten
Für 4 Personen

500 ml Milch
250 ml Sahne
1 Lorbeerblatt
1 Gewürznelke
1/2 Zimtstange
60 g Butter
2 EL Mehl
250 g frisch geriebener Cheddar oder mittelalter Gouda
50 g frisch geriebener Parmesan
380 g kurze Makkaroni
80 g frische Semmelbrösel
2 Scheiben Frühstücksspeck, gehackt und knusprig gebraten

1 Den Backofen auf Mittelhitze (180 °C) vorheizen. Sahne und Milch in einem mittelgroßen Topf mit dem Lorbeerblatt, der Nelke und der Zimtstange aufkochen. Den Topf vom Herd nehmen und 10 Minuten stehen lassen. Die Flüssigkeit in ein Gefäß abseihen und die Gewürze entfernen.
2 Die Butter bei Niedrighitze in einem mittelgroßen Topf zerlassen. Das Mehl einstäuben und 1 Minute unterrühren. Den Topf vom Herd nehmen und langsam die Milch-Sahne-Flüssigkeit einrühren, bis sie eine glatte Konsistenz angenommen hat. Die Sauce nun bei Mittelhitze unter ständigem Rühren aufkochen, bis sie eindickt. Die Sauce noch 2 Minuten köcheln lassen, dann vom Herd nehmen und die Hälfte des Cheddar oder Gouda und die Hälfte des Parmesans einrühren. Mit Salz und Pfeffer abschmecken.
3 Die Makkaroni in einem großen Topf mit sprudelndem Salzwasser *al dente* kochen. Abtropfen und wieder in den Topf geben. Die Sauce an die Pasta gießen und gut vermischen. Die Pasta-Käse-Masse in eine tiefe Kasserolle gießen. Semmelbrösel, Speck und restlichen Käse gut vermengen und damit die Pasta-Käse-Masse bestreuen. Den Auflauf 15–20 Minuten goldgelb backen und servieren.

PRO PERSON: *Protein 45 g; Fett 70 g; Kohlenhydrate 90 g; Ballaststoffe 5 g; Cholesterol 185 mg; 4960 kJ (1185 Kcal)*

CONCHIGLIE MIT HUHN-RICOTTA-FÜLLUNG

Vorbereitungszeit: 15 Minuten
Kochzeit: 1 Stunde 10 Minuten
Für 4 Personen

500 g Conchiglie
2 EL Olivenöl
1 Zwiebel, gehackt
1 Knoblauchzehe, zerdrückt
60 g Prosciutto, in Scheiben geschnitten
120 g Champignons, gehackt
250 g Huhnfilet, feingehackt oder durch den Fleischwolf gedreht
2 EL Tomatenmark, 2fach konzentriert
425 g Dosentomaten, zerkleinert
120 ml trockener Weißwein
1 TL getrockneter Oregano
250 g Ricottakäse oder Magerquark, abgetropft
150 g geriebener Mozzarella
1 TL frische Schnittlauchröllchen
1 EL frische glatte Petersilie, feingehackt
3 EL frisch geriebener Parmesan

1 Die Pasta in einem großen Topf mit sprudelndem Salzwasser *al dente* kochen. Gut abtropfen.
2 Das Öl in einer großen Bratpfanne erhitzen. Die Zwiebel und den Knoblauch bei Niedrighitze unter Rühren darin dünsten, bis die Zwiebel weich ist. Den Prosciutto zugeben und 1 Minute unterrühren. Die Champignons 2 Minuten in der Zwiebel-Schinken-Masse köcheln lassen. Nun das Hühnerhack zugeben und gut anbräunen. Dabei mit einer Gabel das Fleisch ständig verrühren, um eine Klümpchenbildung zu vermeiden.
3 Das Tomatenmark, die Tomaten, den Wein und den Oregano unterrühren und mit Salz und Pfeffer abschmecken. Die Füllung aufkochen, dann bei Niedrighitze 20 Minuten köcheln lassen.
4 Den Backofen auf Mittelhitze (180 °C) vorheizen. Den Ricotta oder Quark, den Mozzarella, den Schnittlauch, die Petersilie und die Hälfte des Parmesans mengen. Etwas von der Füllung in die einzelnen Conchiglie löffeln. Den Boden einer Kasserolle mit etwas Hühnerfüllung auskleiden und darauf die Conchiglie legen. Die Pasta mit der restlichen Sauce begießen und mit dem restlichen Parmesan bestreuen. 25–30 Minuten goldgelb backen.
Hinweis: Conchiglie gibt es in verschiedenen Größen. Für dieses Gericht eignen sich die mittleren oder großen Pastamuscheln am besten.

PRO PERSON: *Protein 50 g; Fett 40 g; Kohlenhydrate 95 g; Ballaststoffe 9 g; Cholesterol 115 mg; 3945 kJ (940 Kcal)*

ALS BEILAGE

ROTE-BETE-SALAT MIT HIMBEER-DRESSING 1 küchenfertige Packung rote Bete schälen und in Scheiben schneiden. Mit einem Dressing aus Himbeeressig, Orangensaft und Honig begießen, gut mengen und mit etwas Kümmel bestreuen.

SPINATSALAT MIT WALNÜSSEN UND CHEDDAR Frischen Spinat putzen und waschen. Walnußhälften rösten. Von Cheddarkäse oder altem Gouda feine Hobel abziehen. Den Spinat gut abgetropft zerrupfen, die Walnüsse und den Käse unterheben, dann den Spinatsalat mit einer Vinaigrette beträufeln.

RICOTTA
Ricotta kann man selbst machen: 1 Liter Vollmilch mit 125 ml saurer Sahne aufkochen. Unter Rühren 2–5 Minuten kochen, bis die Milch gerinnt. Ein Küchen- oder Musselintuch über ein Sieb hängen, geronnene Milch hineingießen. Tuch zusammenbinden und über ein Gefäß hängen. Nach ca. 1 Stunde ist der Käse im Tuch fest. Er hält sich aber nur wenige Tage.

OBEN: Conchiglie mit Huhn-Ricotta-Füllung

OBEN: Spaghetti-Frittata

SPAGHETTI-FRITTATA

Vorbereitungszeit: 30 Minuten
Kochzeit: 35 Minuten
Für 4 Personen

☆☆

- 30 g Butter
- 120 g Champignons, in Scheiben geschnitten
- 1 grüne Paprika, Samen und Rippen entfernt, feingehackt
- 120 g Schinken
- 80 g tiefgefrorene Erbsen
- 6 Eier
- 250 ml Sahne oder Milch
- 100 g Spaghetti, gekocht und kleingeschnitten
- 2 EL frische glatte Petersilie, feingehackt
- 30 g frisch geriebener Parmesan

1 Den Backofen auf Mittelhitze (180 °C) vorheizen. Eine Pieform (Ø 23 cm) mit geschmolzener Butter oder Öl leicht einfetten.

2 Die Butter in einer Pfanne zerlassen. Die Pilze bei Niedrighitze 2–3 Minuten darin dünsten. Die Paprika unterrühren und 1 Minute dünsten. Den Schinken und die Erbsen zugeben. Die Pfanne vom Herd nehmen und die Füllung etwas abkühlen lassen.

3 Nun die Eier, die Sahne oder Milch und Salz und Pfeffer nach Geschmack in einer Schüssel verschlagen. Die Spaghetti, die Petersilie und die Pilzmasse unterrühren. Die Masse in die Pieform gießen und mit Parmesan bestreuen. 25–30 Minuten goldgelb backen.

Hinweis: Zur Frittata paßt sehr gut gegrilltes Gemüse und ein grüner Salat.

PRO PERSON: *Protein 25 g; Fett 20 g; Kohlenhydrate 10 g; Ballaststoffe 5 g; Cholesterol 300 mg; 1320 kJ (315 Kcal)*

CANNELLONI MILANESE

Vorbereitungszeit: 40 Minuten
Kochzeit: 1 Stunde 50 Minuten
Für 4 Personen

500 g Schweine-Kalbs-Hack
50 g frische Semmelbrösel
100 g frisch geriebener Parmesan
2 Eier, verschlagen
1 TL getrockneter Oregano
12–15 Cannelloni
380 g Ricottakäse oder Magerquark, gut abgetropft
60 g frisch geriebener Cheddar oder mittelalter Gouda

Tomatensauce

425 g Tomatenpassata (Tomatenpüree)
425 g Dosentomaten, zerkleinert
2 Knoblauchzehen, zerdrückt
3 EL frisches Basilikum, feingezupft

1 Den Backofen auf Mittelhitze (180 °C) vorheizen. Eine rechteckige Kasserolle mit zerlassener Butter oder mit Öl leicht einfetten.
2 In einer Schüssel das Schweine-Kalbs-Hack mit den Semmelbröseln, der Hälfte des Parmesan, den Eiern und dem Oregano mengen und mit Salz und Pfeffer nach Geschmack würzen. Die Füllung mit Hilfe eines Teelöffels in die Cannelloniröhren löffeln. Die Pasta beiseite stellen.
3 Für die Tomatensauce das Tomatenpüree, die zerkleinerten Tomaten und den Knoblauch in einem mittelgroßen Topf aufkochen. Bei Niedrighitze 15 Minuten köcheln lassen. Dann das Basilikum unterziehen, mit Pfeffer nach Geschmack würzen und alle Zutaten gut verrühren.
4 Den Boden der Kasserolle mit der Hälfte der Tomatensauce bedecken. Darüber die gefüllten Cannelloni schichten. Die restliche Sauce über die Pasta löffeln. Nun den Ricotta oder Magerquark darauf verstreichen. Den Parmesan und den Cheddar oder Gouda mengen und als Kruste über die Cannelloni streuen. Mit Alufolie abgedeckt 1 Stunde backen. Die Alufolie entfernen und noch 15 Minuten goldgelb backen. Zum Servieren in Viertel teilen.

PRO PERSON: *Protein 60 g; Fett 40 g; Kohlenhydrate 40 g; Ballaststoffe 5 g; Cholesterol 255 mg; 3190 kJ (762 Kcal)*

ALS BEILAGE

BLUMENKOHL MIT KÄSE 1 Blumenkohl in mundgerechte Röschen zerteilen und diese in einer Mikrowelle oder in Salzwasser weich garen. Abtropfen und in eine feuerfeste Form geben. 30 g Butter in einem kleinen Topf zerlassen und 1 EL Mehl einstäuben. Unter ständigem Rühren glatt streichen. Bei Mittelhitze 350 ml Milch einrühren und 1 Minute verschlagen, bis die Sauce aufkocht und eindickt. Nun 60 g feingeriebenen Cheddar oder mittelalten Gouda in der Béchamelsauce schmelzen und die Sauce mit etwas Dijonsenf abschmecken. Die Béchamel über die Blumenkohlröschen gießen und die Sauce mit feingeriebenem Cheddar oder mittelaltem Gouda bestreuen. Den Blumenkohlauflauf bei hoher Hitze (210 °C) 10 Minuten backen, bis der Käse goldgelb zerläuft.

OBEN: Cannelloni Milanese

OBEN: Rigatoni-Gratin
RECHTS: Pasta-Spinat-Timbalen

RIGATONI-GRATIN

Vorbereitungszeit: 20 Minuten
Kochzeit: 30 Minuten
Für 4 Personen

☆☆

380 g Rigatoni
60 ml Olivenöl
300 g schmale Auberginen, gehackt
4 kleine Zucchini, in dicke Scheiben geschnitten
1 Zwiebel, in Ringe geschnitten
425 g Dosentomaten
1 TL frischer Oregano, feingehackt
eine Prise Cayennepfeffer
8–10 schwarze Oliven, entsteint und in Ringe geschnitten
250 g Mozzarella, feingewürfelt
2 EL frisch geriebener Parmesan

1 Den Backofen auf Mittelhitze (180 °C) vorheizen. Die Rigatoni in einem großen Topf mit sprudelndem Salzwasser *al dente* kochen. Die Pasta sorgfältig abtropfen und in eine eingefettete, flache, ofenfeste Backform geben.
2 Unterdessen das Öl in einer großen Pfanne erhitzen. Darin die Auberginen, die Zucchini und die Zwiebel 5 Minuten braten, bis das Gemüse leicht gebräunt ist.

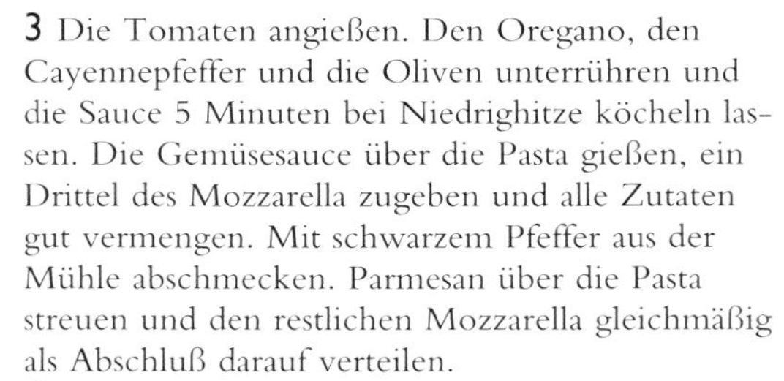

3 Die Tomaten angießen. Den Oregano, den Cayennepfeffer und die Oliven unterrühren und die Sauce 5 Minuten bei Niedrighitze köcheln lassen. Die Gemüsesauce über die Pasta gießen, ein Drittel des Mozzarella zugeben und alle Zutaten gut vermengen. Mit schwarzem Pfeffer aus der Mühle abschmecken. Parmesan über die Pasta streuen und den restlichen Mozzarella gleichmäßig als Abschluß darauf verteilen.
4 Das Gratin 10 Minuten backen, bis der Käse geschmolzen und die Kruste hellbraun ist. Dann servieren.

PRO PERSON: *Protein 30 g; Fett 35 g; Kohlenhydrate 75g; Ballaststoffe 10 g; Cholesterol 45 mg; 3030 kJ (720 Kcal)*

PASTA-SPINAT-TIMBALEN

Vorbereitungszeit: 25 Minuten
Kochzeit: 45 Minuten + Ruhezeit
Für 6 Personen

☆☆

30 g Butter
1 EL Olivenöl
1 Zwiebel, gehackt
500 g Blattspinat, gedünstet und gut ausgedrückt
8 Eier, verschlagen
250 ml Sahne
100 g gekochte Spaghetti oder Tagliolini
60 g geriebener Cheddar oder mittelalter Gouda
50 g frisch geriebener Parmesan

1 Den Backofen auf Mittelhitze (180 °C) vorheizen. 6 feuerfeste Auflaufförmchen für Einzelportionen mit zerlassener Butter oder Öl einfetten. Den Boden der Förmchen mit Backpapier auslegen. Nun die Butter und das Öl in einer Bratpfanne erhitzen. Die Zwiebel zugeben und bei Niedrighitze unter Rühren weich dünsten. Den gut abgetropften und ausgedrückten Blattspinat zugeben und 1 Minute durchkochen. Die Pfanne vom Herd nehmen und das Gemüse abkühlen lassen. Die Eier und die Sahne verschlagen und sorgfältig einrühren. Die Spaghetti oder Tagliolini und den geriebenen Käse unterrühren. Die Masse mit Salz und schwarzem Pfeffer aus der Mühle abschmekken. Dann die Zutaten gut verrührt mit einem Löffel in die Auflaufförmchen geben.
2 Die Förmchen in eine große, feuerfeste Ofenform stellen. Vorsichtig kochendes Wasser angießen, bis es die Förmchen an den Seiten bis zur Hälfte mit Wasser bedeckt. 30–35 Minuten backen, bis die Masse fest ist. Nach der Hälfte der Kochzeit müssen die Timbalen unter Umständen mit Alufolie abgedeckt werden, damit sie nicht übermäßig anbräunen. Zum Ende der Kochzeit prüft man mit einer Messerspitze den Gargrad der Timbalen: Bleibt nichts an der Messerspitze hängen, sind die Timbalen gar.
3 Die Förmchen aus dem Backofen nehmen und 15 Minuten ruhen lassen. Mit einer Messerspitze am Förmchenrand entlang fahren und die Timbalen auf Teller stürzen.

PRO PERSON: *Protein 20 g, Fett 40 g; Kohlenhydrate 7 g; Ballaststoffe 3 g; Cholesterol 330 mg; 1860 kJ (440 Kcal)*

PASTA-AUFLAUF MIT KÄSE UND SAHNE

Vorbereitungszeit: 10–15 Minuten
Kochzeit: 35–40 Minuten
Für 4 Personen

500 g Fusilli
600 ml Sahne
3 Eier
250 g zerbröckelter Fetakäse
2 EL Mehl
2 TL Muskat
130 g geriebener Cheddar oder Mozzarella

1 Die Fusilli in einem großen Topf mit sprudelndem Salzwasser *al dente* kochen. Abtropfen und dabei 250 ml der Kochflüssigkeit auffangen. Anschließend die Pasta beiseite stellen und etwas abkühlen lassen.
2 Den Backofen auf Mittelhitze (180 °C) vorheizen. Eine 1,5 l fassende ofenfeste Backform mit Olivenöl einfetten.
3 Die Sahne und die Eier mit dem Pastakochwasser in einer großen Schüssel sorgfältig verschlagen. Den zerbröckelten Fetakäse einrühren, das Mehl und den Muskat unterziehen und mit Salz und Pfeffer nach Geschmack würzen.
4 Die abgekühlte Pasta in die Backform geben. Die Sahnemasse darüber gießen und mit dem geriebenen Käse bestreuen. Den Auflauf 30–35 Minuten backen, bis er gerade fest und die Kruste goldgelb gebräunt ist.

PRO PERSON: *Protein 40 g; Fett 85; Kohlenhydrate 95 g; Ballaststoffe 6 g; Cholesterol 380 mg; 5520 kJ (1315 Kcal)*

WEISSER PFEFFER
Weiße Pfefferkörner stammen vom gleichen tropischen Pfefferstrauch wie schwarze, sie werden aber anders behandelt. So bekommen sie einen zarteren Geschmack und eine hellere Farbe. Für einige Gerichte, besonders mit weißen oder sahnigen Saucen, eignet sich weißer Pfeffer besonders gut, denn im Gegensatz zu schwarzem Pfeffer stört er die Optik solcher Gerichte nicht. Überraschenderweise ist weißer Pfeffer aromatischer als schwarzer Pfeffer.

OBEN: Pasta-Auflauf mit Käse und Sahne

MOZZARELLA
Die meisten Mozzarellasorten, die heute außerhalb Italiens hergestellt werden, sind eher zum Verkochen gedacht: Sie dienen als Pizzabelag, gehören in die Lasagne und werden auch anderen Backofengerichten beigegeben. Dieser Mozzarella ist ein gereifter Käse von gummiartiger Konsistenz, z. T. auch als Schmelzkäse zubereitet, der hervorragend schmilzt. In erhitztem Zustand wird er zu einer glatten, flüssigen Sauce und zieht beim Dehnen Fäden (eine Eigenschaft, die besonders Kinder zu schätzen wissen!). Frischer Mozzarella, der nicht kommerziell hergestellt wird, schmeckt am besten als Tafelkäse. Er ist schneeweiß, hat einen sahnigen Geschmack, hält sich aber auch nicht lange. In Italien wird er nach der jahrhundertealten Methode manchmal noch aus Büffelmilch hergestellt. Diesen Büffelmozzarella erhält man lose in gutsortierten Supermärkten, Feinkostgeschäften und auf Wochenmärkten.

OBEN: Pasta mit Fleischklößchen

PASTA MIT FLEISCHKLÖSSCHEN

Vorbereitungszeit: 40 Minuten
Kochzeit: 55 Minuten
Für 4 Personen

100 g Makkaroni
500 g Rinderhack
1 Zwiebel, feingehackt
80 g frische Semmelbrösel
2 EL frisch geriebener Parmesan
1 EL frisches Basilikum, feingezupft
1 Ei, verschlagen
2 EL Olivenöl
150 g frisch geriebener Mozzarella

Sauce

1 Zwiebel, in Ringe geschnitten
1 Knoblauchzehe, zerdrückt
1 rote Paprika, von Samen und Rippen befreit, in Scheiben geschnitten
120 g Champignons, in Scheiben geschnitten
60 ml Tomatenmark, 2fach konzentriert
120 ml Rotwein

1 Die Makkaroni in einem großen Topf mit sprudelndem Salzwasser *al dente* kochen. Vollständig abtropfen lassen und beiseite stellen.

2 In einer Schüssel das Rinderhack, die Zwiebel, die Hälfte der Semmelbrösel, den Parmesan, das Basilikum und das Ei gut mengen. Dann gehäufte Teelöffel des Hackfleischs zu kleinen Bällchen rollen.

3 Das Öl in einer Bratpfanne erhitzen. Die Fleischbällchen im Öl garen und gut anbräunen. Aus der Pfanne heben und auf Küchenkrepp abtropfen lassen. Dann in eine ofenfeste Form geben. Den Backofen auf Mittelhitze (180 °C) vorheizen.

4 Für die Sauce die Zwiebel und den Knoblauch in der Pfanne, in der die Fleischbällchen ausgebraten wurden, bei Niedrighitze unter Rühren dünsten, bis die Zwiebel weich ist. Die Paprika und die Champignons unterrühren. 2 Minuten köcheln lassen. Nun das Tomatenmark einrühren und den Wein und 250 ml Wasser angießen. Die Sauce aufkochen lassen, dabei ständig durchrühren. Die Makkaroni unterziehen und mit Salz und Pfeffer nach Geschmack würzen. Die Sauce mit der Pasta über die Fleischbällchen gießen.

5 Den Auflauf ohne Deckel 30–35 Minuten backen. Den Mozzarella und die restlichen Semmelbrösel mengen, dann über den Auflauf streuen. Noch weitere 10 Minuten backen, bis die Kruste schön goldgelb ist.

PRO PERSON: *Protein 45 g; Fett 35 g; Kohlenhydrate 40 g; Ballaststoffe 5 g; Cholesterol 150 mg; 2840 kJ (680 Kcal)*

GEMÜSE MIT PASTAFÜLLUNG

Vorbereitungszeit: 40 Minuten
Kochzeit: 45 Minuten
Für 6 Personen

- 150 g Rissoni
- 1 EL Olivenöl
- 1 Zwiebel, feingehackt
- 1 Knoblauchzehe, zerdrückt
- 3 Scheiben Frühstücksspeck, ohne Schwarte, feingehackt
- 150 g frisch geriebener Mozzarella
- 50 g frisch geriebener Parmesan
- 2 EL frische glatte Petersilie, feingehackt
- 4 große rote Paprika, längsseitig halbiert, ohne Samen und Rippen
- 425 g Dosentomaten, zerkleinert
- 120 ml trockener Weißwein
- 1 EL Tomatenmark, 2fach konzentriert
- eine Prise gemahlener Oregano
- 2 EL frisches Basilikum, feingezupft

1 Die Rissoni in einem großen Topf mit sprudelndem Salzwasser *al dente* kochen. Abtropfen.
2 Den Backofen auf Mittelhitze (180 °C) vorheizen. Eine flache, ofenfeste Backform mit Öl leicht einfetten.
3 Das Öl in einer Pfanne erhitzen. Darin die Zwiebel und den Knoblauch bei Niedrighitze unter Umrühren dünsten, bis die Zwiebel weich ist. Den Speck zugeben und unter Rühren knusprig braten. Die Zutaten in einer großen Schüssel mit Pasta, dem Mozzarella und dem Parmesan und der Petersilie mengen. Die Füllung in die Paprikahälften löffeln und die gefüllten Schoten in die Backform setzen.
4 In einer Schüssel die Tomaten, den Wein, das Tomatenmark und den Oregano gut mengen. Mit Salz und Pfeffer nach Geschmack würzen. Die Tomaten über die Pastafüllung löffeln, und mit dem Basilikum bestreuen. Die Schoten 35–40 Minuten backen.

PRO PERSON: *Protein 20 g; Fett 15 g; Kohlenhydrate 25 g; Ballaststoffe 5 g; Cholesterol 35 mg; 1345 kJ (320 Kcal)*

ALS BEILAGE

BUTTERKOHL MIT KÜMMEL Spitzkohl raspeln und in der Mikrowelle oder in Salzwasser weich garen. Zwiebelringe mit Kümmelsamen in Butter sautieren, bis die Zwiebel ganz weich ist und sich das Kümmelaroma entfaltet. Den Kohl in die Pfanne geben und alles gut vermengen. Mit etwas Obstessig beträufeln und großzügig mit Salz und Pfeffer würzen.

RISSONI
Rissoni ist getrocknete Pasta in der Form von Reiskörnern. Sie eignet sich gut als Suppeneinlage und vor allem als Füllung für Gemüse. Eintöpfen geben Rissoni Gehalt und Fülle, ohne sie jedoch zu sehr einzudicken. Aus demselben Grund eignen sich Rissoni auch ideal zum Füllen von Geflügel.

OBEN: Gemüse mit Pastafüllung

KNOBLAUCH
Wie Knoblauch verarbeitet wird, hängt vom Grad der Intensität ab, der für das jeweilige Gericht benötigt wird. Feingehackte oder zerdrückte Knoblauchzehen sind am intensivsten, denn diese Zubereitung setzt mehr Öle frei. Wenn der Knoblauch nicht vorschmecken, sondern das Gericht nur leicht aromatisieren soll, werden ganze, oft ungeschälte Knoblauchzehen verwendet, die vor dem Servieren entfernt werden. Geschälte und halbierte Knoblauchzehen hingegen haben einen stärkeren, jedoch nicht scharfen Knoblauchgeschmack.

CANNELLONI

Vorbereitungszeit: 45 Minuten
Kochzeit: 1 Stunde 10 Minuten
Für 6 Personen

Füllung aus Rinderhack und Spinat

1 EL Olivenöl
1 Zwiebel, gehackt
1 Knoblauchzehe, zerdrückt
500 g Rinderhack
250 g tiefgefrorener Blattspinat, aufgetaut
3 EL Tomatenmark, 2fach konzentriert
120 g Ricotta oder Magerquark, gut abgetropft
1 Ei
eine Prise gemahlener Oregano

Béchamelsauce

250 ml Milch
1 Zweig frische glatte Petersilie
5 Pfefferkörner
30 g Butter
1 EL Mehl
120 ml Sahne

Tomatensauce

425 g Tomatenpüree aus der Dose
2 EL frisches Basilikum, feingezupft
1 Knoblauchzehe, zerdrückt
eine Prise Zucker
12–15 Cannelloni
150 g frisch geriebener Mozzarella
50 g frisch geriebener Parmesan

1 Den Backofen auf Mittelhitze (180 °C) vorheizen. Eine große, flache, ofenfeste Backform leicht mit Öl einfetten, dann beiseite stellen.
2 Für die Rinderhack-Spinat-Füllung das Öl in einer Bratpfanne erhitzen und darin die Zwiebel und den Knoblauch bei Niedrighitze unter Rühren garen, bis die Zwiebel weich ist. Das Rinderhack zugeben und gut anbräunen. Dabei das Fleisch ständig mit einer Gabel durchrühren, um eine Klümpchenbildung zu vermeiden. Den Spinat und das Tomatenmark unterrühren. Die Füllung 1 Minute durchgaren, dann vom Herd nehmen. In einer kleinen Schüssel den Ricotta oder Quark, das Ei, Oregano und Salz und Pfeffer nach Geschmack mengen. Die Creme unter die Fleischfüllung ziehen, bis alle Zutaten vermischt sind. Beiseite stellen.
3 Für die Béchamelsauce die Milch, die Petersilie und die Pfefferkörner in einem kleinen Topf zum Kochen bringen. Vom Herd nehmen und 10 Mi-

RECHTS: Cannelloni

nuten stehen lassen. Durch ein Sieb abseihen, dann die Gewürze entfernen. Die Butter in einem kleinen Topf bei Niedrighitze zerlassen. Das Mehl einstäuben und 1 Minute unterrühren, bis die Schwitze glatt ist. Den Topf vom Herd nehmen und langsam die abgeseihte Milch zugießen und unterrühren. Wieder auf die Herdplatte stellen. Bei Niedrighitze unter ständigem Rühren aufkochen lassen, bis die Sauce eindickt. Bei Niedrighitze 1 Minute köcheln lassen. Nun die Sahne unterziehen und die Sauce mit Salz und Pfeffer nach Geschmack würzen.
4 Für die Tomatensauce alle Zutaten in einem Topf sorgfältig vermengen. Die Sauce aufkochen, dann bei Niedrighitze 5 Minuten köcheln lassen. Mit Salz und Pfeffer nach Geschmack würzen.
5 Die Cannelloni nach Packungshinweis gegebenenfalls in sprudelndem Salzwasser blanchieren und gut abtropfen. Nun mit der Fleisch-Spinat-Füllung farcieren. Dazu entweder mit einem Teelöffel arbeiten oder die Farce in eine Spritztüte füllen und die Füllung in die Cannelloni drücken.
6 Den Boden der Kasserolle mit etwas Tomatensauce auskleiden. Die Cannelloni in die Sauce schichten. Dann die Béchamelsauce über die gefüllte Pasta gießen und darüber die restliche Tomatensauce löffeln. Den Käse mengen und über die Sauce streuen. Ohne Deckel 35–40 Minuten goldgelb backen.
Hinweis: Als Beilage eignen sich ein grüner Salat oder gedünstetes Gemüse wie Brokkoli oder grüne Bohnen.

PRO PERSON: *Protein 35 g; Fett 40 g; Kohlenhydrate 25 g; Ballaststoffe 5 g; Cholesterol 150 mg; 2475 kJ (590 Kcal)*

ITALIENISCHES OMELETTE

Vorbereitungszeit: 20 Minuten
Kochzeit: 15 Minuten
Für 4 Personen

- 2 EL Olivenöl
- 1 Zwiebel, feingehackt
- 120 g gekochter Schinken, in Scheiben geschnitten
- 6 Eier
- 60 ml Milch
- 500 g gekochte (150 g ungekochte) Fusilli
- 3 EL geriebener Parmesan
- 2 EL frische glatte Petersilie, feingehackt
- 1 EL frisches Basilikum, feingezupft
- 60 g frisch geriebener Cheddar oder mittelalter Gouda

1 Die Hälfte des Öls in einer Bratpfanne erhitzen. Die Zwiebel zugeben und bei Niedrighitze unter Rühren weich dünsten. Den in Scheiben geschnittenen Schinken zugeben und 1 Minute unterrühren. Auf einen Teller geben und beiseite stellen.
2 In einer Schüssel die Eier und die Milch verquirlen und mit Salz und Pfeffer nach Geschmack würzen. Die Pasta, den Parmesan, die Kräuter und die Zwiebel-Schinken-Würzung sorgfältig unterrühren.
3 Das restliche Öl in derselben Pfanne erhitzen. Die Eimasse hineingießen und mit Käse bestreuen. Bei Mittelhitze braten, bis das Omelette an den Seiten stockt. Unter einem heißen Grill oder im Backofen fertigbacken. Zum Servieren in Viertel teilen.
Hinweis: Zu diesem Omelette paßt sehr gut ein frischer, knackiger grüner oder gemischter Salat.

PRO PERSON: *Protein 25 g; Fett 25g; Kohlenhydrate 30 g; Ballaststoffe 2 g; Cholesterol 310 mg; 1925 kJ (460 Kcal)*

OBEN: Italienisches Omelette

PASTICCIO

Vorbereitungszeit: 1 Stunde
Kochzeit: 1 Stunde 50 Minuten
Für 6 Personen

250 g Mehl
120 g kalte Butterstückchen
60 g feiner Zucker
1 Eigelb

Füllung

2 EL Olivenöl
1 Zwiebel, gehackt
2 Knoblauchzehen, feingehackt
500 g Rinderhack
150 g Hühnerleber
2 Tomaten, gehackt
120 ml Rotwein
120 ml Rinderfond
1 EL frischer Oregano, feingehackt
eine Prise Muskat
50 g frisch geriebener Parmesan

Béchamelsauce

60 g Butter
2 EL Mehl
380 ml kalte Milch
150 g Bucatini

1 Das Mehl, die Butter, den Zucker und das Eigelb mit 1 EL Wasser in einer Küchenmaschine vorsichtig verarbeiten, bis sich ein Teigball formt. Bei Bedarf noch zusätzliches Wasser zugeben. Den Teig auf einer bemehlten Arbeitsfläche leicht kneten, bis er eine glatte Konsistenz hat. Mit Klarsichtfolie umwickeln und kühl stellen.

2 Für die Füllung das Öl in einer gußeisernen Pfanne erhitzen. Die Zwiebel und den Knoblauch zugeben und dünsten, bis beides goldgelb und gar ist. Die Hitze erhöhen und das Rinderhack gut anbräunen. Dabei ständig mit einer Gabel durchrühren, um eine Klümpchenbildung zu vermeiden. Die Hühnerleber, die Tomaten, den Rotwein, die Brühe und den Oregano und Muskat zugeben. Großzügig mit Salz und Pfeffer abschmecken. Noch mehr Hitze zugeben und die Sauce unter ständigem Rühren aufkochen. Bei Niedrighitze abgedeckt 40 Minuten köcheln lassen und dann abkühlen. Nun den Parmesan einrühren.

3 Für die Béchamelsauce die Butter in einem mittelgroßen Topf bei Niedrighitze zerlassen. Das Mehl einstäuben und 1 Minute einrühren, bis die Schwitze glatt und goldfarben ist. Den Topf vom Herd nehmen und langsam die Milch einrühren. Den Topf erneut auf den Herd stellen, dann die Sauce unter ständigem Rühren erhitzen, bis sie aufkocht und eindickt. Noch 1 Minute köcheln lassen. Mit Salz und Pfeffer nach Geschmack würzen.

4 Die Bucatini in einem großen Topf mit sprudelndem Salzwasser *al dente* kochen. Abtropfen und abkühlen lassen. Eine tiefe Pieform (Ø 23 cm) mit zerlassener Butter oder Öl einfetten und den Backofen auf leichte Hitze (160 °C) vorheizen. Den Teig halbieren. Die eine Teighälfte passend zum Auskleiden der Pieform ausrollen. Die Hälfte der Fleischfüllung in die ausgekleidete Pieform löffeln. Darauf die Bucatini geben, gefolgt von der Béchamelsauce, die die Pasta gut benetzen muß. Nun die restliche Fleischfüllung darüberlöffeln. Die zweite Teighälfte als Deckel für die Pieform ausrollen. Überstehenden Teig an den Seiten entfernen und die Seiten leicht zusammendrücken, um die Torte zu versiegeln. Nun 50–55 Minuten backen, bis der Teig knusprig ist und eine goldbraune Farbe angenommen. Vor dem Aufschneiden noch 15 Minuten stehen lassen.

PRO PERSON: *Protein 35 g; Fett 50 g; Kohlenhydrate 65 g; Ballaststoffe 5 g; Cholesterol 270 mg; 3595 kJ (860 Kcal)*

OBEN: Pasticcio

PASTITSIO

Vorbereitungszeit: 1 Stunde
Kochzeit: 1 Stunde 25 Minuten
Für 8 Personen

- 2 EL Olivenöl
- 4 Knoblauchzehen, zerdrückt
- 3 Zwiebeln, gehackt
- 1 kg Lammhack
- 850 g Dosentomaten, zerkleinert
- 250 ml Rotwein
- 250 ml Hühnerbrühe
- 3 EL Tomatenmark, 2fach konzentriert
- 2 EL frischer Oregano, feingehackt
- 2 Lorbeerblätter
- 350 g Ziti
- 2 Eier, leicht verschlagen
- 750 g griechischer Joghurt (vom Wochenmarkt oder türkischen Lebensmittelläden)
- 3 Eier zusätzlich, leicht verschlagen
- 200 g Manchegokäse, gerieben
- eine Prise Muskat
- 50 g frisch geriebener Parmesan
- 80 g frische Semmelbrösel

1 Den Backofen auf mittelhohe Hitze (200 °C) vorheizen. Für die Fleischsauce das Öl in einer großen, gußeisernen Pfanne erhitzen. Den Knoblauch und die Zwiebeln darin 10 Minuten bei Niedrighitze dünsten, bis die Zwiebeln goldgelb sind.

2 Das Hackfleisch zugeben und bei hoher Hitze gut durchbräunen. Dabei ständig mit einer Gabel durchrühren, um eine Klümpchenbildung zu vermeiden. Die Tomaten, den Wein, die Brühe, das Tomatenmark, den Oregano und die zwei Lorbeerblätter einrühren, dann die Fleischfüllung aufkochen lassen. Nun bei Niedrighitze abgedeckt 15 Minuten köcheln lassen. Den Deckel abnehmen und weitere 30 Minuten köcheln lassen. Mit Salz und Pfeffer abschmecken.

3 Während das Fleisch kocht, die Ziti in einem großen Topf mit sprudelndem Salzwasser *al dente* kochen. Gut abtropfen. Die Pasta in eine Schüssel geben, die Eier unterziehen. Die Ei-Pasta-Masse in eine ofenfeste Backform (mit 4 l Fassungsvermögen) löffeln. Die Fleischsauce über die Pasta gießen.

4 Joghurt, die zusätzlichen Eier, Käse und Muskat in einem Gefäß verquirlen und die Sauce über das Fleisch gießen. Den Parmesan und die Semmelbrösel mengen und darüber streuen. Den Pastitsio 30–35 Minuten backen, bis die Kruste goldbraun und knusprig ist. Vor dem Aufschneiden 20 Minuten stehen lassen. Mit grünem Salat servieren.

Hinweis: Manchego ist ein fester Reibekäse. Sie können ihn auch durch Parmesan ersetzen.

PRO PERSON: *Protein 35 g; Fett 50 g; Kohlenhydrate 65 g; Ballaststoffe 5 g; Cholesterol 270 mg; 3595 kJ (860 Kcal)*

PASTICCIO UND PASTITSIO

Die Worte »Pasticcio« und »Pastitsio« (*pastizio* oder *pastetseo*) kann man leicht verwechseln. In der italienischen Küche werden mit dem Gattungsbegriff »Pasticcio« Pies oder herzhafte Torten bezeichnet, in denen die Zutaten, wie Fleisch, Pasta und Gemüse, in Lagen gebacken werden. Auch Lasagne ist beispielsweise eine Art Pasticcio; einige Lasagnerezepte haben auch eine Teigkruste. Pasticcio wird zu besonderen Anlässen serviert. Solche Torten können einfach sein, gutbürgerlich oder aber raffiniert und aufwendig, was Zusammensetzung und die Zutaten betrifft. Pasticcio wird als Hauptmahlzeit ohne Beilage gereicht, traditionell gefolgt von einem Salat oder einem Gang mit Gemüse. Pastitsio ist die griechische Version. Beide sind sich so ähnlich, daß es oft schwer ist, nach dem Rezept festzustellen, aus welchem der beiden Länder der Koch stammt. Pastitsio wird eher mit Lamm und seltener mit Rindfleisch zubereitet, und oft auch mit den in Griechenland so beliebten Oliven und Joghurt.

LINKS: Pastitsio

KÜRBIS, GEFÜLLT MIT PASTA UND LAUCH

Vorbereitungszeit: 30 Minuten
Kochzeit: 1 Stunde
Für 2 Personen als leichter Hauptgang oder für 4 Personen als Beilage

1 kleiner französischer Kürbis
20 g Butter
1 Lauchstange, in feine Röllchen geschnitten
120 ml Sahne
eine Prise Muskat
60 g gekochte Linguine oder Stellini
60 ml Olivenöl

1 Den Backofen auf Mittelhitze (180 °C) vorheizen. Das obere Viertel des Kürbis' sauber abtrennen und als Deckel verwenden. Den Boden gegebenenfalls zurechtschneiden, damit der Kürbis gerade steht. Kürbiskerne und bittere Fasern mit dem Löffel herausheben und entfernen. In der Mitte eine Vertiefung für die Füllung ausschaben. Die Schnittstellen mit Salz und Pfeffer bestreuen und den Kürbis in eine Backform stellen.
2 Die Butter in einer kleinen Pfanne zerlassen und den Lauch bei Niedrighitze weich dünsten. Mit der Sahne aufgießen, mit Muskat bestäuben, und die Sahne-Lauch-Creme 4–5 Minuten bei Niedrighitze weiterköcheln lassen, bis die Sauce eingedickt ist. Mit Salz und Pfeffer nach Geschmack würzen. Nun die Pasta unterrühren.
3 Die Füllung in den Kürbis löffeln. Den Deckel aus Kürbisfleisch aufsetzen und den Kürbis mit Olivenöl beträufeln. Im Backofen 1 Stunde backen, bis er weich ist. Den Gargrad durch einen Metallspieß feststellen, der an der rundesten Stelle des Kürbis' eingestochen wird.
Hinweis: Der französische Kürbis läßt sich wegen seiner Größe am besten füllen; Sorten, wie der deutsche »gelbe Zentner«, sind zu groß. Manchmal erhält man als Importware auf Wochenmärkten auch »Butternut Squash« (siehe Abb.), der sich für dieses Rezept sehr gut eignet.

PRO PERSON (BEI 4 PERSONEN): *Protein 10 g; Fett 30 g; Kohlenhydrate 30 g; Ballaststoffe 6 g; Cholesterol 50 mg; 1885 kJ (450 Kcal)*

FLEISCHAUFLAUF VOM HUHN UND KALB MIT CHAMPIGNONS

Vorbereitungszeit: 20 Minuten
Kochzeit: 1 Stunde
Für 6 Personen

100 g Pappardelle
20 g frische Semmelbrösel
1 EL Weißwein
380 g Hühnerbrustfilet, feingehackt oder durch den Fleischwolf gedreht
380 g Kalbshack
2 Knoblauchzehen, zerdrückt
100 g Champignons, feingehackt
2 Eier, verschlagen
eine Prise Muskat
eine Prise Cayennepfeffer
60 ml Schmand
4 Frühlingszwiebeln, in feine Röllchen geschnitten
2 EL frische glatte Petersilie, feingehackt

1 Eine Kastenform (mit 1,5 l Fassungsvermögen) einfetten und mit Backpapier auskleiden. Die Pappardelle in einem großen Topf mit sprudelndem Salzwasser *al dente* kochen. Abtropfen.
2 Den Backofen auf mittelhohe Hitze (200 °C) vorheizen.
3 Die Semmelbrösel im Wein durchziehen lassen. Die Brösel dann in einer Schüssel mit dem feingeschnittenen Hühnerbrustfilet, dem Kalbshack, dem Knoblauch, den Champignons, den Eiern, dem Muskat und dem Cayennepfeffer mengen. Nach Geschmack mit Salz und schwarzem Pfeffer aus der Mühle würzen. Nun den Schmand, die Frühlingszwiebeln und die Petersilie unterrühren.
4 Die Hälfte der Fleischfüllung mit den Händen in die Kastenform füllen und glatt streichen. In Längsrichtung in der Mitte eine große Vertiefung formen und diese mit den Pappardelle füllen. Die restliche Fleischmasse darüberlöffeln und festdrücken. Den Auflauf 50–60 Minuten backen, dabei austretenden Bratensaft oder Fett zweimal abschöpfen. Vor dem Aufschneiden etwas abkühlen lassen.
Hinweis: Die Champignons kann man statt mit der Hand auch in der Küchenmaschine hacken. Sie sollten jedoch nicht zu lange im voraus gehackt werden, da sie sich verfärben und auch dem Fleischauflauf eine andere Farbe geben würden.

PRO PERSON: *Protein 35 g; Fett 20 g; Kohlenhydrate 15 g; Ballaststoffe 2 g; Cholesterol 205 mg; 1545 kJ (365 Kcal)*

BUTTERNUT-KÜRBIS
Dieser Kürbis schmeckt so, wie er heißt: süßlich, buttrig und etwas nussig. Man erhält ihn in den Wintermonaten manchmal als Importware auf gutsortierten Wochenmärkten oder in Supermärkten. Beim Kauf von jungen Butternuts sollte man auf gleichmäßige Festigkeit, ohne Flecken oder Risse an der Schale, achten. Das Fleisch dieses Kürbis' ist knackig, intensiv gefärbt, und es hat einen niedrigen Wassergehalt.

GEGENÜBERLIEGENDE SEITE: Kürbis, gefüllt mit Pasta und Lauch (oben); Fleischauflauf vom Huhn und Kalb mit Champignons

GRÜNE OLIVENPASTE
Grüne Olivenpaste wird aus dem Fruchtfleisch grüner Oliven gewonnen, das mit Olivenöl, Salz und Kräutern zu einer Pâté püriert wird. Sie eignet sich hervorragend zum Dippen, als Brotaufstrich, als Pastasauce oder an Gemüse. Man kann sie unter Saucen oder Suppen ziehen, denen sie Geschmack und Farbe verleiht. Köstlich schmeckt auch Geflügelhaut, wenn sie mit grüner Olivenpaste eingerieben wird.

OBEN: Pasta mit grüner Olivenpaste und dreierlei Käse

PASTA MIT GRÜNER OLIVENPASTE UND DREIERLEI KÄSE

Vorbereitungszeit: 10 Minuten
Kochzeit: 20 Minuten
Für 4 Personen

400 g Mafalda oder Pappardelle
2 EL Olivenöl
2 Knoblauchzehen, zerdrückt
120 g grüne Olivenpaste (im Glas oder lose vom Wochenmarkt)
4 EL Sahne
50 g frisch geriebener Parmesan
60 g geriebener Cheddar oder mittelalter Gouda
50 g geriebener Jarlsberg-Käse

1 Den Backofen auf mittelhohe Hitze (200 °C) vorheizen. Eine tiefe, ofenfeste Backform leicht mit Öl bestreichen.
2 Die Pasta in einem großen Topf mit sprudelndem Salzwasser *al dente* kochen. Abtropfen und wieder in den Topf geben.
3 Das Olivenöl und die grüne Olivenpaste unter die Pasta ziehen. Dann die Sahne einrühren. Mit schwarzem Pfeffer abschmecken und in die vorbereitete Backform löffeln.
4 Die drei Käsesorten über die Pasta streuen. Ohne Deckel 20 Minuten backen, bis sich eine knusprige Kruste gebildet hat und der Käse geschmolzen ist.

PRO PERSON: *Protein 25 g; Fett 40 g; Kohlenhydrate 70 g; Ballaststoffe 6 g; Cholesterol 65 mg; 3055 kJ (725 Kcal)*

CONCHIGLIE, GEFÜLLT MIT RICOTTA UND RUCOLA

Vorbereitungszeit: 50 Minuten
Kochzeit: 1 Stunde
Für 6 Personen

40 große Conchiglie

Füllung

500 g Ricotta oder Magerquark, gut abgetropft
100 g geriebener Parmesan
150 g Rucola, feingezupft
1 Ei, leicht verschlagen
180 g eingelegte Artischockenherzen, feingehackt
80 g getrocknete Tomaten, feingehackt
100 g in Öl eingelegte rote Paprika, feingehackt

Käsesauce

60 g Butter
30 g Mehl
750 ml Milch
100 g Greyerzer, gerieben
2 EL frisches Basilikum
600 ml Pastasauce aus dem Glas
2 EL frischer Oregano, feingehackt
2 EL frisches Basilikum, feingezupft

1 Die Riesen-Conchiglie in einem großen Topf mit sprudelndem Salzwasser *al dente* kochen und abtropfen. Die Pastamuscheln so auf zwei mit Backpapier ausgelegte Backbleche legen, daß die einzelnen großen Pastastücke nicht zusammenkleben. Leicht mit Klarsichtfolie abdecken.

2 Für die Füllung alle Zutaten in einer großen Schüssel vermengen. Die Füllung in die einzelnen Conchiglie löffeln. Dabei nicht zuviel Füllung verwenden, denn sonst platzen die Pastamuscheln auseinander.

3 Für die Käsesauce die Butter bei Niedrighitze in einem kleinen Topf zerlassen. Das Mehl einstäuben und 1 Minute rühren, bis die Schwitze glatt ist und eine goldgelbe Farbe angenommen hat. Den Topf vom Herd nehmen und langsam die Milch einrühren. Den Topf wieder auf den Herd stellen und die Sauce unter ständigem Rühren erhitzen, bis sie aufkocht und einzudicken beginnt. Noch 1 Minute köcheln lassen. Wieder vom Herd nehmen und nun den Greyerzerkäse und das Basilikum einrühren; mit Salz und Pfeffer nach Belieben würzen.

4 Den Backofen auf Mittelhitze (180 °C) vorheizen. Mit 250 ml der Käsesauce den Boden einer ofenfesten Backform mit 3 Liter Fassungsvermögen auskleiden. Die gefüllten Conchiglie in die Sauce setzen. Die restliche Sauce über die Pasta gießen und 30 Minuten backen, bis die Sauce schön goldgelb ist.

5 Die Pastasauce aus dem Glas und den Oregano in einem Topf bei Mittelhitze 5 Minuten gleichmäßig erhitzen. Zum Servieren die Sauce auf die angewärmten Teller verteilen, darauf die Conchiglie schichten und mit dem frischen, feingezupften Basilikum bestreuen.

Hinweis: Eingelegte Paprika erhält man auf Wochenmärkten und in türkischen Lebensmittelläden.

PRO PERSON: *Protein 35 g; Fett 35 g; Kohlenhydrate 70 g; Ballaststoffe 8 g; Cholesterol 145 mg; 3165 kJ (755 Kcal)*

OBEN: Conchiglie, gefüllt mit Ricotta und Rucola

SCHNELLE PASTA-GERICHTE

Nicht Hamburger oder Vorgekochtes aus der Tiefkühltruhe sind das »fast food«, das seinen Namen verdient: Das wirklich schnelle Essen ist Pasta! Alle nachfolgenden Gerichte sind in in einer halben Stunde fertig, einige von ihnen sogar in wenigen Minuten. Und wer ahnt schon, wann Freunde unerwartet vor der Tür stehen? Ein Vorrat an getrockneter Pasta ist der Schlüssel zu Gerichten, die sich ohne Aufwand zubereiten lassen. Deshalb sollte sie in keiner Vorratskammer fehlen. Hat da gerade jemand geklingelt? – Dann fangen Sie doch schon mal an, den Parmesan zu reiben…

GRÜNE OLIVEN
Wie der Name schon andeutet, handelt es sich bei grünen Oliven um die unreifen Früchte des Olivenbaums. Wenn sich Oliven auszubilden beginnen, enthalten sie anfangs noch kein Öl, sondern nur Zukker und organische Säuren. Diese sind es auch, die den grünen Oliven ihren leicht sauren Geschmack verleihen. Bei der Reifung wechseln Oliven von Hellgrün zu Rosa, zu tiefem Lila und zu Schwarz, und dabei erhöht sich ihr Ölgehalt. Das Fleisch ist anfangs hart und fest, später aber weich und etwas schwammig. Aus diesen Gründen müssen grüne Oliven auch anders behandelt werden als schwarze, um genießbar gemacht zu werden, und es erklärt auch, warum es einen Kontrast bezüglich Geschmack und Konsistenz zwischen grünen und schwarzen Oliven gibt.

OBEN: Linguine mit Anchovis, Oliven und Kapern

LINGUINE MIT ANCHOVIS, OLIVEN UND KAPERN

Fertig in 30 Minuten
Für 4 Personen

- 500 g Linguine
- 2 EL Olivenöl
- 2 Knoblauchzehen, zerdrückt
- 2 reife Tomaten, geschält und gehackt
- 3 EL Kapern
- 80 g schwarze Oliven, entsteint und feingehackt
- 50 g grüne Oliven, entsteint und feingehackt
- 60 ml trockener Weißwein
- 3 EL frische glatte Petersilie oder frisches Basilikum, feingehackt
- 90 g Anchovis aus dem Glas, abgetropft und feingehackt

1 Die Linguine in einem großen Topf mit sprudelndem Salzwasser *al dente* kochen. Abtropfen und wieder in den Topf geben.

2 Unterdessen das Öl in einer großen Pfanne erhitzen. Knoblauch zugeben und unter Rühren 1 Minute bei Niedrighitze dünsten. Tomaten, Kapern und Oliven zugeben. 2 Minuten köcheln lassen.

3 Den Wein zugießen, die Petersilie oder das Basilikum unterziehen und mit schwarzem Pfeffer aus der Mühle abschmecken. Die Sauce aufkochen, dann bei Niedrighitze 5 Minuten köcheln lassen. Die Sauce vom Herd nehmen und die Anchovis vorsichtig einrühren.

4 Die Sauce an die warme Pasta im Topf geben, und alles gut vermengen, damit die Sauce gleichmäßig verteilt ist.

Hinweis: Als geschmackliche Variante oder zu besonderen Gelegenheiten kann man dieses Gericht auch mit etwas frisch geriebenen Semmelbröseln, die in einem kleinen Topf in etwas Olivenöl und Knoblauch knusprig goldbraun geröstet wurden, bestreuen. Die Semmelbrösel mit frisch geriebenem Parmesan mengen und über die Pasta streuen.

PRO PERSON: *Protein 20 g; Fett 15 g; Kohlenhydrate 90 g; Ballaststoffe 8 g; Cholesterol 15 mg; 2525 kJ (600 Kcal)*

FETTUCCINE MIT SPINAT UND PROSCIUTTO

Fertig in 20 Minuten
Für 4–6 Personen

500 g Spinat- oder Eierfettuccine
2 EL Olivenöl
8 dünne Scheiben Prosciutto, feingehackt
3 Frühlingszwiebeln, in Röllchen geschnitten
500 g Blattspinat
1 EL Balsamicoessig
eine Prise feiner Zucker
50 g frisch geriebener Parmesan

1 Die Pasta in einem großen Topf mit sprudelndem Salzwasser gerade *al dente* kochen. Abtropfen und wieder in den Topf geben.
2 Unterdessen das Öl in einer großen, gußeisernen Pfanne erhitzen. Den Prosciutto und die Frühlingszwiebeln zugeben und unter gelegentlichem Rühren bei Mittelhitze 5 Minuten kross braten.
3 Spinat putzen, Stiele entfernen und die Blätter grob hacken. Den Spinat in die Pfanne geben, den Essig und den Zucker unterrühren und 1 Minute dünsten, bis der Spinat leicht zusammenfällt. Mit Salz und Pfeffer nach Geschmack würzen.
4 Die Sauce an die Pasta geben und gut mengen, damit die Sauce gleichmäßig verteilt wird. Die Pasta mit Parmesan bestreuen und gleich servieren.

PRO PERSON (BEI 6 PERSONEN): *Protein 20 g; Fett 10 g; Kohlenhydrate 60 g; Ballaststoffe 7 g; Cholesterol 25 mg; 1825 kJ (435 Kcal)*

PASTA MIT DUFTENDER LIMETTE UND RÄUCHERFORELLE

Fertig in 30 Minuten
Für 4 Personen

500 g Linguine (zur Hälfte Spinatlinguine, falls erhältlich)
1 EL Olivenöl, extra vergine
3 Knoblauchzehen, zerdrückt
1 EL geriebene Limettenschale
2 EL Mohn
250 g Räucherforelle, ohne Haut und Gräten
400 g Camembert, geschält und gehackt
2 EL frische Dillspitzen
Limettenspalten zum Servieren

1 Die Linguine in einem großen Topf mit sprudelndem Salzwasser *al dente* kochen. Abtropfen.
2 Das Olivenöl in einer großen, gußeisernen Pfanne erhitzen. Den Knoblauch zugeben und bei Niedrighitze 3 Minuten dünsten, bis sich sein Aroma entfaltet. Die Limettenschale, den Mohn und die Pasta in die Pfanne geben und alles gut mischen.
3 Die Räucherforelle, den Camembert und den Dill unter die Pasta ziehen. Bei Niedrighitze köcheln lassen, bis der Camembert zu schmelzen beginnt. Nochmals alles sorgfältig durchmischen. Sofort mit Limettenspalten servieren.

PRO PERSON: *Protein 50 g; Fett 40 g; Kohlenhydrate 90 g; Ballaststoffe 6 g; Cholesterol 140 mg; 3870 kJ (920 Kcal)*

SPINAT
Im Gegensatz zu Mangold oder Melde sind Spinatblätter mittel- bis dunkelgrün. Die Stiele sind dünn, und nur ihr unteres, hartes Ende muß entfernt werden. Spinat läßt sich dünsten, braten, kochen oder zu einem Gratin oder herzhaften Pie verbacken.

OBEN: Fettuccine mit Spinat und Prosciutto

LIMETTEN
Die Limette ist ein tropischer Zitrusbaum. Die Früchte sind klein, haben eine grünlich gelbe Farbe, sind fast kugelrund und haben eine dünne Schale. Ihr Geschmack ist angenehm, kann ins Saure gehen und erinnert gleichzeitig an die Tropen. Scheiben der ungeschälten Frucht nimmt man als Garnierung. Schale und Fruchtfleisch betonen das Aroma von Süßspeisen und herzhaften Gerichten gleichermaßen. Limettensaft wird außerdem zum Konservieren und Marinieren verwendet und harmoniert dabei besonders gut mit Meeresfrüchten.

GEGENÜBERLIEGENDE SEITE: Ravioli mit Huhn in Limetten-Balsamico-Dressing (oben); Ziti mit gebackenen Tomaten und Büffelmozzarella

RAVIOLI MIT HUHN IN LIMETTEN-BALSAMICO-DRESSING

Fertig in 30 Minuten
Für 4 Personen

250 g Hühnerbrustfilet, feingehackt oder durch den Fleischwolf gedreht
1 Ei, leicht verschlagen
1 TL geriebene Schale von 1 ungespritzten Orange
50 g frisch geriebener Parmesan
1 EL frisches Basilikum, feingezupft
280 g Reispapier für Dim Sum (im Asia-Shop erhältlich), kurz in Wasser eingeweicht
2 EL Limettensaft
2 EL Balsamicoessig
eine Messerspitze Honig
1 EL Öl

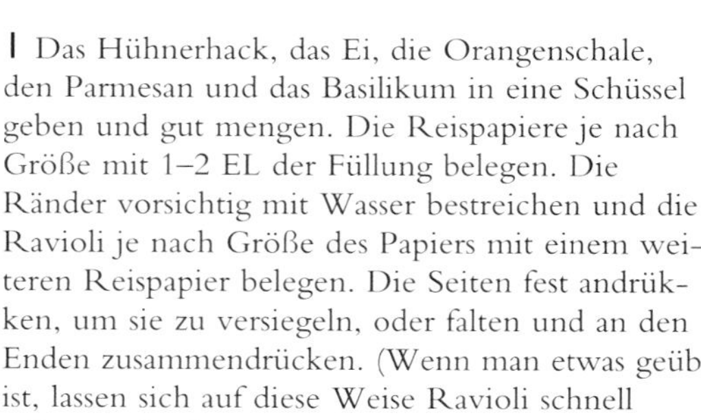

1 Das Hühnerhack, das Ei, die Orangenschale, den Parmesan und das Basilikum in eine Schüssel geben und gut mengen. Die Reispapiere je nach Größe mit 1–2 EL der Füllung belegen. Die Ränder vorsichtig mit Wasser bestreichen und die Ravioli je nach Größe des Papiers mit einem weiteren Reispapier belegen. Die Seiten fest andrükken, um sie zu versiegeln, oder falten und an den Enden zusammendrücken. (Wenn man etwas geübt ist, lassen sich auf diese Weise Ravioli schnell selbst machen).
2 Die Huhnravioli in einem großen Topf mit sprudelndem Salzwasser 5 Minuten kochen.
3 Unterdessen in einem Gefäß den Limettensaft, den Balsamicoessig, den Honig und das Öl verquirlen. Die Ravioli abtropfen. Das Dressing über die Ravioli gießen und mit frischen Schnittlauchröllchen und nach Wunsch auch mit Limettenspalten garnieren und servieren.

PRO PERSON: *Protein 30 g; Fett 20 g; Kohlenhydrate 50 g; Ballaststoffe 2 g; Cholesterol 120 mg; 2020 kJ (480 Kcal)*

ZITI MIT GEBACKENEN TOMATEN UND BÜFFELMOZZARELLA

Fertig in 30 Minuten
Für 4 Personen

☆

400 g Kirschtomaten
500 g Ziti
200 g Büffelmozzarella, gewürfelt
100 g Kapern
3 EL frischer Majoran
3 EL frischer Zitronenthymian
2 EL Olivenöl, extra vergine
3 EL Balsamicoessig

1 Den Backofen auf mittelhohe Hitze (200 °C) vorheizen. Die Tomaten halbieren, auf ein Backblech legen und mit der Schnittfläche nach oben 15 Minuten backen.
2 Während die Tomaten backen, die Ziti in einem großen Topf mit sprudelndem Salzwasser *al dente* kochen. Abtropfen und wieder in den Topf geben.
3 Die Tomaten und die anderen Zutaten an die Pasta geben. Sorgfältig unterheben und sofort servieren.
Hinweis: Die Menge an frischen Kräutern kann auch verringert werden. Büffelmozzarella wird aus Büffelmilch gewonnen und ist intensiver im Geschmack als der herkömmliche Mozzarella aus Kuhmilch. Man erhält ihn auf Wochenmärkten und in gutsortierten Lebensmittelläden.

PRO PERSON: *Protein 30 g; Fett 30 g; Kohlenhydrate 90 g; Ballaststoffe 10 g; Cholesterol 50 mg; 3110 kJ (740 Kcal)*

ALS BEILAGE

KRÄUTERSALAT Blätter von frischem Basilikum, Rucola, glatter Petersilie, Koriander und jungem Spinat in einer Schüssel mengen. Mit einem Dressing aus zerdrücktem Knoblauch, Zitronensaft, Honig und Olivenöl beträufeln. Das Dressing gut untermengen, den Salat großzügig mit schwarzem Steakpfeffer bestreuen und sofort servieren.

GEMISCHTER TOMATENSALAT Kirschtomaten, Eiertomaten und gelbe Tomaten, falls erhältlich, halbieren oder in Scheiben schneiden. In einer Schüssel mit gehackter roter Zwiebel und viel feingezupftem Basilikum mischen. Mit etwas Rotweinessig und Olivenöl beträufeln.

OBEN, VON LINKS: Farfalle mit Erbsen; Penne mit Rucola; Penne mit Oliven-Pistazien-Pesto

FARFALLE MIT ERBSEN

Fertig in 20 Minuten
Für 4 Personen

500 g Farfalle
250 g tiefgefrorene junge Erbsen
8 dünne Scheiben Pancetta oder Räucherschinken
60 g Butter
2 EL frisches Basilikum und frische Minze, feingezupft

1 Die Farfalle in einem großen Topf mit sprudelndem Salzwasser *al dente* kochen. Abtropfen und wieder in den Topf geben.
2 Während die Pasta kocht, die jungen Erbsen in Salzwasser oder in der Mikrowelle garen, bis sie gerade weich sind. Den Pancetta oder Schinken fein hacken und in der Butter bei Mittelhitze 2 Minuten dünsten. Die Butter und den Pancetta mit den jungen Erbsen, dem Basilikum und der Minze unter die Pasta ziehen. Mit schwarzem Steakpfeffer würzen und servieren.

PRO PERSON: *Protein 20 g; Fett 40 g; Kohlenhydrate 90 g; Ballaststoffe 10 g; Cholesterol 220 mg; 3470 kJ (830 Kcal)*

PENNE MIT RUCOLA

Fertig in 20 Minuten
Für 4 Personen

500 g Penne
100 g Butter
200 g Rucola, grobgehackt
3 Tomaten, feingehackt
50 g geriebener Pecorino
frisch geriebener Parmesan zum Servieren

1 Die Penne in einem großen Topf mit sprudelndem Salzwasser *al dente* kochen. Abtropfen und wieder in den Topf geben. Bei Niedrighitze die Butter zugeben und unterziehen, bis sie geschmolzen ist und die Pasta gleichmäßig bedeckt.
2 Die Rucolablätter mit den Tomaten an die Pasta geben. Gut mischen, bis der Salat etwas zusammenfällt. Den Pecorinokäse unterrühren und die Pasta mit Salz und schwarzem Pfeffer abschmecken. Mit frisch geriebenem Parmesan bestreuen und servieren.

PRO PERSON: *Protein 20 g; Fett 25 g; Kohlenhydrate 90 g; Ballaststoffe 10 g; Cholesterol 80 mg; 2885 kJ (690 Kcal)*

PENNE MIT OLIVEN-PISTAZIEN-PESTO

Fertig in 20 Minuten
Für 4 Personen

- 500 g Penne
- 120 g ungesalzene Pistazien, ohne Schale
- 4 Knoblauchzehen
- 1 EL grüne Pfefferkörner aus dem Glas
- 2 EL Zitronensaft
- 150 g schwarze Oliven, entsteint
- 150 g frisch geriebener Parmesan und zusätzlich gehobelter Parmesan zum Servieren
- 120 ml Olivenöl

1 Die Penne in einem großen Topf mit sprudelndem Salzwasser *al dente* kochen. Abtropfen und wieder in den Topf geben.
2 Während die Pasta kocht, die Pistazienkerne, den Knoblauch, die Pfefferkörner, den Zitronensaft, die schwarzen Oliven und den Parmesan in einer Küchenmaschine 30 Sekunden zu einer groben Paste pürieren.
3 Bei laufender Maschine langsam das Olivenöl in einem dünnen Strahl angießen, bis sich eine glatte Sauce bildet. Das Pesto unter die heiße Pasta rühren. Mit gehobeltem Parmesan garnieren und servieren.

ALS BEILAGE

TOMATENSALAT MIT EIERN UND OLIVEN 6 reife Tomaten in dicke Scheiben schneiden und auf einer großen Servierplatte garnieren. Darauf 1 in dünne Ringe geschnittene rote Zwiebel, 6 gekochte und in Scheiben geschnittene Eier und 90 g eingelegte schwarze Oliven garnieren. Frisches feingezupftes Basilikum über den Salat streuen, mit etwas Olivenöl extra vergine beträufeln und mit Meersalz und schwarzem Steakpfeffer würzen.

SPAGHETTI IN FLEISCH-CHAMPIGNON-SAUCE

Fertig in 30 Minuten
Für 6 Personen

1 EL Olivenöl
1 große Zwiebel, feingehackt
2 Knoblauchzehen, zerdrückt
500 g mageres Rinderhack
350 g Champignons, halbiert
1 EL getrocknete Kräuter der Provence
eine Prise Paprika
eine Prise schwarzer Steakpfeffer
850 g Dosentomaten, zerkleinert
120 g Tomatenmark, 2fach konzentriert
120 ml trockener Rotwein
140 ml Rinderbrühe
500 g Spaghetti
frisch geriebener Parmesan zum Servieren

1 Das Öl in einer großen, tiefen Pfanne erhitzen. Die Zwiebel, den Knoblauch und das Rinderhack zugeben und 5 Minuten bräunen. Dabei mit einer Gabel das Fleisch zerpflücken, damit sich keine Klümpchen bilden. Die Champignons zugeben und die Kräuter, den Paprika und den Steakpfeffer unterziehen. Bei Niedrighitze die Dosentomaten, das Tomatenmark, den Rotwein und die Rinderbrühe angießen. Abgedeckt 15 Minuten köcheln lassen.
2 Während die Sauce kocht, die Spaghetti in einem großen Topf mit sprudelndem Salzwasser *al dente* kochen. Abtropfen. Die Sauce über die Spaghetti löffeln und mit dem frisch geriebenen Parmesan bestreuen.

PRO PERSON: *Protein 30 g; Fett 15 g; Kohlenhydrate 70 g; Ballaststoffe 10 g; Cholesterol 55 mg; 2300 kJ (550 Kcal)*

ALS BEILAGE

SALAT AUS PROSCIUTTO, CAMEMBERT UND FRISCHEN FEIGEN Zuerst einen Eichblattsalat auf einer Servierplatte anrichten. Darüber 4 geviertelte frische Feigen, 100 g dünn aufgeschnittenen Camembert und 60 g dünn aufgeschnittenen, knusprig gegrillten Prosciutto verteilen. Dann eine Vinaigrette aus 1 zerdrückten Knoblauchzehe, 1 EL Senf, 2 EL Weißweinessig und 80 ml Olivenöl zubereiten; darübergießen und gut durchmischen.

PENNE MIT GEBACKENEN PAPRIKA

Fertig in 30 Minuten
Für 4 Personen

1 rote Paprika
1 grüne Paprika
1 gelbe oder orangefarbene Paprika
1 EL Olivenöl
2 Knoblauchzehen, zerdrückt
6 Anchovisfilets, feingehackt
1 TL Steakpfeffer
80 ml trockener Weißwein
250 ml Gemüsebrühe
2 EL Tomatenmark, 2fach konzentriert
500 g Penne
1 EL frische glatte Petersilie, feingehackt

1 Die Paprika in große, flache Stücke zerteilen und die Samen und Rippen entfernen. Mit der Innenseite nach unten 8 Minuten unter einem heißen Grill oder im heißen Backofen bräunen, bis die Haut schwarz ist und Blasen wirft. Aus dem Backofen nehmen, und mit einem feuchten Küchenhandtuch abdecken. Wenn die Paprika abgekühlt sind, die Haut abziehen und das Fleisch in dünne Streifen schneiden.
2 Das Öl in einer großen Pfanne erhitzen und den Knoblauch und die Anchovisfilets bei Niedrighitze 2–3 Minuten dünsten. Die Paprika, den Steakpfeffer und den Wein zugeben. Die Sauce aufkochen, dann bei Niedrighitze 5 Minuten köcheln lassen. Die Gemüsebrühe und das Tomatenmark einrühren. Weitere 10 Minuten köcheln lassen.
3 Während die Sauce kocht, die Penne in einem großen Topf mit sprudelndem Salzwasseral *al dente* kochen. Abtropfen, an die Sauce geben und gut mengen. Die frische Petersilie unterziehen und sofort mit frischem Ciabattabrot servieren.
Hinweis: Wenn gelbe Paprika nicht erhältlich sind, durch zwei rote Paprika ersetzen, die süßer und milder im Geschmack sind als grüne Paprika.

PRO PERSON: *Protein 20 g; Fett 10 g; Kohlenhydrate 95 g; Ballaststoffe 10 g; Cholesterol 5 mg; 2245 kJ (535 Kcal)*

PAPRIKASCHOTEN
Rote, gelbe, orange, grüne und lilafarbene Paprikaschoten gehören zur selben Familie (capsicum), haben jedoch unterschiedliche Merkmale, von denen die Farbe das offensichtlichste ist. Aber auch Beschaffenheit, Konsistenz und Geschmack unterscheiden sich, ebenso die verdauungsfördernden Eigenschaften einiger Paprikasorten. Die roten Paprika haben einen milderen, süßeren Geschmack und auch weicheres Fruchtfleisch – Eigenschaften, die sich bei Hitze verändern. Sie eignen sich daher am besten zum Grillen oder Backen. Gelbe und orange Paprika lassen sich ebenfalls gut grillen oder backen, während grüne und lilafarbene Paprikaschoten eher in Salaten und pfannengerührten Gerichten verarbeitet werden, die ein knackiges Fruchtfleisch erfordern.

GEGENÜBERLIEGENDE SEITE: Spaghetti in Fleisch-Champignon-Sauce (oben); Penne mit gebackenen Paprika

CHILI-SPAGHETTI MIT KNOBLAUCH

Fertig in 20 Minuten
Für 4 Personen

500 g Spaghetti
120 ml Olivenöl, extra vergine
3 Knoblauchzehen, zerdrückt
1 rote Chilischote, feingehackt

1 Die Spaghetti in einem großen Topf mit sprudelndem Salzwasser *al dente* kochen. Abtropfen und wieder in den Topf geben.
2 Kurz bevor die Spaghetti bißfest gekocht sind, das Olivenöl in einem kleinen Topf erwärmen. Den Knoblauch und die Chilischote zugeben und dann bei Niedrighitze 2 Minuten durchrühren. Anschließend das aromatisierte Öl an die Pasta gießen und gut mischen.

PRO PERSON: *Protein 15 g; Fett 30 g; Kohlenhydrate 90 g; Ballaststoffe 10 g; Cholesterol 0 mg; 2900 kJ (690 Kcal)*

FUSILLI MIT SALBEI UND KNOBLAUCH

Fertig in 20 Minuten
Für 4 Personen

500 g Fusilli
60 g Butter
2 Knoblauchzehen, zerdrückt
10 g frische Salbeiblätter
2 EL Sahne
frisch geriebener Parmesan zum Servieren

1 Die Fusilli in einem großen Topf mit sprudelndem Salzwasser *al dente* kochen. Abtropfen und wieder in den Topf geben.
2 Während die Pasta kocht, die Butter in einer Pfanne zerlassen. Den Knoblauch und den frischen Salbei zugeben und bei Niedrighitze unter häufigem Rühren 4 Minuten dünsten.
3 Die Sahne unterrühren und die Sauce mit etwas Salz und schwarzem Pfeffer aus der Mühle

abschmecken. Dann die Sauce unter die abgetropfte Pasta heben und mischen. Jede Portion mit frisch geriebenem Parmesan bestreuen.

PRO PERSON: *Protein 15 g; Fett 20 g; Kohlenhydrate 90 g; Ballaststoffe 5 g; Cholesterol 55 mg; 2510 kJ (600 Kcal)*

RUOTE MIT ZITRONE, OLIVEN UND SPECK

Fertig in 25 Minuten
Für 4 Personen

500 g Ruote
6 Scheiben Frühstücksspeck
120 g schwarze Oliven, entsteint und in Ringe geschnitten
80 ml Zitronensaft
2 TL geriebene Zitronenschale
80 ml Olivenöl
20 g frische glatte Petersilie, feingehackt

1 Die Ruote in einem großen Topf mit sprudelndem Salzwasser *al dente* kochen. Abtropfen und wieder in den Topf geben.
2 Während die Pasta kocht, den Speck vom Rand befreien und in dünne Streifen schneiden. Den Speck in einer Bratpfanne leicht anbräunen.
3 In einer Schüssel die schwarzen Oliven, den Zitronensaft, die Zitronenschale, das Olivenöl, die gehackte Petersilie und den Speck mengen. Die Sauce vorsichtig unter die Pasta heben, bis sie gleichmäßig verteilt ist. Mit schwarzem Pfeffer aus der Mühle nach Geschmack würzen und servieren.
Hinweis: Ruote ist eine attraktiv aussehende Pastaform, die einem Wagenrad ähnelt. Kleine Saucenstückchen sammeln sich in den »Speichen« dieser Pastaräder.

PRO PERSON: *Protein 25 g; Fett 25 g; Kohlenhydrate 90 g; Ballaststoffe 10 g; Cholesterol 30 mg; 2900 kJ (690 Kcal)*

UNTEN, VON LINKS: Chili-Spaghetti mit Knoblauch; Fusilli mit Salbei und Knoblauch; Ruote mit Zitrone, Oliven und Speck

PETERSILIE
Sowohl glatte als auch krause Petersilie werden in der Küche ständig eingesetzt. Petersilie verleiht Gerichten Geschmack und Farbe, paßt frisch oder gekocht und eignet sich ideal zum Garnieren von pikanten Gerichten. Wenn man Petersilie nicht selbst zieht, sollte man beim Kauf auf feste Stiele achten. Die Blätter dürfen nicht welk sein. Zur Aufbewahrung kann man die Stiele in kaltes Wasser tauchen; so hält sich Petersilie bis zu einer Woche frisch. Alternativ kann man sie in Küchenkrepp einwickeln und im Gemüsefach des Kühlschranks aufbewahren. Petersilie ist reich an Eisen, außerdem ein exzellenter Lieferant der Vitamine A, B und C.

OBEN: Spaghetti Puttanesca

SPAGHETTI PUTTANESCA

Fertig in 25 Minuten
Für 4–6 Personen

500 g Spaghetti
2 EL Olivenöl
3 Knoblauchzehen, zerdrückt
2 EL frische glatte Petersilie, feingehackt
eine Prise Chilipuder oder zerstoßene Chillies
850 g Dosentomaten, zerkleinert
1 EL Kapern
3 Anchovisfilets, feingehackt
3 EL schwarze Oliven
frisch geriebener Parmesan zum Servieren

1 Die Spaghetti in einem großen Topf mit sprudelndem Salzwasser *al dente* kochen. Abtropfen und erneut in den Topf geben.
2 Während die Spaghetti kochen, das Öl in einer großen, gußeisernen Pfanne erhitzen. Den Knoblauch, die Petersilie und die Chillies darin bei Mittelhitze unter ständigem Rühren 1 Minute dünsten.
3 Die zerkleinerten Tomaten zugeben und die Sauce aufkochen lassen. Dann bei Niedrighitze 5 Minuten köcheln lassen.
4 Die Kapern, die Anchovis und die Oliven dazugeben und unter Rühren 5 Minuten köcheln lassen. Mit schwarzem Pfeffer abschmecken. Die Sauce unter die Pasta heben und sorgfältig mengen, bis sie gleichmäßig verteilt ist. Dann mit Parmesan servieren.

PRO PERSON (BEI 6 PERSONEN): *Protein 15 g; Fett 10 g; Kohlenhydrate 65 g; Ballaststoffe 5 g; Cholesterol 5 mg; 1650 kJ (395 Kcal)*

SPAGHETTI MIT ERBSEN UND ZWIEBELN

Fertig in 25 Minuten
Für 4–6 Personen

500 g Spaghetti oder Vermicelli
1 kg Frühlingszwiebeln mit dicken Knollen
1 EL Olivenöl
4 Scheiben Frühstücksspeck, gehackt
2 TL Mehl
250 ml Hühnerbrühe
120 ml Weißwein
160 g frische Erbsen ohne Hülsen

1 Die Pasta in einem großen Topf mit sprudelndem Salzwasser *al dente* kochen. Abtropfen und wieder in den Topf geben.
2 Während die Pasta kocht, die äußeren Blätter und die dunklen Enden der Frühlingszwiebeln entfernen. Es werden nur die Knollen und ihr hellgrüner Ansatz verarbeitet.
3 Das Öl in einer großen gußeisernen Pfanne erhitzen. Den Speck und die Zwiebeln dazugeben und bei Niedrighitze 4 Minuten unter Rühren dünsten, bis die Zwiebel goldgelb ist. Das Mehl einstäuben und noch 1 Minute einrühren.
4 Hühnerbrühe und Wein mischen. Die Flüssigkeit angießen und rühren, bis die Sauce aufkocht und leicht eindickt. Erbsen zugeben und 5 Minuten weich kochen. Mit schwarzem Pfeffer abschmekken. Sauce an die Pasta geben und unterrühren. Nach Wunsch mit frischen Kräutern garnieren.

PRO PERSON (BEI 6 PERSONEN): *Protein 20 g; Fett 5 g; Kohlenhydrate 70 g; Ballaststoffe 10 g; Cholesterol 15 mg; 1770 kJ (420 Kcal)*

OBEN: Spaghetti mit Erbsen und Zwiebeln

GELBE MINIKÜRBISSE Diese Kürbisse sind im Herbst auf Wochenmärkten oder in türkischen Lebensmittelläden erhältlich. Sie gehören zur Familie der Gartenkürbisse und werden wegen ihrer Farbe, Größe und Konsistenz geschätzt. Sie lassen sich leicht zubereiten und bei ihrer Verarbeitung fällt kaum Abfall an. Man kann sie backen, dämpfen, kochen und anbraten; diese Vielseitigkeit erklärt auch ihre Beliebtheit in vielen Landesküchen der Welt.

GEGENÜBERLIEGENDE SEITE: Rigatoni mit Chorizo und Fenchel (oben); Fusilli mit Gemüse

RIGATONI MIT CHORIZO UND FENCHEL

Fertig in 25 Minuten
Für 4–6 Personen

500 g Rigatoni
30 g Butter
1 EL Öl
500 g Chorizo, diagonal in dicke Scheiben geschnitten
1 Fenchelknolle, in dünne Ringe geschnitten
2 Knoblauchzehen, zerdrückt
80 ml Limettensaft
400 g eingelegte rote Paprika oder Pimientos, feingeschnitten
100 g Rucola, gehackt
frisch gehobelter Parmesan zum Servieren

1 Die Rigatoni in einem großen Topf mit sprudelndem Salzwasser *al dente* kochen. Abtropfen und wieder in den Topf geben.
2 Während die Rigatoni kochen, die Butter und das Öl in einer großen Bratpfanne zerlassen. Die Wurstscheiben zugeben und bei Mittelhitze gut anbräunen. Den Fenchel zugeben und unter gelegentlichem Rühren 5 Minuten dünsten.
3 Den Knoblauch an die Sauce geben und 1 Minute unterrühren. Nun den Limettensaft zugießen und die Paprika oder Pimientos einrühren und aufkochen. Danach die Sauce bei Niedrighitze 5 Minuten köcheln lassen.
4 Die Sauce und den Rucola an die Pasta geben und alles gut durchmischen. Dann mit frisch gehobeltem Parmesan bestreuen und servieren.
Hinweis: Chorizo ist eine würzige Hartwurst, die intensiv nach Knoblauch und Chillies schmeckt. Sie ist vergleichbar mit der klassischen Salami und kann durch diese ersetzt werden, falls Chorizo nicht erhältlich ist.

PRO PERSON (BEI 6 PERSONEN): *Protein 25 g; Fett 35 g; Kohlenhydrate 60 g; Ballaststoffe 5 g; Cholesterol 80 mg; 2945 kJ (705 Kcal)*

FUSILLI MIT GEMÜSE

Fertig in 30 Minuten
Für 4 Personen

500 g Fusilli
3 EL Olivenöl
6 gelbe Zucchini oder kleine gelbe Kürbisse, in Scheiben geschnitten
2 Knoblauchzehen, zerdrückt
3 Frühlingszwiebeln, in Röllchen geschnitten
1 rote Paprika, in Streifen geschnitten
70 g Gemüsemais aus der Dose
4 Tomaten, gehackt
2 EL frische glatte Petersilie, feingehackt

1 Die Fusilli in einem großen Topf mit sprudelndem Salzwasser *al dente* kochen. Abtropfen und erneut in den Topf geben.
2 Während die Fusilli kochen, 2 EL des Öls in einem Wok oder einer Bratpfanne erhitzen. Die Zucchini oder den Kürbis zugeben und 3 Minuten anbraten, bis das Gemüse bißfest ist. Den Knoblauch, die Frühlingszwiebeln, die rote Paprika und den Gemüsemais zugeben und weitere 2–3 Minuten anbraten. Nun die Tomaten sorgfältig unterrühren.
3 Das restliche Olivenöl und die frische Petersilie unter die Pasta ziehen und gut durchmischen. Die Gemüsesauce über die Pasta gießen und servieren.
Hinweis: Dieses Rezept eignet sich zur Verwertung der verschiedensten Gemüse, die gerade zur Hand sind: Champignons, Brokkoli, Zuckererbsen und grüner Spargel passen sehr gut zu diesem Gericht. Es können auch andere Kräuter, wie Schnittlauch oder frischer Koriander, zugegeben werden.

PRO PERSON (BEI 6 PERSONEN): *Protein 20 g; Fett 20 g; Kohlenhydrate 100 g; Ballaststoffe 15 g; Cholesterol 5 mg; 2740 kJ (654 Kcal)*

ALS BEILAGE

SALAT AUS GRÜNEM SPARGEL MIT PARMESAN 300 g grünen Spargel in sprudelndem Wasser blanchieren, bis die Spitzen zart sind und eine leuchtend grüne Farbe angenommen haben. In Eiswasser abschrecken und gut abtropfen. Den Spargel auf einer Servierplatte anrichten und mit frisch gehobeltem Parmesan bestreuen. Mit etwas Balsamicoessig und Olivenöl extra vergine bestreuen, dann großzügig mit Steakpfeffer würzen.

CHORIZO

PASTA IN SAHNE-ZWIEBEL-SAUCE

Fertig in 30 Minuten
Für 4 Personen

500 g Fettuccine oder Linguine
50 g Butter
6 Zwiebeln, in feine Ringe geschnitten
130 ml Rinderbrühe
120 ml Sahne
frisch gehobelter Parmesan zum Servieren
Frühlingszwiebeln zum Garnieren (nach Wunsch)

1 Die Fettuccine in einem großen Topf mit sprudelndem Salzwasser *al dente* kochen. Abtropfen und wieder in den Topf geben.
2 Während die Pasta kocht, die Butter in einer Pfanne zerlassen und die Zwiebel 10 Minuten bei Mittelhitze weich dünsten. Mit der Brühe und der Sahne aufgießen, dann weitere 10 Minuten köcheln lassen. Mit Salz und Pfeffer nach Geschmack würzen.
3 Die Sauce über die Fettuccine geben und sorgfältig vermengen. Mit gehobeltem Parmesan servieren und nach Wunsch mit Frühlingszwiebelröllchen garnieren.

PRO PERSON: *Protein 20 g; Fett 25 g; Kohlenhydrate 95 g; Ballaststoffe 10 g; Cholesterol 80 mg; 2935 kJ (700 Kcal)*

FUSILLI »ORIENTAL«

Fertig in 30 Minuten
Für 4–6 Personen

500 g bunte Fusilli
2 EL Erdnußöl
1 TL Sesamöl
2 Knoblauchzehen, zerdrückt
1 EL frischer Ingwer, feingerieben
1 kleiner Chinakohl, feingeraspelt
1 rote Paprika, in feine Streifen geschnitten
200 g Zuckererbsen
3 EL Sojasauce
3 EL süße Chilisauce
2 EL frischer Koriander, feingehackt
gehackte Erdnüsse oder Cashewnüsse zum Garnieren

1 Die Fusilli in einem großen Topf mit sprudelndem Salzwasser *al dente* kochen. Abtropfen und warm halten.
2 Während die Fusilli kochen, die Öle in einer Pfanne oder einem Wok erhitzen. Den Knoblauch und den Ingwer darin bei Mittelhitze 1 Minute garen.
3 Den Chinakohl, die rote Paprika und die Erbsen in die Pfanne oder den Wok geben und 3 Minuten bei hoher Hitze anbraten. Die Saucen und den Koriander unterziehen, und 3 Minuten köcheln lassen, bis alles gleichmäßig erwärmt ist. Die Fusilli in die Pfanne oder den Wok geben, dann alle Zutaten gut mischen. Mit gehackten Erdnüssen oder Cashewkernen garnieren und servieren.

PRO PERSON (BEI 6 PERSONEN): *Protein 15 g; Fett 10 g; Kohlenhydrate 65 g; Ballaststoffe 10 g; Cholesterol 0 mg; 1780 kJ (425 Kcal)*

SPAGHETTI MIT ZITRONEN-SAHNE-SAUCE

Fertig in 20 Minuten
Für 4 Personen

500 g Spaghetti
250 ml Sahne
190 ml Hühnerbrühe
1 EL geriebene Schale von 1 ungespritzten Zitrone, etwas abgezogene Zitronenschale zum Garnieren
2 EL frische glatte Petersilie, feingehackt
2 EL frische Schnittlauchröllchen

1 Die Pasta in einem großen Topf mit sprudelndem Salzwasser *al dente* kochen. Abtropfen und wieder in den Topf geben.
2 Während die Spaghetti kochen, die Sahne, die Hühnerbrühe und die Zitronenschale in einen Topf geben und die Sauce bei Mittelhitze rühren, bis sie aufkocht. Bei Niedrighitze 10 Minuten sanft köcheln lassen, bis die Sauce reduziert und etwas eingedickt ist.
3 Die Sauce und die Kräuter an die Spaghetti geben und alles gut mischen. Mit fein abgezogener Zitronenschale garnieren und anschließend sofort servieren.

PRO PERSON: *Protein 15 g; Fett 30 g; Kohlenhydrate 90 g; Ballaststoffe 5 g; Cholesterol 85 mg; 2850 kJ (680 Kcal)*

SCHNITTLAUCH
Der Schnittlauch ist mit der Zwiebel verwandt, wird aber als Kraut verwendet. Man benutzt ihn, um Speisen zu würzen oder zu garnieren. Nur die grünen Halme, die einen zarten Geschmack haben, werden verzehrt. Schnittlauch sollte grundsätzlich erst unmittelbar vor der Verwendung geschnitten werden. Wenn er als Garnierung für warme Gerichte dient, sollte Schnittlauch erst direkt vor dem Servieren über das Gericht gegeben werden. Getrockneter Schnittlauch hat in bezug auf Geschmack und Konsistenz nur noch wenig mit frischem Schnittlauch gemein.

GEGENÜBERLIEGENDE SEITE, VON OBEN: Pasta in Sahne-Zwiebel-Sauce; Fusilli »Oriental«; Spaghetti in Zitronen-Sahne-Sauce

SAUERAMPFER
Sauerampfer ist ein leicht bitter schmeckendes Blattgemüse, das äußerst reich an Vitamin A und C und essentiellen Mineralstoffen ist. Die jungen, glänzenden Blätter werden einfach nur abgespült und von den harten Stielen befreit, und in einen grünen Salat gegeben. Der saubere, scharfe Geschmack von Sauerampfer paßt gut zu Fisch und gehaltvollerem Geflügel wie Ente oder Gans. Eintöpfen und Saucen gibt er ebenfalls Geschmack. Wenn er erhitzt wird, zerfällt er schnell und eignet sich daher auch gut zum Pürieren. Sauerampfer sollte nicht in Aluminium oder eisenhaltigem Kochgeschirr zubereitet werden, denn die chemische Reaktion läßt den Sauerampfer bitter werden.

TORTELLINI IN BRÜHE

Fertig in 20 Minuten
Für 4 Personen

250 g Tortellini
1 l Rinderfond oder gute Rinderbrühe
30 g Frühlingszwiebeln, diagonal aufgeschnitten, und zusätzlich Frühlingszwiebeln, feingeschnitten, zur Garnierung

1 Die Tortellini in einem großen Topf mit sprudelndem Salzwasser *al dente* kochen. Abtropfen und auf 4 Suppenteller verteilen.
2 Während die Tortellini kochen, die Rinderbrühe oder den Rinderfond in einem Topf aufkochen. Die Frühlingszwiebeln zugeben und 3 Minuten köcheln lassen. Die Brühe über die Tortellini gießen und mit den feingeschnittenen Frühlingszwiebeln garnieren.

PRO PERSON: *Protein 10 g; Fett 1 g; Kohlenhydrate 45 g; Ballaststoffe 3 g; Cholesterol 0 mg; 945 kJ (225 Kcal)*

PASTA MIT ARTISCHOCKEN, EIERN UND SAUERAMPFER

Fertig in 25 Minuten
Für 4 Personen

500 g Conchiglie
1 EL Öl
3 Knoblauchzehen, zerdrückt
320 g marinierte Artischockenherzen, halbiert
3 EL frische glatte Petersilie, feingehackt
160 g Sauerampferblätter, grobgehackt
4 hartgekochte Eier, feingehackt
frisch gehobelter Parmesan zum Servieren

1 Die Conchiglie in einem großen Topf mit sprudelndem Salzwasser *al dente* kochen. Abtropfen und warm halten.
2 Während die Pasta kocht, das Öl in einer Bratpfanne erhitzen. Den Knoblauch darin bei Mittelhitze goldgelb dünsten. Dann die Artischockenherzen und die gehackte Petersilie zugeben und

bei Niedrighitze 5 Minuten dünsten, bis die Artischockenherzen vollständig erwärmt sind.
3 Die Pasta in eine große Schüssel geben. Die Sauerampferblätter, die Eier und die in Öl gedünsteten Artischockenherzen zugeben; alles gut mischen. Mit frisch gehobeltem Parmesan und schwarzem Steakpfeffer nach Geschmack garnieren und sofort servieren.

PRO PERSON: *Protein 25 g; Fett 20 g; Kohlenhydrate 90 g; Ballaststoffe 10 g; Cholesterol 210 mg; 2620 kJ (625 Kcal)*

BUCHWEIZENPASTA MIT KÄSE UND BOHNEN

Fertig in 30 Minuten
Für 4–6 Personen

500 g Buchweizenfusilli (aus dem Reformhaus)
1 EL Öl
2 Knoblauchzehen, zerdrückt
1 Zwiebel, gehackt
300 g Pastasauce aus dem Glas
80 ml Orangensaft
400 g Kidneybohnen aus der Dose, abgetropft
120 g geriebener Cheddar oder mittelalter Gouda und zusätzlich geriebener Käse zum Servieren
3 EL frische Kräuter, feingehackt

1 Die Fusilli in einem großen Topf mit sprudelndem Salzwasser *al dente* kochen. Abtropfen und wieder in den Topf geben.
2 Während die Pasta kocht, das Öl in einer Bratpfanne erhitzen. Den Knoblauch und die Zwiebel bei Mittelhitze 3 Minuten dünsten, bis die Zwiebel goldgelb, aber noch nicht angebräunt ist.
3 Die Pastasauce zugeben, Orangensaft angießen und die Kidneybohnen unterziehen. Die Sauce aufkochen lassen, dann bei Niedrighitze 5 Minuten köcheln lassen, bis sie gleichmäßig erhitzt ist.
4 Die Sauce mit dem Cheddar oder Gouda und den frischen Kräutern an die Pasta geben und gut vermengen, bis der Käse zu schmelzen beginnt. Mit zusätzlichem Cheddar oder Gouda garnieren und sofort servieren.

PRO PERSON: *Protein 20 g; Fett 15 g; Kohlenhydrate 65 g; Ballaststoffe 15 g; Cholesterol 25 mg; 2015 kJ (480 Kcal)*

OBEN, VON LINKS: Tortellini in Brühe; Pasta mit Artischocken, Eiern und Sauerampfer; Buchweizenpasta mit Käse und Bohnen

MIESMUSCHELN VORBEREITEN UND KOCHEN
Wie alle Krustentiere müssen auch Miesmuscheln frisch gekauft und verzehrt und zuvor gut gesäubert werden. Unbedingt die Muscheln wegwerfen, die bereits geöffnet sind! Die ungeöffneten Muscheln werden mit einer Bürste abgeschrubbt, die Bärte entfernt. Wenn die Muscheln sand- oder schmutzverkrustet sind, werden sie 1–2 Stunden in Salzwasser eingeweicht; nun geben sie Schmutz und Sand frei. Vor dem Kochen werden sie erneut unter fließendem Wasser gereinigt. Sobald sich die Muscheln geöffnet haben, sind sie gar. Vor dem Servieren werden die Muscheln weggeworfen, die sich während des Kochens nicht geöffnet haben, und solche, deren Fleisch ausgetrocknet und flach ist.

GEGENÜBERLIEGENDE SEITE: Spaghetti mit Miesmuscheln in Tomatensauce (oben); Gorgonzola und geröstete Walnüsse auf einem Linguinebett

SPAGHETTI MIT MIESMUSCHELN IN TOMATENSAUCE

Fertig in 30 Minuten
Für 4 Personen

★★

16 frische Miesmuscheln
500 g Spaghetti
4 EL Olivenöl
1 große Zwiebel, feingehackt
2 Knoblauchzehen, zerdrückt
850 g Dosentomaten
120 ml Weißwein

1 Die Miesmuscheln sorgfältig reinigen und die Bärte entfernen. Bereits geöffnete Miesmuscheln wegwerfen!
2 Die Spaghetti in einem großen Topf mit sprudelndem Salzwasser *al dente* kochen. Abtropfen, wieder in den Topf geben und die Hälfte des Olivenöls unter die Pasta ziehen.
3 Während die Pasta kocht, das restliche Olivenöl in einer Pfanne erhitzen und die Zwiebel darin weich dünsten, aber nicht bräunen. Den Knoblauch zugeben und noch 1 Minute dünsten. Die Tomaten und den Wein zugeben und die Sauce aufkochen. Bei Niedrighitze weiterköcheln lassen.
4 Unterdessen die Muscheln in einem großen Topf mit Wasser bedecken. Bei hoher Hitze einige Minuten kochen, bis sich die Muscheln öffnen. Dabei den Topf öfter rütteln. Zum Schluß alle Muscheln wegwerfen, die sich nach 5 Minuten Kochzeit noch nicht geöffnet haben.
5 Die Muscheln an die Tomatensauce geben und gut mengen. Sauce über die Pasta gießen, nach Wunsch mit frischen Thymianzweigen garnieren.

PRO PERSON: *Protein 20 g; Fett 20 g; Kohlenhydrate 95 g; Ballaststoffe 10 g; Cholesterol 8 mg; 2825 kJ (670 Kcal)*

ALS BEILAGE

SPINATSALAT MIT PANCETTA UND PEKANNÜSSEN 250 g jungen Spinat putzen und die Blätter mit 50 g gerösteten Pekan- oder Walnüssen und 3 hartgekochten, gehackten Eiern mengen. 6 hauchdünn aufgeschnittene Scheiben Pancetta oder Räucherschinken unter einem Grill oder in einer Pfanne knusprig braten. Den Schinken in mundgerechte Stücke teilen und unter den Salat ziehen. Für das Dressing 100 g Blauschimmelkäse mit 60 ml Sahne, 2 EL Milch und 2 EL Öl verschlagen. Das Dressing an den Salat geben, gut mengen und sofort servieren.

GORGONZOLA UND GERÖSTETE WALNÜSSE AUF EINEM LINGUINEBETT

Fertig in 25 Minuten
Für 4 Personen

80 g Walnußhälften
500 g Linguine
80 g Butter
150 g Gorgonzola, kleingeschnitten oder zerkrümelt
2 EL Sahne
160 g frische Erbsen ohne Schale

1 Den Backofen auf Mittelhitze (180 °C) vorheizen. Die Walnüsse in einer Einzellage auf ein Backblech legen und 5 Minuten backen, bis sie leicht geröstet sind. Zum Abkühlen beiseite stellen.
2 Die Linguine in einem großen Topf mit sprudelndem Salzwasser *al dente* kochen. Abtropfen und wieder in den Topf geben.
3 Während die Pasta kocht, die Butter bei Niedrighitze in einem kleinen Topf zerlassen und den Gorgonzola, die Sahne und die Erbsen zugeben. Die Sauce 5 Minuten unter Umrühren erhitzen, bis sie eingedickt ist. Mit Salz und Pfeffer nach Geschmack würzen. Die Sauce und die Walnüsse an die Pasta geben und alles gut durchmischen. Mit schwarzem Pfeffer aus der Mühle bestreuen und sofort servieren.
Hinweis: Für dieses Gericht eignen sich auch tiefgefrorene Erbsen. Sie müssen vorher nicht aufgetaut werden, sondern können so wie die frischen Erbsen im Rezept verarbeitet werden. Wer den intensiven Geschmack von Gorgonzola nicht schätzt, kann auch einen milderen Blauschimmelkäse wie Blue Castello verwenden.

PRO PERSON: *Protein 30 g; Fett 50 g; Kohlenhydrate 90 g; Ballaststoffe 10 g; Cholesterol 95 mg; 3870 kJ (920 Kcal)*

UNTEN, VON LINKS: Spaghetti mit Kräutern; Pasta mit Pesto und Parmesan; Kalabrische Spaghetti

SPAGHETTI MIT KRÄUTERN

Fertig in 20 Minuten
Für 4 Personen

500 g Spaghetti
50 g Butter
30 g frisches Basilikum, feingezupft
10 g frischer Oregano, feingehackt
20 g frische Schnittlauchröllchen

1 Die Spaghetti in einem großen Topf mit sprudelndem Salzwasser *al dente* kochen. Abtropfen und wieder in den Topf geben.
2 Die Butter in den Topf geben und gut unterziehen, bis sie zerschmolzen ist und die Spaghetti überzogen hat. Das Basilikum, den Oregano und die Schnittlauchröllchen unter die Spaghetti heben. Nach Geschmack würzen und sofort servieren.

PRO PERSON: *Protein 15 g; Fett 10 g; Kohlenhydrate 90 g; Ballaststoffe 5 g; Cholesterol 30 mg; 2175 kJ (520 Kcal)*

PASTA MIT PESTO UND PARMESAN

Fertig in 15 Minuten
Für 4 Personen

500 g Linguine oder Taglierini
40 g Pinienkerne
100 g frisches Basilikum (beim Wiegen fest zusammendrücken)
2 Knoblauchzehen, gepreßt
25 g frisch geriebener Parmesan und frisch gehobelter Parmesan zum Garnieren
120 ml Olivenöl, extra vergine

1 Die Pasta in einem großen Topf mit sprudelndem Salzwasser *al dente* kochen. Abtropfen und wieder in den Topf geben.
2 Während die Pasta kocht, die Pinienkerne, das frische Basilikum, den Knoblauch und den Parmesan in einer Küchenmaschine fein pürieren. Bei laufender Maschine langsam das Olivenöl extra

vergine zugießen, bis sich eine glatte Creme bildet. Mit Salz und schwarzem Pfeffer aus der Mühle nach Geschmack würzen. Das Pesto unter die heiße Pasta heben und gleichmäßig verteilen. Mit frisch gehobeltem Parmesan garnieren.

PRO PERSON: *Protein 20 g; Fett 45 g; Kohlenhydrate 90 g; Ballaststoffe 5 g; Cholesterol 15 mg; 3390 kJ (810 Kcal)*

KALABRISCHE SPAGHETTI

Fertig in 20 Minuten
Für 4 Personen

500 g Spaghetti
80 ml Olivenöl
3 Knoblauchzehen, zerdrückt
50 g Anchovisfilets, feingehackt
1 TL frische Chillies, feingehackt
3 EL frische glatte Petersilie, feingehackt

1 Die Spaghetti in einem großen Topf mit sprudelndem Salzwasser *al dente* kochen. Abtropfen und wieder in den Topf geben.
2 Während die Spaghetti kochen, das Olivenöl in einer kleinen Pfanne erhitzen. Den Knoblauch, die Anchovisfilets und die roten Chillies zugeben; bei Niedrighitze 5 Minuten dünsten. Der Knoblauch darf nur leicht bräunen und in keinem Fall anbrennen, denn sonst wird er bitter im Geschmack. Nun die Petersilie unterziehen und noch einige Minuten köcheln lassen. Mit Salz und schwarzem Pfeffer aus der Mühle nach Geschmack würzen.
3 Die Sauce an die Pasta geben und alles gut mengen. Mit ganzen Anchovisfilets und feingehackten Chillies und nach Wunsch mit frischen kleinen Kräuterzweigen garnieren und servieren.

PRO PERSON: *Protein 15 g; Fett 20 g; Kohlenhydrate 90 g; Ballaststoffe 5 g; Cholesterol 10 mg; 2600 kJ (620 Kcal)*

PESTO
Wenn ein bereits fertig zubereitetes Pesto über einen längeren Zeitraum aufbewahrt wird, verändert sich die Zusammensetzung der Zutaten. Der Käse reagiert auf die anderen Inhaltsstoffe, besonders das Basilikum, und wird ranzig. Pesto hält sich höchstens 5–7 Tage und muß in einem luftdichten Gefäß und mit einer Schicht Olivenöl oder mit Klarsichtfolie, die fest an die Saucenoberfläche angedrückt wird, versiegelt werden. Empfehlenswerter ist die Methode, ein Pesto ohne Käse zuzubereiten und den Käse erst einzurühren, wenn das Pesto serviert wird. So zubereitetes Pesto hält sich im Kühlschrank 2–3 Monate, tiefgefroren 5–6 Monate.

SAMBAL OELEK
Sambal Oelek, eine Würzpaste, ist in der indonesischen Küche unverzichtbar. Sie wird herkömmlicherweise aus roten Chillies und Salz hergestellt; kommerziell hergestellte Würzpasten werden oft mit Essig vermischt. Sambal Oelek kann entweder zum Würzen verwendet werden, als Dip-Sauce oder als Würze bei Tisch. Sie ist in gutsortierten Lebensmittelläden und in Asia-Shops erhältlich. Besonders praktisch ist die Verwendung von Sambal Oelek, wenn in einem Rezept Chillies vorgesehen sind. Die Paste im Kühlschrank aufbewahren.

GEGENÜBERLIEGENDE SEITE: Ravioli mit Erbsen und Artischocken (oben); Fusilli mit Räucherlachs in Brandysahne

RAVIOLI MIT ERBSEN UND ARTISCHOCKEN

Fertig in 30 Minuten
Für 4 Personen

650 g frische Ravioli mit Käse-Spinat-Füllung
1 EL Olivenöl
8 marinierte Artischockenherzen, geviertelt
2 große Knoblauchzehen, feingehackt
120 ml trockener Weißwein
130 ml Hühnerbrühe
300 g tiefgefrorene Erbsen
130 g dünn aufgeschnittener Prosciutto, gehackt
7 g frische glatte Petersilie, feingehackt
eine Prise Steakpfeffer

1 Die Ravioli in einem großen Topf mit sprudelndem Salzwasser *al dente* kochen. Abtropfen.
2 Während die Ravioli kochen, das Olivenöl in einer Pfanne erhitzen und die Artischockenherzen und den Knoblauch 2 Minuten bei Mittelhitze unter häufigem Umrühren dünsten. Den Wein und die Brühe zugießen und rühren, bis alles gut vermengt ist. Die Sauce aufkochen. Dann bei Niedrighitze 5 Minuten köcheln lassen, bevor die Erbsen direkt aus der Tiefkühltruhe zugegeben werden; 2 Minuten in der Sauce köcheln lassen.
3 Nun den Prosciutto, die Petersilie und den Pfeffer unterziehen. Die Artischockensauce über die Ravioli löffeln und servieren.
Hinweis: Marinierte Artischockenherzen sind im Glas oder in Konserven in gutsortierten Supermärkten und lose beim türkischen Lebensmittelhändler erhältlich.

PRO PERSON: *Protein 25 g; Fett 15 g; Kohlenhydrate 30 g; Ballaststoffe 10 g; Cholesterol 45 mg; 1540 kJ (370 Kcal)*

ALS BEILAGE

SALAT MIT PFIRSICHSALSA 6 große reife gelbe oder weiße Pfirsiche in Schnitze teilen und in einer Schüssel mit einer in dünne Ringe geschnittenen roten Zwiebel, 6 geviertelten Eiertomaten, 200 g Gemüsemais und 1 feingeschnittenen grünen Paprika mengen. Für das Dressing 1 zerdrückte Knoblauchzehe, 1 TL Kreuzkümmel, 1 feingehackte rote Chilischote, 2 EL frisch gepreßten Limettensaft sowie 60 ml Öl sorgfältig miteinander verschlagen. Über den Salat geben und unterheben. Anschließend 15 g frische Korianderblätter unterziehen und sofort servieren.

FUSILLI MIT LACHS IN BRANDYSAHNE

Fertig in 30 Minuten
Für 2 Personen

380 g Fusilli
50 g Butter
1 Lauchstange, in feine Ringe geschnitten
1 große Knoblauchzehe, zerdrückt
60 ml Brandy
eine Messerspitze Sambal Oelek
2 EL frische Dillspitzen, feingehackt
1 EL Tomatenmark, 2fach konzentriert
250 ml Sahne
250 g Räucherlachs, feingeschnitten
Keta-Kaviar oder Forellenkaviar zum Garnieren (nach Wunsch)

1 Die Fusilli in einem großen Topf mit sprudelndem Salzwasser *al dente* kochen. Abtropfen.
2 Die Butter in einem großen Topf zerlassen und den Lauch bei Mittelhitze einige Minuten weich dünsten. Den Knoblauch zugeben und 1 Minute dünsten. Den Brandy angießen und 1 Minute durchziehen lassen. Nun den Sambal Oelek, den Dill, das Tomatenmark und die Sahne unterrühren. Die Sauce bei leichter Hitze 5 Minute köcheln lassen, bis sie reduziert und etwas eindickt.
3 Die Pasta und den Räucherlachs an die Sauce geben. Die Zutaten gut vermengen und mit schwarzem Pfeffer aus der Mühle nach Geschmack würzen. Die Pasta auf zwei Spaghettischüsseln verteilen. Nach Wunsch mit einem Löffel Kaviar und einem Dillzweig garnieren, und sofort servieren.
Hinweis: Der Lauch muß vor dem Kochen sorgfältig gewaschen werden; Erd- und Schmutzrückstände lassen sich manchmal nur schwer von den Innenblättern entfernen.

PRO PERSON: *Protein 55 g; Fett 80 g; Kohlenhydrate 140 g; Ballaststoffe 10 g; Cholesterol 290 mg; 1540 kJ (370 Kcal)*

OBEN, VON LINKS: Pasta Niçoise; Bucatini mit Knoblauch; Spaghetti mediterraneo

PASTA NIÇOISE

Fertig in 25 Minuten
Für 4 Personen

500 g Farfalle
350 g grüne Bohnen
80 ml Olivenöl
60 g Anchovisfilets, in Scheiben geschnitten
2 Knoblauchzehen, in feine Scheiben geschnitten
250 g Kirschtomaten, halbiert
frisch geriebener Parmesan zum Servieren

1 Die Farfalle in einem großen Topf mit sprudelndem Salzwasser *al dente* kochen. Abtropfen und wieder in den Topf geben.
2 Während die Pasta kocht, die Bohnen in ein hitzebeständiges Gefäß geben und mit kochendem Wasser bedecken. 5 Minuten stehen lassen, dann abtropfen und unter kaltem Wasser abschrecken.
3 Das Olivenöl in einer Pfanne erhitzen und die Bohnen und die Anchovisfilets 2–3 Minuten anbraten. Den Knoblauch zugeben und 1 Minute dünsten. Die Kirschtomaten unterheben und die Sauce gut durchrühren.
4 Die Sauce über die Pasta geben, alle Zutaten gut mengen und erneut erwärmen. Mit frisch geriebenem Parmesan servieren.

PRO PERSON: *Protein 20 g; Fett 25 g; Kohlenhydrate 90 g; Ballaststoffe 10 g; Cholesterol 15 mg; 2810 kJ (670 Kcal)*

BUCATINI MIT KNOBLAUCH

Fertig in 15 Minuten
Für 4 Personen

500 g Bucatini
80 ml Olivenöl
8 Knoblauchzehen, zerdrückt
2 EL frische glatte Petersilie, feingehackt
frisch geriebener Parmesan zum Servieren

1 Die Bucatini in einem großen Topf mit sprudelndem Salzwasser *al dente* kochen. Abtropfen und wieder in den Topf geben.
2 Kurz bevor die Pasta gar ist, das Olivenöl in einer Bratpfanne bei Niedrighitze erwärmen und den Knoblauch zugeben. Das Knoblauchöl 1 Minute durchziehen lassen, dann vom Herd nehmen.

Das Öl an die Pasta gießen, die Petersilie unterziehen und alle Zutaten gut mengen. Mit Parmesan bestreuen und servieren.

Hinweis: Auch Oliven oder gewürfelte Tomaten können zugegeben werden. Der Knoblauch darf beim Erhitzen nicht anbrennen oder zu lange kochen, sonst wird er bitter.

PRO PERSON: *Protein 15 g; Fett 20 g; Kohlenhydrate 90 g; Ballaststoffe 5 g; Cholesterol 5 mg; 2605 kJ (620 Kcal)*

SPAGHETTI MEDITERRANEO

Fertig in 30 Minuten
Für 4–6 Personen

500 g Spaghetti
750 g Tomaten
120 ml Olivenöl, extra vergine
2 Knoblauchzehen, zerdrückt
4 Frühlingszwiebeln, in feine Röllchen geschnitten
6 Anchovisfilets, gehackt
eine Prise geriebene Zitronenschale
1 EL frischer Thymian
12 grüne Oliven, mit Paprika gefüllt, feingeschnitten
frisches Basilikum, feingezupft, zum Servieren

1 Die Spaghetti in einem großen Topf mit sprudelndem Salzwasser *al dente* kochen. Abtropfen und wieder in den Topf geben.

2 Während die Pasta kocht, die Tomaten am Ansatz kreuzweise einschneiden. In einem Topf mit kochendem Wasser 1–2 Minuten ziehen lassen, dann abtropfen und in kaltes Wasser tauchen. Die Haut vom Einschnitt weg abziehen und nicht weiter verwenden. Die Tomaten horizontal halbieren. Ein Sieb über eine kleine Schüssel legen und das Tomateninnere im Sieb ausdrücken. Den Saft auffangen, die Kerne entfernen. Das Tomatenfruchtfleisch grob hacken und beiseite stellen.

3 In einer Schüssel das Olivenöl, den Knoblauch, Frühlingszwiebeln, Anchovis, Zitronenschale, Thymian und die gefüllten grünen Oliven mischen. Gehackte Tomaten und den Saft zugeben, alles durchrühren und mit Salz und schwarzem Pfeffer aus der Mühle würzen. Sauce über die Pasta löffeln, unterheben und mit frischem Basilikum bestreuen.

PRO PERSON (BEI 6 PERSONEN): *Protein 10 g; Fett 20 g; Kohlenhydrate 60 g; Ballaststoffe 5 g; Cholesterol 3 mg; 2060 kJ (490 Kcal)*

THYMIAN

Viele verschiedene Thymiansorten finden in der Küche Verwendung. Einige haben graugrüne Blätter und einen stechenden Geschmack, andere winzige, hellgrüne Blätter mit flüchtigerem Aroma. Das Thymian-Aroma ist an einem Gericht ebenso wichtig wie sein Geschmack. Wilder Thymian ist rein und aromatisch, während Zitronenthymian beim Erhitzen ein zart zitroniges Aroma freigibt. Der Thymian hat kleine Blätter mit niedrigem Feuchtigkeitsgehalt und gehört daher zu den Kräutern, die sich sehr gut trocknen lassen.

QUAI
MUSSELS
PES
oni
no

SPAGHETTI MIT TOMATEN-SAUCE

Fertig in 30 Minuten
Für 4 Personen

500 g Spaghetti
1 EL Olivenöl
1 Zwiebel, feingehackt
2 Knoblauchzehen, zerdrückt
850 g Dosentomaten, zerkleinert
1 TL getrockneter Oregano
2 EL Tomatenmark, 2fach konzentriert
2 TL Zucker
frisch gehobelter Parmesan zum Servieren

1 Die Spaghetti in einem großen Topf mit sprudelndem Salzwasser *al dente* kochen. Abtropfen.
2 Das Öl in einer Pfanne erhitzen und die Zwiebel 3 Minuten darin weich dünsten. Den Knoblauch zugeben und noch 1 Minute dünsten.
3 Die Tomaten angießen und die Sauce aufkochen lassen. Nun den Oregano, das Tomatenmark und den Zucker unterziehen, dann die Sauce bei Niedrighitze 15 Minuten köcheln lassen. Mit Salz und Pfeffer abschmecken. Die Tomatensauce über die Pasta löffeln, mit frisch gehobeltem Parmesan garnieren und servieren.

PRO PERSON: *Protein 20 g; Fett 10 g; Kohlenhydrate 100 g; Ballaststoffe 10 g; Cholesterol 5 mg; 2300 kJ (550 Kcal)*

TAGLIATELLE MIT RICOTTA UND BASILIKUM

Fertig in 25 Minuten
Für 4 Personen

500 g Tagliatelle
20 g frische glatte Petersilie
50 g frisches Basilikum
1 TL Olivenöl
50 g eingelegte Paprika (aus dem Glas oder vom Wochenmarkt)
250 g Schmand
250 g Ricotta oder Magerquark, gut abgetropft
30 g frisch geriebener Parmesan

1 Die Tagliatelle in einem großen Topf mit sprudelndem Salzwasser *al dente* kochen. Abtropfen und wieder in den Topf geben.
2 Während die Pasta kocht, die Petersilie und das Basilikum in einer Küchenmaschine oder mit dem Wiegemesser grob hacken.
3 Das Öl in einer Pfanne erhitzen. Die eingelegten Paprika zugeben und 2–3 Minuten anbraten. Nun den Schmand, den Ricotta oder Quark und den Parmesan unterrühren. Die Sauce bei Niedrighitze 4 Minuten köcheln lassen, bis alle Zutaten erwärmt sind, jedoch nicht kochen.
4 Die Kräuter und die Pasta an die Sauce geben, alles gut mischen und servieren.

PRO PERSON: *Protein 25 g; Fett 35 g; Kohlenhydrate 90 g; Ballaststoffe 5 g; Cholesterol 120 mg; 3330 kJ (800 Kcal)*

SPAGHETTI CARBONARA MIT CHAMPIGNONS

Fertig in 25 Minuten
Für 4 Personen

500 g Spaghetti
8 Scheiben Frühstücksspeck
180 g Champignons, in Scheiben geschnitten
2 TL frischer Oregano, feingehackt
4 Eier, leicht verschlagen
250 ml Sahne
70 g frisch geriebener Parmesan

1 Die Spaghetti in einem großen Topf mit sprudelndem Salzwasser *al dente* kochen. Abtropfen und wieder in den Topf geben.
2 Während die Spaghetti kochen, den Speck vom Rand befreien und in kleine Stückchen schneiden. Bei Mittelhitze in einer Pfanne leicht anbräunen und auf Küchenkrepp abtropfen lassen. Nun die Pilze in die Pfanne geben und 2–3 Minuten braten, bis sie weich sind.
3 Die Sahne und die Eier verschlagen und zusammen mit den Champignons, dem Speck und dem Oregano an die abgetropften Spaghetti geben. Die Pasta bei Niedrighitze unter Rühren köcheln lassen, bis die Sauce etwas eindickt. Den Topf vom Herd nehmen, und den Käse unterrühren. Mit Salz und schwarzem Pfeffer aus der Mühle abschmecken.

PRO PERSON: *Protein 45 g; Fett 40 g; Kohlenhydrate 90 g; Ballaststoffe 5 g; Cholesterol 320 mg; 3844 kJ (920 Kcal)*

TOMATENMARK
Tomatenmark wird aus ganzen Tomaten gewonnen, die so lange köcheln, bis sie dunkel werden und zu einer dicken Creme verkocht sind, die keine Flüssigkeit mehr enthält. Dem Tomatenmark wird nur Salz und manchmal etwas Zucker beigegeben. So entsteht eine Paste, die sehr intensiv im Geschmack ist und in Saucen, Fonds und Brühen, Eintöpfen und Suppen nur sparsam verwendet wird. Die unterschiedlichen Fabrikate sind auch in verschiedener Konzentration erhältlich. Es empfiehlt sich, durch Ausprobieren selbst herauszufinden, mit welchem Tomatenmark man am besten zurecht kommt. Tomatenmark aus Italien unterscheidet zwischen einfacher, doppelter und dreifacher Konzentration. Man sollte entweder mit *doppio concentrato* (2fach) oder mit *triplo concentrato* (3fach) arbeiten.

GEGENÜBERLIEGENDE SEITE, VON OBEN: Spaghetti mit Tomatensauce; Tagliatelle mit Ricotta und Basilikum; Spaghetti carbonara mit Champignons

FARFALLE MIT ERBSEN, PROSCIUTTO UND CHAMPIGNONS

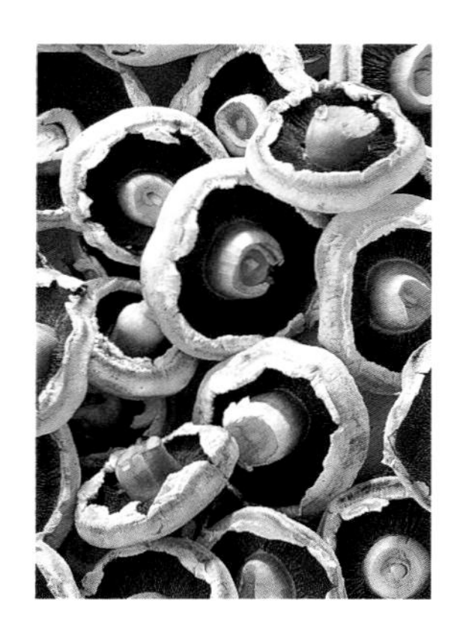

Fertig in 20 Minuten
Für 4 Personen

380 g Farfalle
60 g Butter
1 Zwiebel, feingehackt
200 g Champignons, in feine Scheiben geschnitten
250 g tiefgefrorene Erbsen
3 Scheiben Prosciutto, in feinen Streifen
250 ml Sahne
1 Eigelb
frisch geriebener Parmesan zum Servieren

1 Die Farfalle in einem großen Topf mit sprudelndem Salzwasser *al dente* kochen. Abtropfen.
2 Während die Pasta kocht, die Butter in einer Pfanne zerlassen und die Zwiebel und die Champignons bei Mittelhitze 5 Minuten garen, bis sie weich sind.
3 Die Erbsen und den Prosciutto in die Pfanne geben. Die Sahne und das Eigelb in einem kleinen Gefäß verschlagen und an das Gemüse gießen. Den Topf abdecken und die Sauce 5 Minuten köcheln lassen, bis alle Zutaten erwärmt sind.
4 Die Sauce unter die Pasta heben oder über die Pasta löffeln. Nach Wunsch mit frisch gehobeltem oder geriebenem Parmesan garnieren und servieren.

PRO PERSON: *Protein 25 g; Fett 45 g; Kohlenhydrate 75 g; Ballaststoffe 10 g; Cholesterol 180 mg; 3280 kJ (785 Kcal)*

ALS BEILAGE

FENCHELSALAT MIT ORANGEN UND MANDELN 1 oder 2 Fenchelknollen in feine Ringe schneiden. 3 Orangen schälen, das Weiße entfernen, in Spalten teilen. 100 g Mandelblättchen in einer Pfanne goldbraun rösten. Den Fenchel, die Orangen und die Mandeln in einer Schüssel vermengen. 150 g sahnigen Blauschimmelkäse zerkrümeln und zusammen mit 50 g feingeschnittener eingelegter Paprika über den Salat streuen. Abschließend mit einem Dressing aus 3 EL Orangensaft, 1 TL Sesamöl und 1 EL Rotweinessig würzen.

UNTEN: Farfalle mit Erbsen, Prosciutto und Champignons

PENNE MIT GETROCKNETEN TOMATEN UND ZITRONE

Fertig in 25 Minuten
Für 4 Personen

250 g Penne
60 ml Olivenöl
3 Scheiben Frühstücksspeck, gehackt
1 Zwiebel, gehackt
80 ml Zitronensaft
1 EL frischer Zitronenthymian
50 g getrocknete Tomaten, feingehackt
80 g Pinienkerne, geröstet

1 Die Pasta in einem großen Topf mit sprudelndem Salzwasser *al dente* kochen. Abtropfen.
2 Während die Pasta kocht, das Olivenöl in einer großen Pfanne erhitzen. Den gehackten Speck und die Zwiebel dazugeben und 4 Minuten bei Mittelhitze durchrühren, bis der Schinken gebräunt und die Zwiebel weich gedünstet ist.
3 Die Pasta, den Zitronensaft, den Thymian, die getrockneten Tomaten und die Pinienkerne in die Pfanne geben und alle Zutaten bei Niedrighitze 2 Minuten köcheln lassen, bis alles erwärmt ist.
Hinweis: Anstelle des Frühstücksspecks kann man auch Pancetta verwenden.

PRO PERSON: *Protein 15 g; Fett 30 g; Kohlenhydrate 50 g; Ballaststoffe 5 g; Cholesterol 15 mg; 2200 kJ (530 Kcal)*

FARFALLE MIT ROSA PFEFFERKÖRNERN UND ZUCKERSCHOTEN

Fertig in 30 Minuten
Für 4 Personen

400 g Farfalle
250 ml Weißwein
250 ml Sahne
100 in Essig eingelegte rosa Pfefferkörner, abgetropft
300 ml Crème fraîche
200 g Zuckerschoten, von den Enden und Fäden befreit

1 Die Pasta in einem großen Topf mit sprudelndem Salzwasser *al dente* kochen. Abtropfen und wieder in den Topf geben.
2 Während die Pasta kocht, den Wein in einen großen Topf gießen und aufkochen. Bei Niedrighitze köcheln lassen, bis die Flüssigkeit auf die Hälfte reduziert ist.
3 Nun mit der Sahne aufgießen und die Flüssigkeit erneut aufkochen. Bei Niedrighitze köcheln lassen, bis sie auf die Hälfte reduziert ist.
4 Den Topf vom Herd nehmen und die Pfefferkörner und die Crème fraîche einrühren. Wieder auf den Herd geben und die Zuckerschoten in der Sauce 3–4 Minuten gar köcheln lassen. Die Sauce nach Geschmack mit Salz abschmecken, unter die Pasta rühren und gleich servieren.

PRO PERSON: *Protein 15 g; Fett 55 g; Kohlenhydrate 80 g; Ballaststoffe 8 g; Cholesterol 175 mg; 3855 kJ (915 Kcal)*

OBEN: Penne mit getrockneten Tomaten und Zitrone

PASTA ZUM DESSERT

Sie hatten noch nie Pasta zum Dessert? Da sind Sie wahrscheinlich nicht allein. Aber wer diese wunderbaren Nachspeisen erst einmal gekostet hat, wird sich fragen, warum. Mit frischem Obst, mit Sahne oder Schokolade kombiniert, wird aus Pasta ein Finale und nicht nur ein Auftakt. Und wer ein echter Pasta-Fan ist, kann seine Mahlzeit sogar mit Pasta beginnen und beschließen. Mag diese Vorstellung auch nicht gerade konventionell erscheinen, so sind doch die Möglichkeiten schier endlos. Und schließlich gilt: Erlaubt ist, was schmeckt!

OBEN: Süßer Käse in Zitronenpasta

KANDIERTE ZITRUSFRÜCHTE

Bei kandierter Zitrusschale wird frische Zitronenschale in Zucker eingelegt. Der Zuckersirup ersetzt den Feuchtigkeitsgehalt; das Kandieren erfolgt langsam, damit die Schale ihre Form und Zartheit behält. In Julienne geschnittene Zitronenschalen werden in erhitztem Zuckersirup gedünstet, bis die Flüssigkeit völlig verdampft ist und die Schalenstreifen glasig aussehen. So läßt sich kandierte Zitrusschale im Schraubglas mehrere Tage aufbewahren und als Garnierung für Kuchen und Süßigkeiten, aber auch als Zusatz für Puddings und Nachspeisen verwenden.

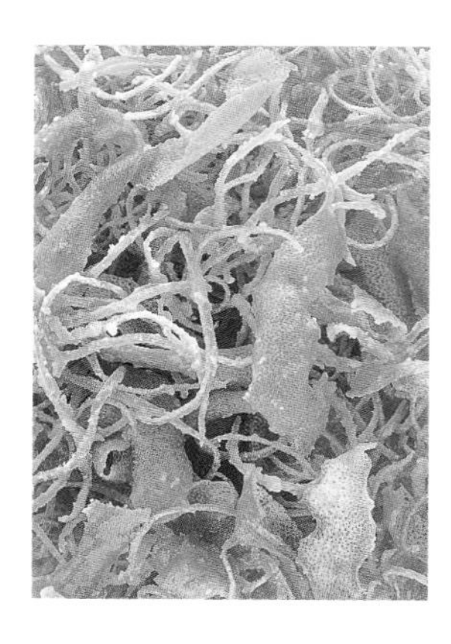

SÜSSER KÄSE IN ZITRONEN-PASTA

Vorbereitungszeit: 1 Stunde + Ruhezeit
Kochzeit: 25 Minuten
Für 4–6 Personen

250 g Mehl
eine Prise Salz
1 TL feiner Zucker
geriebene Schale von 2 ungespritzten Zitronen
2 EL frischer Zitronensaft
2 Eier, leicht verschlagen
1 EL Rosinen
1 EL Brandy
600 g Ricotta oder Magerquark, gut abgetropft
5 EL Puderzucker
eine Prise geriebene Zitronenschale
einige Tropfen Vanillearoma
1 Ei, verschlagen, zum Glasieren
4 EL Mandelflöckchen, geröstet
Pflanzenöl zum Ausbraten
250 ml Sahne, mit Brandy verfeinert
Minzeblätter und abzogene Zitronenschale oder kandierte Zitronen zur Garnierung

1 Das Mehl, Salz, Zucker und die Zitronenschale vermengen und auf einer Arbeitsfläche zu einem Hügel mit einer Mulde in der Mitte formen. 1–2 EL Wasser, den Zitronensaft und die Eier verschlagen und die Masse mit einer Gabel langsam unter den Teig arbeiten. Diese Arbeitsschritte können auch mit einer Küchenmaschine erledigt werden. Sobald sich ein loser Teig bildet, diesen mit den Händen kneten. Den Teig 5–8 Minuten kneten, bis er sich glatt und elastisch anfühlt. Dann mit Klarsichtfolie abdecken und beiseite stellen.

2 Die Rosinen in einer Schüssel im Brandy einweichen. In einer größeren Schüssel Ricotta oder Quark mit Puderzucker, Zitronenschale und Vanillearoma mengen. Die Füllung beiseite stellen.

3 Nun den Teig in 8 gleich große Portionen teilen. Jedes Teigstück zu einem dünnen Viereck von etwa 20 cm Länge ausrollen und abdecken.

4 Rosinen und geröstete Mandeln an die Käsefüllung geben. Teigränder sorgfältig begradigen. Die Ränder eines Teigstücks mit dem verschlagenen Ei bestreichen; ein Achtel der Füllung in die Mitte setzen. Die Ecken übereinander falten, so daß die Füllung vom Teig ganz abgedeckt ist. Die Enden fest aufeinanderdrücken, um sie zu versiegeln. Die anderen Päckchen ebenso füllen und versiegeln.

5 Öl in eine Pfanne gießen, so daß es an den Seiten etwa 2 cm hoch steht; das Öl erhitzen. Ein Stück restlicher Pasta in die Pfanne geben, um den Gargrad zu testen: Die Pasta muß goldgelb werden, darf aber nicht anbrennen. Nun die Päckchen portionsweise goldgelb ausbacken, mit einem Schaumlöffel aus der Pfanne heben, auf Küchenkrepp abtropfen und warm halten. Mit der Brandysahne servieren, mit Puderzucker bestäuben und mit Minzeblättern und Zitronenschale garnieren.

PRO PERSON (BEI 6 PERSONEN): *Protein 20 g; Fett 45 g; Kohlenhydrate 50 g; Ballaststoffe 3 g; Cholesterol 185 mg; 2965 kJ (705 Kcal)*

FRISCHE ERDBEERSAHNE-RÖLLCHEN

Vorbereitungszeit: 40 Minuten
Kochzeit: 50 Minuten
Für 6 Personen

250 g Erdbeeren
60 g Butter
2 Eigelb
80 ml Sahne
90 g Zucker
1 TL Zitronensaft
6 Platten frische Lasagne (Größe ca.15 x 20 cm)
40 g Mandelstifte, geröstet, und 1 EL geröstete Mandelstifte zum Garnieren
Puderzucker zum Garnieren

1 Den Backofen auf Mittelhitze (180 °C) vorheizen und eine Gratinform einfetten. Die Erdbeeren horizontal halbieren. 20 g Butter in einem Topf zerlassen und die Erdbeeren darin 20 Sekunden schwenken. Aus dem Topf nehmen. Die Eigelbe und die Sahne mengen. 20 g Butter im Topf zerlassen und die Ei-Sahne-Masse mit Zucker und Zitronensaft in den Topf geben. Unter häufigem Rühren kochen, bis die Masse eindickt. Vom Herd nehmen und die Erdbeeren unterziehen. Abkühlen lassen.
2 Die frischen Lasagneplatten portionsweise in einem großen Topf mit sprudelndem Wasser 3 Minuten *al dente* kochen. In eine Schüssel mit kaltem Wasser geben und 1 Minute abkühlen. Dann auf Küchenhandtüchern zum Trocknen auslegen.
3 Die Erdbeersahne und die Mandeln auf die Lasagnestücke streichen, dabei auf allen vier Seiten einen Rand von 3 cm lassen. Die Platten an den langen Seiten zuerst einschlagen. Nun das direkt vor einem liegende Ende falten und die Lasagneplatte vorsichtig aufrollen. Sobald die Erdbeersahne überzuquellen droht, das gegenüberliegende Teigende hochheben, vorsichtig nach vorne ziehen und fest drücken. Die gefüllte Lasagne mit der Klebestelle nach in die vorbereitete Form legen. Die anderen Lasagneplatten ebenso füllen und die Röllchen eng nebeneinander in die Form legen.
4 Die restliche Butter in Flöckchen schneiden und damit die gefüllte Lasagne bestreuen. Mit Mandelstiften und 2 EL gesiebtem Puderzucker bestreuen. 15 Minuten im Backofen backen, dann unter einem Grill 5 Minuten leicht bräunen.
Hinweis: Dieses Dessert ist besonders köstlich mit Vanilleeis und einem Erdbeer-Coulis aus pürierten frischen Früchten. Zur Abwechslung kann man das Gericht auch mit frischen Himbeeren zubereiten, wenn sie Saison haben. Sie müssen nicht gekocht werden, sondern können unbehandelt in die Sahnecreme gegeben werden. Auch Blaubeeren sind für dieses Gericht gut geeignet. Sie werden wie die Erdbeeren zubereitet, allerdings im Ganzen verarbeitet. Statt mit frischer Lasagne kann man auch mit getrockneter Lasagne arbeiten, die jedoch meist dicker, weniger biegsam und daher schwieriger zu handhaben ist. Bei getrockneter Lasagne muß die Pasta nach Packungsvorschrift zubereitet werden. Die Menge der Füllung verringert sich je nach Größe der Lasagneplatten.

PRO PERSON: *Protein 9 g; Fett 20 g; Kohlenhydrate 50 g; Ballaststoffe 4 g; Cholesterol 100 mg; 1774 kJ (420 kcal)*

ERDBEEREN
Bei den meisten in Deutschland erhältlichen Erdbeeren handelt es sich um Hybriden, die aus einer großfruchtigen nordamerikanischen und einer hoch aromatischen chilenischen Erdbeere gezogen wurden.

OBEN: Frische Erdbeersahneröllchen

BLANCHIERTE MANDELN

Geschälte Mandeln werden auch als »blanchierte Mandeln« bezeichnet. Sie sind abgepackt erhältlich, doch man kann sie auch selbst schälen. Dafür werden Mandeln ohne Schale 1 Minute in kochendes Wasser getaucht, danach abgetropft. Sobald sie so weit abgekühlt sind, daß man sie anfassen kann, drückt man die Mandel zwischen Daumen und Zeigefinger, und die Mandel flutscht aus der Hülle. Wenn in einem Rezept gemahlene Mandeln verlangt werden, empfiehlt es sich evtl., diese auch bereits gemahlen zu kaufen, es sei denn, man hat eine Mandelmaschine zur Hand. Mit anderen Mahlgeräten behandelt, können Mandeln durch die Freisetzung von Ölen leicht verklumpen, und werden evtl. auch nicht fein genug ausgemahlen. Eine Verklumpung der Nüsse läßt sich allerdings teilweise vermeiden, wenn man der Mahlmasse 2 EL der im Rezept angegebenen Zuckermenge beigibt.

OBEN: Kokos-Zitronenkuchen mit Rissoni

KOKOS-ZITRONENKUCHEN MIT RISSONI

Vorbereitungszeit: 20 Minuten
Kochzeit: 1 Stunde
Für 6–8 Personen

70 g Rissoni
120 g Mehl
eine Prise Backpulver
100 g gemahlene Mandeln
50 g Kokosraspel
1 EL geriebene Schale von 1 ungespritzten Zitrone (beim Abmessen fest zusammendrücken)
180 g Butter
160 g Aprikosenkonfitüre
250 g feiner Zucker
3 Eier, leicht verschlagen

1 Den Backofen auf Niedrighitze (160 °C) vorheizen. Eine runde Kuchenform (Ø 20 cm) mit zerlassener Butter oder Öl einfetten und den Boden und die Seiten mit Backpapier auskleiden.

2 Rissoni in einem großen Topf mit sprudelndem Wasser 3–4 Minuten *al dente* kochen. Gut abtropfen.

3 Während die Rissoni kochen, das Mehl, das Backpulver, die Mandeln, die Kokosraspel und die Zitronenschale in einer großen Schüssel gut mengen und in der Mitte eine Mulde formen.

4 Butter, Marmelade und Zucker in einem mittelgroßen Topf (oder in hitzebeständiger Form in der Mikrowelle) bei Niedrighitze erwärmen, bis die Masse glatt ist. Rissoni einrühren. Mit einem großen Metallöffel die anderen Zutaten unterrühren. Die Eier zugeben und alles glatt verrühren. Die Masse in die vorbereitete Kuchenform füllen und ca. 55 Minuten backen, bis sie fest ist, oder mit einem Zahnstocher in der Kuchenmitte den Gargrad prüfen. Es darf beim Herausziehen kein Teig daran kleben. Den Kuchen 10–15 Minuten in der Form abkühlen lassen und herausheben. Warm oder kalt mit kandierten Zitronenstreifen servieren.

PRO PERSON (BEI 8 PERSONEN): *Protein 8 g; Fett 30 g; Kohlenhydrate 60 g; Ballaststoffe 3 g; Cholesterol 125 mg; 2280 kJ (540 Kcal)*

GEBACKENER RISSONI-PUDDING

Vorbereitungszeit: 15 Minuten
Kochzeit: 1 Stunde
Für 4–6 Personen

50 g Rissoni
2 Eier, leicht verschlagen
80 ml Ahornsirup
500 ml Sahne
30 g Sultanas
1 TL Vanilleessenz
eine Prise Muskat
eine Prise Zimt

1 Den Backofen auf Niedrighitze (150 °C) vorheizen. Die Rissoni in einem großen Topf mit sprudelndem Wasser 3–4 Minuten *al dente* kochen. Gut abtropfen.

2 Die Eier, den Ahornsirup und die Sahne in einer Schüssel verschlagen.

3 Die Rissoni, Sultanas, Vanilleessenz, Muskat und Zimt unterrühren. Die Masse in eine tiefe, runde oder ovale feuerfeste Backform gießen. Die Form in eine große feuerfeste Form setzen und an den Seiten so viel Wasser angießen, daß es bis zur Hälfte der kleineren Backform reicht. Den Rissonipudding 50–55 Minuten backen, bis an einem in der Mitte eingestochenen Messer kein Teig mehr kleben bleibt.

Hinweis: Als Variation kann man in diesem Rezept die Sultanas durch gehackte getrocknete Aprikosen oder Rosinen ersetzen. Auch gehackte frische Datteln oder Himbeeren und Blaubeeren, die der Puddingmasse im Ganzen zugegeben werden, eignen sich. Bei frischen Früchten kann sich die Garzeit verlängern, da Fruchtsaft austritt. Ahornsirup ist in Reformhäusern und in gut sortierten Supermärkten erhältlich.

PRO PERSON (BEI 6 PERSONEN): *Protein 5 g; Fett 30 g; Kohlenhydrate 25 g; Ballaststoffe 1 g; Cholesterol 155 mg; 1700 kJ (405 Kcal)*

OBEN: Gebackener Rissonipudding

OBEN: Pastapyramiden mit frischen Beeren und Sahne

PASTAPYRAMIDEN MIT FRISCHEN BEEREN UND SAHNE

Vorbereitungszeit: 15 Minuten
Kochzeit: 15 Minuten
Für 4 Personen

☆

4 getrocknete oder frische Lasagneplatten, gedrittelt
Öl zum Ausbacken
500 ml Sahne
je 250 g Erdbeeren, Blaubeeren, Himbeeren
4 Passionsfrüchte
Puderzucker zum Bestäuben

1 Die Lasagneplatten portionsweise in einem großen Topf mit sprudelndem Wasser *al dente* kochen. Etwas Öl in das Kochwasser geben, um ein Zusammenkleben der Pasta zu vermeiden. Die Pasta abtropfen, dann sorgfältig unter fließend kaltem Wasser abspülen. Mit einem Küchenhandtuch trocken tupfen.
2 Eine mittelgroße Pfanne zur Hälfte mit Öl füllen. Das Öl erhitzen. Nun die Pastaplatten einzeln im Öl ausbacken, bis sie knusprig sind und einen gold-gelben Farbton angenommen haben. Auf Küchenkrepp abtropfen lassen.
3 Die Sahne schlagen, bis sich weiche Spitzen bilden. 1 Lasagneplatte auf einen Dessertteller legen und darauf etwas Passionsfruchtmark, Beeren und Sahne garnieren. Mit Puderzucker bestäuben. Eine weitere Lasagnelage auf die Sahne legen, wieder mit Früchten und Sahne belegen, und mit Puderzukker bestäuben. Mit einer letzten Lasagneschicht abdecken und mit Puderzucker bestäuben. Nun die anderen Pastapyramiden auf die gleiche Weise zusammenstellen. Den Nachtisch sofort servieren.
Hinweis: Es eignen sich alle Früchte, die Saison haben. Sie können zerkleinert oder halbiert werden. Wer eine süßere Füllung bevorzugt, kann die Sahne mit etwas Zucker und Vanille aromatisieren.

PRO PERSON: *Protein 7 g; Fett 50 g; Kohlenhydrate 35 g; Ballaststoffe 10 g; Cholesterol 145 mg; 2520 kJ (600 Kcal)*

PASTAKÖRBCHEN MIT FRUCHTIGER RICOTTA-FÜLLUNG

Vorbereitungszeit: 35 Minuten
Kochzeit: 35 Minuten
Für 4 Personen

Öl zum Ausbacken
6 getrocknete Lasagneplatten

Ricotta-Frucht-Füllung

350 g frischer Ricotta oder Magerquark, gut abgetropft
1 EL feiner Zucker
60 g gemischte kandierte Früchte (Kirschen, Orangen und Zitronenschale), gehackt
30 g gehobelte Bitterschokolade

1 Soviel Öl in einer Pfanne erhitzen, daß es an den Seiten mindestens 10 cm hoch steht. Die Lasagneplatten portionsweise in einem großen Topf mit sprudelndem Wasser *al dente* kochen. Mit einem Sieb oder Schaumlöffel auffangen und in einer Schüssel mit kaltem Wasser abschrecken. Die gekochten Platten auf Küchenhandtücher legen und auf beiden Seiten sorgfältig trocken tupfen. Dann die Platten zu Vierecken zurechtschneiden.

2 Zum Ausbacken werden drei Küchengeräte benötigt, die gegen heißes Öl beständig sind: eine Suppenkelle von ungefähr 9 cm Durchmesser oder eine Drahtkelle von gleichem Umfang, ein zur Größe der Kelle passender Schneebesen oder Rührbesen vom elektrischen Mixer, mit dem die Körbchen in der Suppen- oder Drahtkelle festgehalten werden, außerdem eine Zange. Nun eine Pastaplatte vorsichtig von Hand in die Kelle drücken und an den Seiten zu einem Körbchen mit Zipfeln formen.

3 Ein Stück der restlichen Pasta ins Öl tauchen, um die Hitze zu prüfen: Die Pasta muß sofort Blasen werfen und nach oben steigen. Die Kelle mit der Pasta nun ins Öl tauchen. Mit der Zange die Pasta vom Rand wegziehen, damit sie nicht festklebt. Das Körbchen mit dem Rührbesen in Form halten. Die Pastakörbchen sind verhältnismäßig robust, und man sollte nicht zu schüchtern mit ihnen umgehen; das Ausbacken läßt sich an den zwei Reserveplatten vorher ausprobieren. Die Pastakörbchen sind fertig, wenn sie knusprig und goldgelb ausgebacken sind und sich an der Oberfläche Blasen bilden.

4 Die Pastakörbchen nun nacheinander ausbacken und die fertigen Körbchen auf dem Kopf stehend auf Küchenkrepp abtropfen lassen. Vor dem Servieren auskühlen lassen.

5 Für die süße Ricotta- oder Quarkfüllung den Zucker mit der Hand unter den Frischkäse rühren; eine Küchenmaschine würde den Ricotta oder Quark zu flüssig pürieren. Nun Früchte und Schokolade unterheben. Die Käsemasse unmittelbar vor dem Servieren in die Pastakörbchen füllen und mit gehobelter Schokolade garnieren.

Hinweis: Falls die Körbchen ihre knusprige Konsistenz verlieren oder Spritzer des Fritieröls zeigen, können sie in einem heißen Backofen wieder aufgebacken werden. Mit diesen Körbchen lassen sich schlichte Nachspeisen wie Eis oder Fruchtsalat in elegante Desserts verwandeln. Durch eine einfache Sauce und etwas Puderzucker als Garnierung kann man die Körbchen noch verfeinern. Drahtkellen oder -körbchen, mit denen sich die Pastakörbchen sehr leicht ausbacken lassen, sind in gutsortierten Geschäften für Küchenzubehör erhältlich.

PRO PERSON: *Protein 15 g; Fett 15 g; Kohlenhydrate 45 g; Ballaststoffe 2 g; Cholesterol 40 mg; 1585 kJ (375 Kcal)*

FEINER ZUCKER

Zu feinem Pulver zermahlener Kristallzucker wird »feiner Zucker« genannt. Er wird gerne zum Kochen verwendet, denn er löst sich schnell und vollständig auf. Feiner Zucker ist auch optisch interessant und macht sich gut als Überzug von Kuchen, Pudding und süßen Broten. Mit feinem Zucker werden auch Süßigkeiten, vor allem Bonbons, überzogen.

OBEN: Pastakörbchen mit fruchtiger Ricottafüllung

OBEN: Schoko-Nuss-Kuchen

HASELNÜSSE

Haselnüsse sind die eßbaren Nüsse des Haselnußbaums *Corylus*, der zur Familie der Birken gehört. Haselnüsse sind sehr ölhaltig und äußerst angenehm im Geschmack. Sie werden beim Backen und für Süßwaren verwendet. Oft werden in Rezepten geschälte und geröstete Haselnüsse verlangt, und das Rösten und Schälen der Nüsse kann man auch zu Hause erledigen. Die Haselnüsse dazu auf einem Backblech verteilen und bei Mittelhitze (180 °C) ungefähr 10 Minuten backen, bis die Haut sich zusammenzieht und löst. Nun die Haselnüsse 5 Minuten in ein Küchenhandtuch wickeln. Die Nüsse danach im Küchenhandtuch kräftig aneinanderreiben, um die Haut vom Kern zu lösen. Nun die Nüsse noch einzeln mit den Fingern abreiben, um alle Hautreste zu entfernen.

SCHOKO-NUSS-KUCHEN

Vorbereitungszeit: 30 Minuten + Kühlzeit über Nacht
Kochzeit: 5–10 Minuten
Für 6–8 Personen

250 g Stellini
140 g geröstete Haselnüsse ohne Schale
150 g Walnüsse
100 g abgezogene Mandeln
3 TL Kakaopuder
1 TL Zimt
160 g Zucker
1 EL Zitronat und Orangeat, gemischt
geriebene Schale von 1 ungespritzten Orange
1 TL Vanilleessenz
2 EL Cognac
60 g Butter
100 g Bitterschokolade, gehackt

1 Eine Springform (Ø 20 cm) einfetten; den Boden mit Backpapier auslegen. Die Pasta in einem großen Topf mit sprudelndem Wasser *al dente* kochen. Unter kaltem Wasser abschrecken. Gut abtropfen.

2 Nüsse, Kakao, Zucker, Zimt, Zitronat und Orangeat, die Zitronenschale, das Vanillearoma und den Cognac in einer auf Intervallschaltung gestellten Küchenmaschine fein pürieren.

3 Die Butter und die Schokolade in einem Töpfchen bei Niedrighitze zerlassen oder in der Mikrowelle zu einer glatten Paste erhitzen.

4 Die Pasta, die Nußfüllung und die geschmolzene Butter und Schokolade gut mengen. Mit einem Löffel in die vorbereitete Springform füllen und mit einem feuchten Handrücken fest andrücken. Nun die Oberfläche mit einem angefeuchteten Löffelrücken glatt streichen. Den Kuchen über Nacht kalt stellen, bis er fest ist. Aus der Springform nehmen und in einzelne Kuchenstücke teilen. Mit Kakaopuder und Puderzucker bestreuen und servieren. Schmeckt köstlich mit Sahne.

PRO PERSON (BEI 8 PERSONEN): *Protein 15 g; Fett 45 g; Kohlenhydrate 55 g; Ballaststoffe 7 g; Cholesterol 20 mg; 2795 kJ (665 Kcal)*

REGISTER

Die *kursiv* gesetzten Ziffern beziehen sich auf Abbildungen, die **fett** gedruckten Ziffern auf Randspaltentexte.

Beilagen

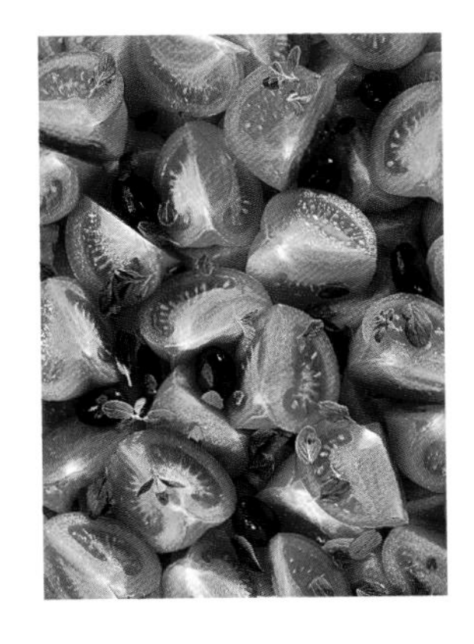

Pasta-Gerichte

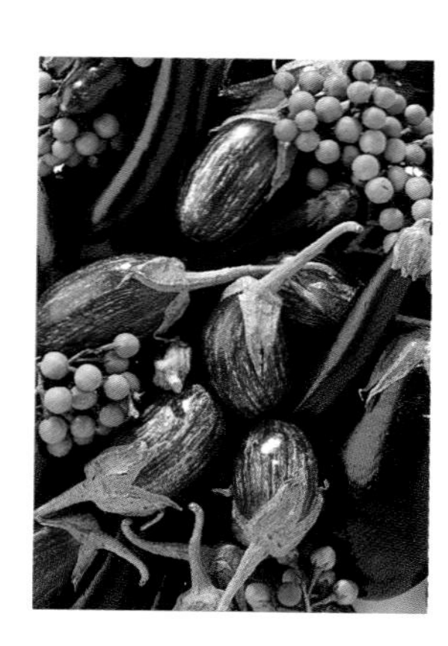

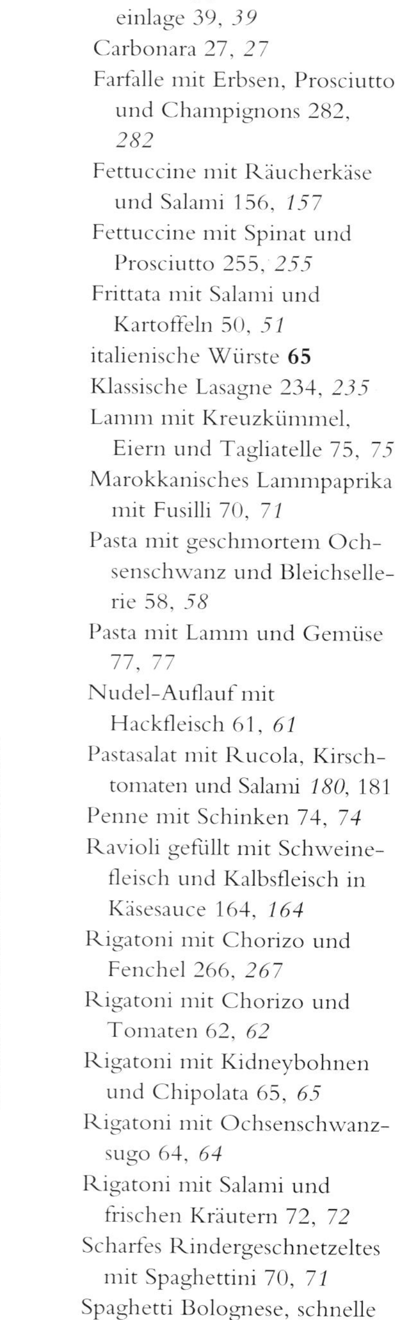

G

H

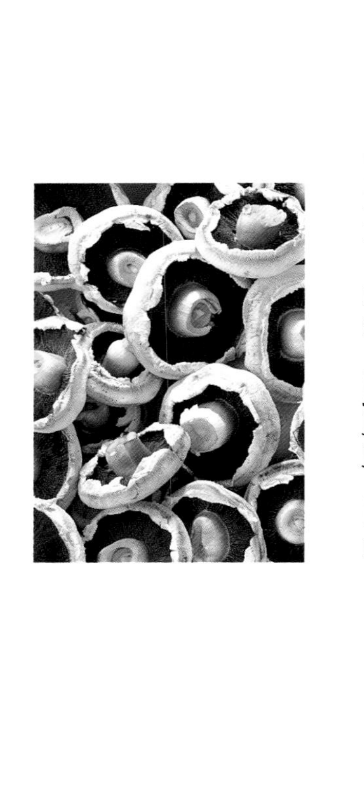

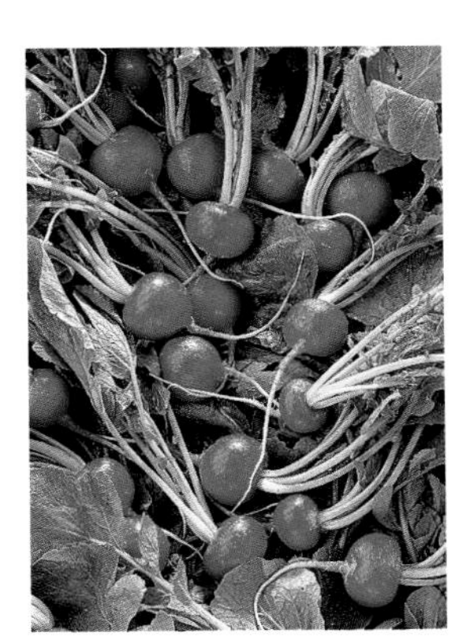

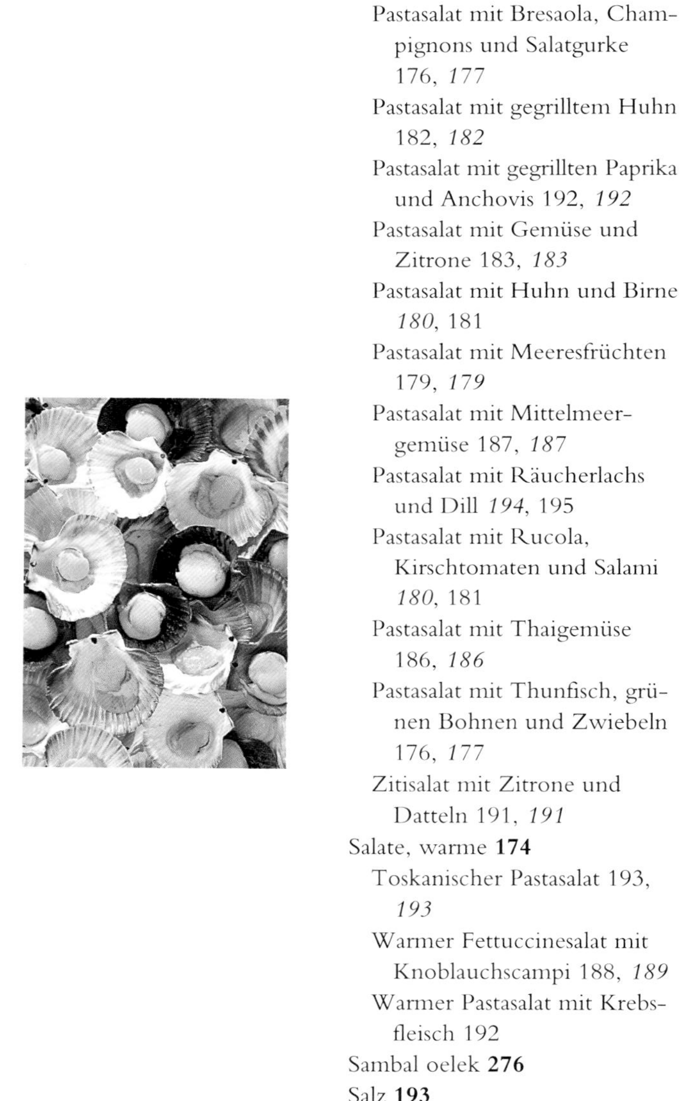

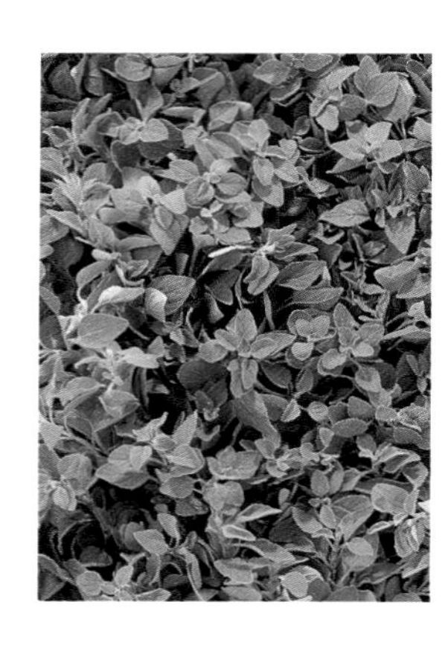

DANKSAGUNG

REZEPTE: Wendy Berecry, Rebecca Clancy, Amanda Cooper, Alex Diblasi, Michelle Earl, Jo Forrest, Joanne Glynn, Lulu Grimes, Michelle Lawton, Barbara Lowery, Kerrie Mullins, Sally Parker, Jennene Plumber, Tracey Port, Jo Richardson, Tracy Rutherford, Chris Sheppard, Dimitra Stais, Jody Vassallo

FOTOS: Jon Bader, Ashley Barber, Joe Filshie, Chris Jones, Luis Martin, Reg Morrison

FOODSTYLING: Amanda Cooper, Carolyn Fienberg, Michelle Gorry, Mary Harris, Donna Hay, Rosemary Mellish

Der Verlag dankt folgenden Firmen für die freundliche Bereitstellung von Fotos:

Antico's Northbridge Fruitworld, NSW;
Bush Wa Zee Pty Ltd Ceramics, NSW;
Dee Why Fruitworld, NSW;
Nick Greco Family Delicatessen, NSW;
Ma Maison en Provence, NSW; Pasta Vera, NSW.